W9-AWB-040

미국
United States of America

21세기 먼나라 이웃나라

미국 2

이원복

1946년 충남 대전 출생. 서울대학교 공과대학 건축학과를 졸업하였다. 1975년 독일 뮌스터 대학의 디자인학부에 유학, 졸업시 디플롬 디자이너(Dipl. Designer) 학위 취득과 함께 총장상을 수상하였으며, 같은 대학 철학부에서 서양미술사를 전공하였다. 당시 10년간에 걸친 독일과 유럽 체험은 『21세기 먼나라 이웃나라』를 쓰는 데 중요한 밑바탕이 되었다. 독일 뮌스터 시와 코스펠트 시 초청으로 개인전을 열었고, 현재는 덕성여대 산업미술학과 교수로 재직하고 있다. 『나란나란 세계사 도란도란 한국사』 『부자국민 일등경제』 『만화로 떠나는 21세기 미래여행』 『신의 나라 인간 나라』 등 다수의 만화를 창작, 세계 역사와 문화, 경제와 철학을 재미있는 만화로 소개하는 일에 몰두해 왔다. 1993년에는 우리나라 만화문화 정착에 기여한 공로로 제9회 눈솔상을 수상했다. 한국 만화·애니메이션 학회 회장(1998~2000)이며, 미국 캘리포니아 얼바인 대학 객원 교수로도 재직했다.

홈페이지 : www.won-bok.com 이메일 : jambo@nuri.net

펜터치 · 컬러링 그림떼(Grimmté-Illustrator group)

덕성여자대학교 디자인학부에서 시각디자인을 전공한 일러스트레이터 그룹이다.
이원복 교수의 제자들로 구성되었으며, 일러스트와 카툰 일러스트를 주로 그리고,
그래픽 디자인 비즈니스의 새로운 장을 열어가고있다.

대표 김승민(덕성여대 강사), 일러스트레이터 이지은, 천현정, 이아영, 김미화, 김준미, 강인숙

이메일 : grimm4u@hanmail.net

21세기 먼나라 이웃나라 제11권 미국

이원복 글 · 그림

1판 1쇄 인쇄 2003. 12. 5. | 1판 106쇄 발행 2007. 3. 15. | 발행처 김영사 | 발행인 박은주 | 등록번호 제406-2003-036호 | 등록일자 1979. 5. 17. | 경기도 파주시 교하읍 문발리 출판단지 515-1 우편번호 412-832 | 마케팅부 031)955-3100, 편집부 031)955-3250, 팩시밀리 031)955-3111 |

값은 표지에 있습니다. | ISBN 978-89-349-1506-5 77940 978-89-349-1756-4(세트) | 좋은 독자가 좋은 책을 만듭니다. | 김영사는 독자 여러분의 의견에 항상 귀 기울이고 있습니다. | 독자의견 전화 031)955-3104 | 홈페이지 www.gimmyoung. com, 이메일 bestbook@gimmyoung.com

21세기

먼나라 이웃나라

이원복 글·그림

United States of America

미국 2

역사편

김영사

남북전쟁 때의 미국(1861년 당시)

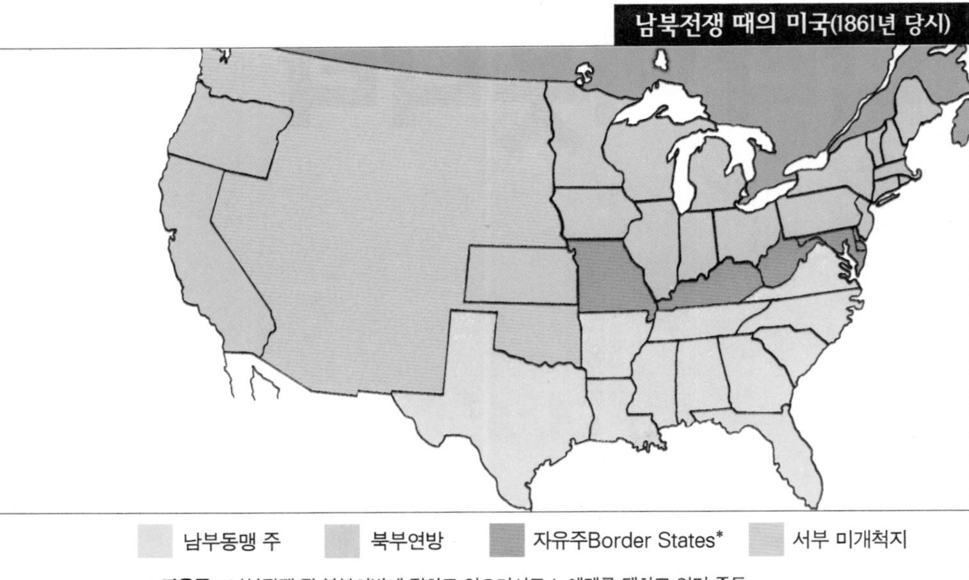

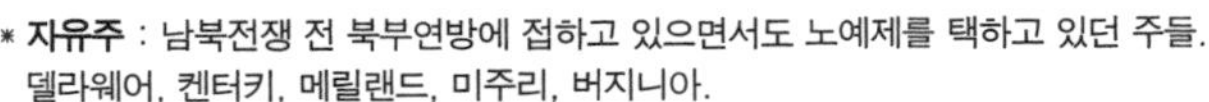
남부동맹 주
북부연방
자유주Border States*
서부 미개척지

* **자유주** : 남북전쟁 전 북부연방에 접하고 있으면서도 노예제를 택하고 있던 주들. 델라웨어, 켄터키, 메릴랜드, 미주리, 버지니아.

미국 영토의 확대

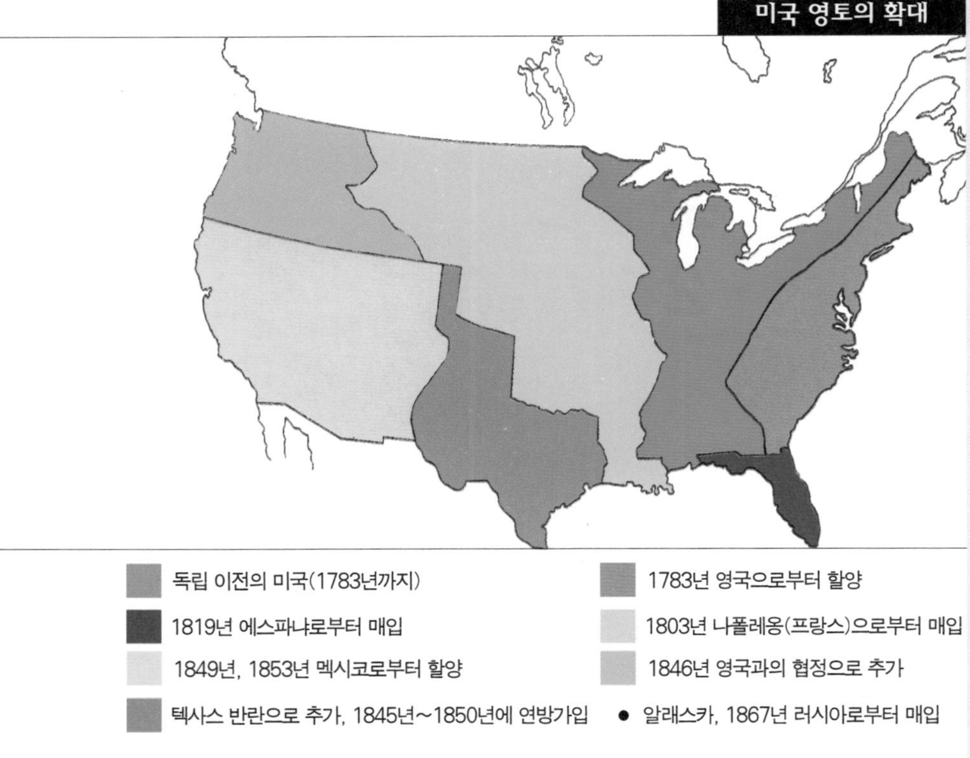
독립 이전의 미국(1783년까지)
1783년 영국으로부터 할양
1819년 에스파냐로부터 매입
1803년 나폴레옹(프랑스)으로부터 매입
1849년, 1853년 멕시코로부터 할양
1846년 영국과의 협정으로 추가
텍사스 반란으로 추가, 1845년~1850년에 연방가입
● 알래스카, 1867년 러시아로부터 매입

차례

1 새로운 대륙이 열리다 ___ 8
— 독립 이전의 아메리카

2 새로운 나라가 열린다 ___ 43
— 미국의 탄생

3 깊이 뿌리내리는 새나라 ___ 73
— 미국의 성장

4 분열, 그리고 전쟁 ___ 103
— 남북전쟁

5 세계 최강으로 떠오르다 ___ 133
— 그러나 극심해지는 빈부의 차이

6 세계 최강의 부자나라가 빈털털이 나라로 ___ 163
— 제1차 세계대전과 대공황

7 세계 질서의 주도권을 잡다 ___ 195
— 제2차 세계대전과 동서 냉전시대

8 고독한 세계유일의 초강대국 ___ 223
— 오늘의 미국- 뉴프론티어에서 이라크 전쟁까지

『미국 편』 머리말

우리는 미국에 대해 참으로 복잡한 감정을 가지고 있다. 그 특징은 찬미(讚美) 아니면 반미(反美)라는 것으로, 미국을 비교적 객관적으로 바라보기 어렵다는 사실인데 거꾸로 얘기해서 그만큼 관심이 많다는 증거이기도 할 것이다.

그러나 문제는 그 어느 쪽도 미국에 대해 정확한 지식을 갖고 있는 경우가 아니라는 사실이다. 한 쪽은 민족주의를 바탕으로 한 외세배격 차원에서, 다른 한 쪽은 유럽과 아시아를 충분히 겪지 못한 채 우리가 후진국일 때 세계 최강 미국을 주관적으로 경험했기 때문일 것이다. 이런 의미에서 미국을 객관적으로 바라보는 노력이 그 어느 때보다 중요한 것이 오늘날 우리의 현실이다.

"미국 편"을 만들고 싶다는 생각은 이미 이 시리즈를 시작했을 때부터였으니 거의 20년이 된다. 그러나, 미국에 대해 아는 바도 적고 또 미국을 잘 아는 분들이 워낙 많아 자칫 했다가는 커다란 꾸중을 들을까 오랫동안 용기를 내지 못하였다. 하지만 이제는 그 때가 되었다고 생각하여 2년여의 작업 끝에 이 책을 낸다. 미국에서 살아본 것은 객원교수로 1년 반 정도밖에 되지 않지만, 유럽생활 10년 동안 하루도 빠짐없이 신문에 보도되는 주요기사는 미국에 관련된 것이었으니 원했든 원하지 않았든 미국에 대해서는 많이 듣고 보고 고심해 왔다고 자부하며, 이를 바탕으로 이 책을 꾸몄다.

"미국 편"은 모두 3권으로 구성되었다.

1권 미국·미국인편, 2권 미국의 역사 편, 3권 미국의 대통령 편이 그것이다. 3권이 추가된 것은 미국의 비중이 다른 나라보다 커서이기보다는 전세계 최고 권력자라 할 수 있는 미국 대통령들의 면모와 스타일, 제도를 알지 못하고는 미국을 제대로 알기 어렵기 때문이다.

부디 이 책이 많은 이들에게 미국에 대한 헛된 환상은 물론이고, 이유 없는 혐오나 반미감정에서 벗어나, 그들을 정확하게 바라볼 수 있는 눈을 여는 데 조그만 도움이 된다면 그 보다 더 큰 기쁨은 없을 것이다. 이 책이 나오기까지 아낌없는 지원을 해주신 김영사 박은주 사장님과 직원 여러분, 그리고 힘을 합해 열심히 도와준 나의 제자 '그림떼' 멤버들에게 감사와 사랑을 보낸다.

2004년 7월 이원복

『21세기 먼나라 이웃나라』에 붙여

『먼나라 이웃나라』가 책으로 묶여 처음 독자들에게 선을 보인 것이 1987년, 『새 먼나라 이웃나라』로 대폭 수정, 보완되어 출간된 것이 1998년이었다. 그 동안 세상은 참으로 많이 변하였고, 무엇보다 세기가 바뀌었다. 우리는 이제 20세기를 마감하고 21세기로 접어든 것이다. 『먼나라 이웃나라』는 매 5년 단위로 내용을 크게 바꾸거나 고치는 작업으로 시대에 뒤떨어지지 아니하고 살아숨쉬는 내용을 독자들에게 제공하고자 노력하고 있다. 세상의 변화가 하루가 다르게 빨라져 가기 때문에 더 자주 이 작업을 해야 할 것으로 예상된다.

『21세기 먼나라 이웃나라』는 두 가지 면에서 크게 바뀌었다.
첫째로 지금까지 2도 인쇄에서 올컬러로 바뀌었고, 역사적 자료들이 훨씬 생생한 도판으로 보충되었다는 점이다. 영상 컬러 시대에 익숙해진 새로운 세대들에게 지금까지의 2도 인쇄보다 화려하지만 은은한 올컬러는 훨씬 생동감 있고 흥미롭게 느껴질 것이며, 읽고 보는 즐거움을 크게 더하리라고 믿는다. 또한 내용과 관련된 도판들이 생생한 자료로 제공되기 때문에 역사와 문화의 현장, 그리고 인류의 역사를 움직인 인물들의 실제 모습을 더욱 실감있게 체험할 수 있는 기회가 되리라고 자신한다.

거의 3,000쪽에 가까운 방대한 컴퓨터 컬러링 작업에는 나의 사랑하는 제자들로 구성된 일러스트레이터 그룹 "그림떼"가 헌신적으로 참여하였다. 그들에게 진심으로 감사의 마음과 사랑을 전한다. 또 김영사의 사장님과 전직원의 뜨거운 후원과 협력이 없었더라면 『21세기 먼나라 이웃나라』는 탄생할 수 없었을 것이다. 이분들 모두에게 고개 숙여 감사드린다.

아마도 만화로서 출간된 지 16년이 넘는 작품이 이처럼 꾸준한 사랑을 받아온 경우는 그리 흔하지 않으리라고 생각한다. 그런 만큼 긍지와 더불어 무거운 책임을 절감하며, 더욱 알차고 좋은 내용으로 독자들의 성원에 보답할 것을 약속한다.

2003년 12월
이원복

1

새로운 대륙이 열리다

독립 이전의 아메리카

〈신세계로 건너온 이주민들〉, 아담 윌러츠, 1577년

"유럽의 길들은 도시로 향한다. 그러나 미국의 길들은 지평선을 향한다."

D. 브링클리

1492년 10월 12일 아침, 이탈리아 제노바 출신의 크리스토퍼 콜럼버스는 니나, 핀타, 산타 마리아호를 몰고 8월 3일 포르투갈 리스본 항을 떠난 지 70일 만에 신대륙 아메리카에 첫발을 내디뎠다.

* 에드워드 모란 작 "콜럼버스의 상륙"(1892년 작품)

이곳은 오늘날의 바하마이며 그는
이 땅을 '산살바도르'라 칭하였고
'구세주의 섬' 이다!
San Salvador!

그가 가고자 했던 인도로 믿어
원주민을 '인디언'이라 칭하였다.
여기 인도 맞지?
??

이는 수만 년 전부터 살아오던
원주민의 땅에
뭐, 발견? 수만 년 늦게서야 온 것들이…

유럽인의 첫 발길이 닿은 것에
지나지 않았지만

그로부터 3세기도 지나지 않아
세계 최대 강대국인
1492
1776

아메리카합중국, 즉 미국이란 나라의
씨앗이 심어진 순간이었어.
The United States
of America

하~이! HELLO!
Nice to meet you!

요즘 영어 배우느라고 고생이 많지?
ENGLISH

아니, 정확하게 말해 영어라기보다는 '미국어' 라고 해야 옳겠지?
AMERICAN

오늘날 미국은 세계 유일의 초강대국으로
USA

정치, 경제, 문화 등 모든 면에서 세계의 주도권을 잡고 이끌어가는 중심국가야.
세계정치
세계경제
대중문화
워싱턴 DC
뉴욕 월스트리트
뉴욕

이런 거대하고 강력한 국가가 생긴 지 겨우 230년에 지나지 않았다는 놀라운 사실!
USA
유럽

이제 우리는 짧지만 중요한 미국의 역사로 여행을 떠나는 거야!
미국의 역사

프랑스의 저명한 소설가이자 평론가인 앙드레 모루아란 분은 이런 얘기를 했어.
André Maurois
1885~1967
· 영국사(1937)
· 미국사(1943)
· 프랑스사(1947)

"유럽의 역사는 강력한 국가로부터 인민들이 권력을 빼앗아온 과정이지만
권력
시민

미국의 역사는 강력한 인민들로부터 국가가 권력을 빼앗아온 과정이다."
권력
국가
시민

이는 유럽시민들이 끊임없는 시민혁명을 통해
와
와

그들의 주권을 통치자로부터 찾아와 민주주의를 이룩한 데 비하여

미국의 경우엔 정반대로
자연
주민

자유와 억압을 피해 신대륙에 건너와 굴레 벗은 말처럼 거칠고 자유로워진 시민들로부터
탕
탕
탕

정부가 그 권력의 일부를 되찾아서
멋대로 굴면 알지?
법

강력한 국가를 건설해온 역사를 지니고 있지!
국가

미국 역사에는 또 한 가지 특징이 있어.
미국의 역사

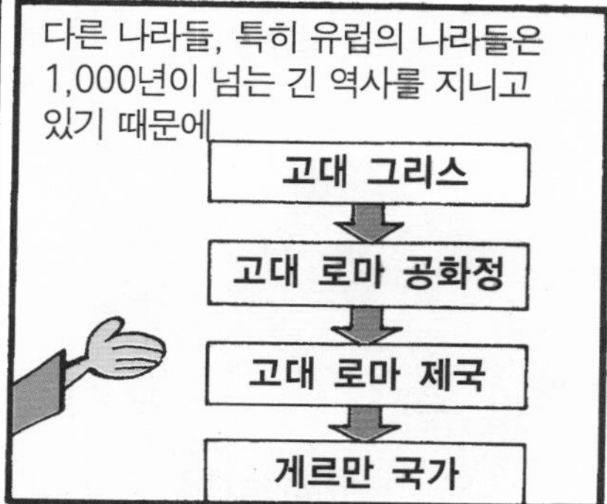
다른 나라들, 특히 유럽의 나라들은 1,000년이 넘는 긴 역사를 지니고 있기 때문에
고대 그리스
고대 로마 공화정
고대 로마 제국
게르만 국가

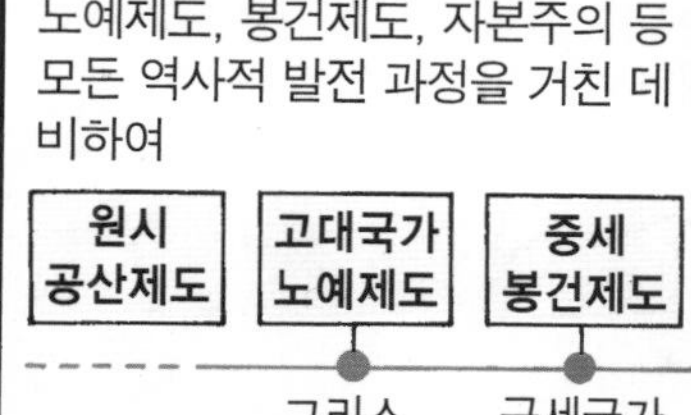
노예제도, 봉건제도, 자본주의 등 모든 역사적 발전 과정을 거친 데 비하여
원시 공산제도
고대국가 노예제도
중세 봉건제도
그리스 로마
근세국가 등장

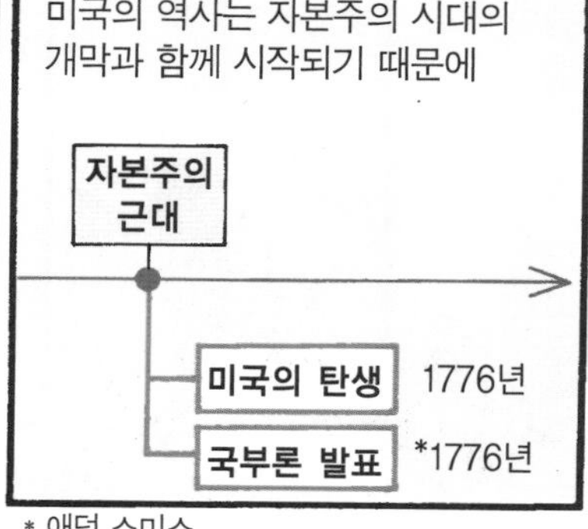
미국의 역사는 자본주의 시대의 개막과 함께 시작되기 때문에
자본주의 근대
미국의 탄생 1776년
국부론 발표 *1776년

* 애덤 스미스

자본주의의 특성, 즉 "나 개인의 이익과 행복 추구,"
나의 이익, 나의 행복!
나
우리

인간의 이기주의가 걸러지지 않고 그대로 드러난다는 거지.
나
아그르르…

인간의 이기주의가 역사 변화의 동기였다는 점은 마찬가지지만
$
$
$

문화, 자존심 그리고 체면이라는 가면을 쓴 유럽의 역사와 크게 다른 점이야.
우리의 문화, 종교를 위해
전쟁이다!
돈!
이익….

도대체 콜럼버스는 왜 서쪽으로 갔을까?

그가 '인도'로 가는 새 항로를 찾던 1492년경의 유럽은 어땠는가?

그때나 지금이나 큰돈을 버는 길은 장사를 하여 이익을 많이 남기는 것인데
$

가장 큰 문제는 상품을 운반하는 거였어.

지금이야 비행기, 철도가 있어 '번개처럼' 물건을 실어 나르고

시원하게 고속도로가 뚫려 화물차들이 상품을 가득 싣고 달리지만
K-57
TRANS EU

콜럼버스 시대의 도로란 지금에 비하면 자연 그대로일 정도로 형편없었지.

포장이 안 된 구불구불한 길에다
덜컹
덜커덩

산을 넘고 물을 건너 물건을 옮기는 데 막대한 시간과 돈이 들었어.

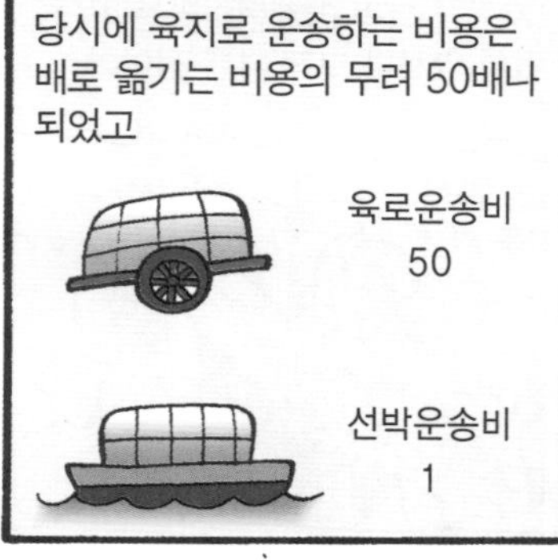
당시에 육지로 운송하는 비용은 배로 옮기는 비용의 무려 50배나 되었고
육로운송비
50
선박운송비
1

물길이 육지보다 훨씬 안전할 뿐더러
산적!

대량운송이 가능했기 때문에 당연히 해상 무역이 발달하게 되었던 거야.
육로는 고작 수백kg인데
배로는 800톤까지 한꺼번에⋯.
800톤

해상 무역이 워낙 큰 이익을 내기 때문에 나라마다 항해기술 개발에 막대한 투자를 했고,
더 큰 배!
더 안전한 항해 기술!

나침반, 천체관측기구,

* 별로 항로를 측정하는 기구

그리고 정밀한 해상도의 발달과 더불어 유럽의 해상 무역은 더욱 발전하였지.

* 프톨레마이오스가 작성한 15세기 항해도

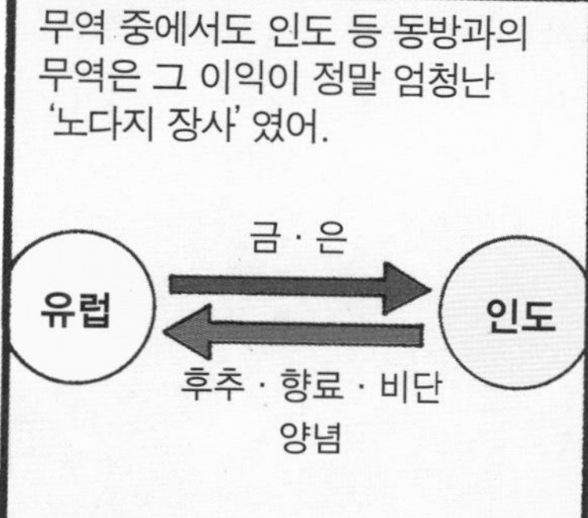
무역 중에서도 인도 등 동방과의 무역은 그 이익이 정말 엄청난 '노다지 장사' 였어.
금 · 은
유럽
인도
후추 · 향료 · 비단
양념

15세기에 갓 알려진 인도 향료, 생강, 후추 등은
이렇게 맛있다니!
소금 외엔 조미료를 모른단 말이야? 야만인들….

부르는 게 값이었고 없어서 못 파는 귀중품이자
자기야, 생일선물로 후추 먹고 싶어.
엄청 돈 들게 됐군…!

마치 동방제품이 사회적 지위를 상징하듯 날로 가격이 폭등하고 있었지.
후… 후추 뿌려 드시네!
허허… 음식문화를 좀 안다고나 할까?

당시 가격만 비교해보아도 어느 정도 인기였는지 짐작이 간다고.
밀 · 보리 4
소금 6
올리브 30
사프란 3,000
생강 500
저질후추 300

배 10척을 띄워 단 1척만 돌아와도 그 이익이 투자액의 무려 50배!
10척이 다 돌아오면 500배!

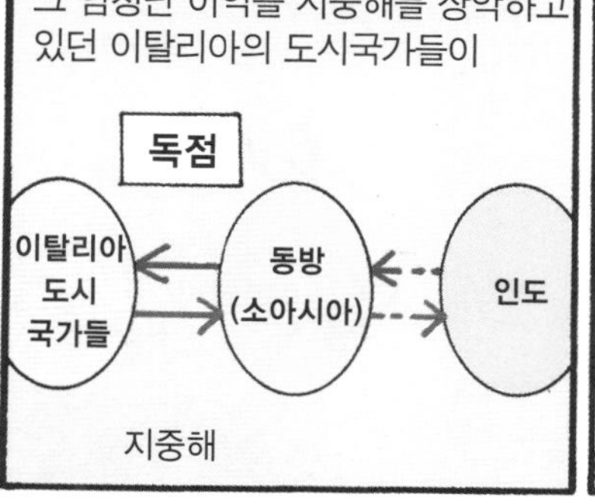
그 엄청난 이익을 지중해를 장악하고 있던 이탈리아의 도시국가들이
독점
이탈리아 도시 국가들
동방 (소아시아)
인도
지중해

동방과의 무역을 독점하여 떼돈을 벌고 있었으니

다른 유럽의 나라들이 얼마나 배가 아팠겠어?
부… 럽… 다….

그런데 지중해를 통한 이탈리아의 동방무역에 빨간 등이 켜지고 말았으니
동방

오스만 투르크 제국의 이슬람 세력이 1453년 콘스탄티노플을 함락시켜
콘스탄티노플

동로마제국을 멸망시키고 크리스트교도들의 동방 출입을 가로막았던 거야.
통행금지

자, 사겠다는 사람은 폭증하는데 팔 물건이 없다면?
파시오!

제품의 값이 하늘 높은 줄 모르고 뛰어오르는 것은 너무도 당연한 일!
200 내겠소!
500!
1,000!

그런데 물건 사러 가는 길이 막히면?
돌아서라도 가야지!!

자연 유럽경제의 중심은 지중해에서 대서양으로 서서히 옮겨가게 되었지.
대서양

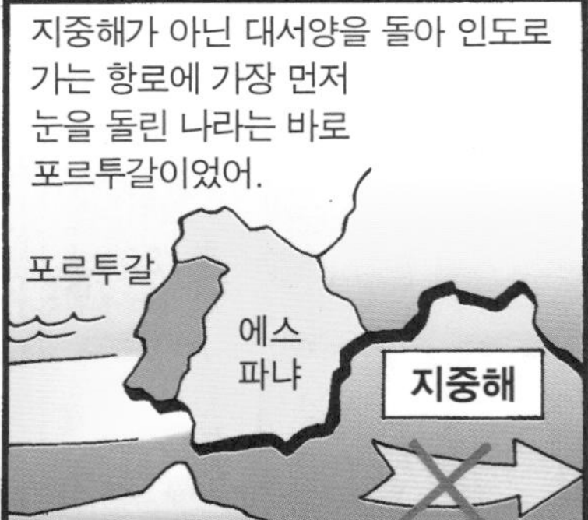
지중해가 아닌 대서양을 돌아 인도로 가는 항로에 가장 먼저 눈을 돌린 나라는 바로 포르투갈이었어.
포르투갈
에스파냐
지중해

포르투갈이 자리 잡은 위치가 당연히 그러했고
유럽대륙 서쪽 끝!
포르투갈
에스파냐

이웃 에스파냐(당시 카스티야왕국)의 시달림에 고생을 한 데다가
동쪽은 쳐다 보지도 마!

강력한 이탈리아 함대로 인해 지중해 진출은 꿈도 꿀 수 없었던 처지여서
어딜 함부로?! 당장 꺼져!

아프리카를 돌아 인도로 가려는 계획을 가장 먼저 실천에 옮기게 된 거였지.
잘 모르는 아프리카
이렇게 가면 되지 않을까?

때맞춰 미래에 대해 안목을 지닌 엔리케 왕자는
바다를 지배하는 자가 세계를 지배하게 될 것이다!

항해학교를 세우고 항해사를 키우는가 하면
★로 항로 측정법…
항해 기초지식…
아는 것이 힘이다…
항해 전문교
기숙사 완비

항해기술을 연구시키고 우수한 배를 만드는 등 미래에 대한 준비를 하였어.

엔리케 왕자는 그 결실을 보지 못하고 1460년에 세상을 떠났지만
먼저… 가네….

1488년, 바르톨로뮤 디아스는 아프리카 남쪽 끝 희망봉에 도착했지.
포르투갈
카보 베르데
인도
인도양
대서양
희망봉

하지만 당시 포르투갈 왕 주앙 2세는 이 업적을 대수롭지 않게 여겼대.
지중해를 뚫어야지 언제 아프리카를 돌아가누….
시큰둥

그러나 1492년 콜럼버스가 신대륙을 발견하자
뭐야? 서쪽으로 인도에 갔다구?!

1495년 즉위한 마누엘 1세는 적극적으로 동방항로에 관심을 갖게 되었고
서둘러라!
꾸물거리다간 에스파냐가 인도를 모두 먹겠다!

바스코 다 가마가 드디어 아프리카를 돌아 인도에 도착하는 새 항로를 찾게 되었지.

이것은 비록 해안선만 따라 항해한 것이었지만
아프리카

아프리카란 대륙이 얼마나 거대하고 엄청난 가능성을 지녔는가를 새롭게 인식하게 되었으며
가도 가도 끝이 없다….

그 당시의 신대륙이란 공식적으로 아프리카를 일컫는 말이었어.
신대륙 진출….
아프리카?

인도로 가는 항로 찾기에 뛰어든 사람 가운데 하나가 크리스토퍼 콜럼버스였어.

그는 1451년 이탈리아 제노바에서 태어나 오랜 선원 경력을 가지고 있었는데

일찌감치 포르투갈 시민이 되어 수도 리스본에서 동생과 지도 가게를 운영하기도 했대.
COLON
지도 염가 판매중

그는 항해 경험과 천문, 지리학자들과 교류하며
지구는 둥글다니까!
정말?

서쪽으로 가면 반드시 인도로 갈 수 있다고 확신했어.
아프리카를 돌아가지 않아도
대서양 서쪽으로 계속 가면 인도로 갈 수 있다!!

인도로 가려면 배와 물자를 지원해 줄 후원자가 필요했고
필요 예산목록

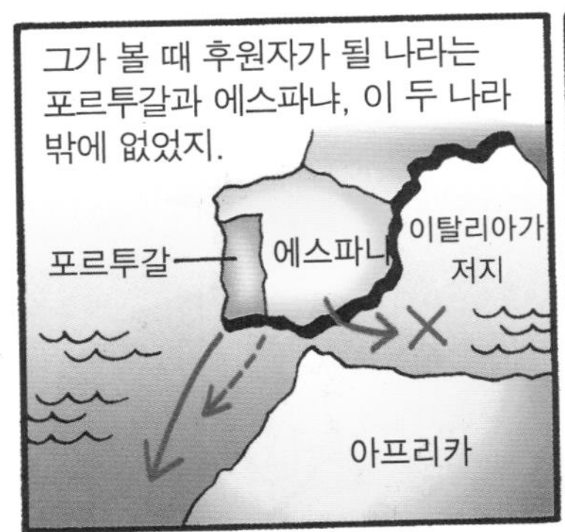
그가 볼 때 후원자가 될 나라는 포르투갈과 에스파냐, 이 두 나라 밖에 없었지.
포르투갈
에스파냐
이탈리아가 저지
아프리카

콜럼버스는 포르투갈 왕에게 후원을 요청했지만…
지금 인도 가는 길 찾는 데 돈 쓸 겨를이 없네.
이 작자 사기꾼 아냐?
사업 계획서

수재민구제, 실업자문제에 왕 측근이 뇌물받은 사건 등… 국내 문제로 골치가 터질 것 같으이.

인도로는 지금 아프리카를 돌아가는 길을 찾고 있으니, 딴 데 가서 알아보게나.

쳇, 저래서 지도자는 비전이 필요하다니까….
포르투갈 무역이 잘 된다고 너무 우쭐해 있어!

은근히 포르투갈을 샘내고 있는 에스파냐의 이사벨 여왕에게 한번 가보자!
에스파냐

당시 에스파냐는 엄청난 국가
발전의 발판을 마련한 터였어.

카스티야 왕국의 이사벨 공주는
아라곤 왕국의 페르난도 왕자와
결혼하여

통일된 에스파냐를 지배하는 여왕과
왕이 되었고

700년간 점령해온 이슬람 세력을
몰아내고 크리스트교를 굳건히
세우는 등

정치, 지리, 종교적 통일을 이룩하고
국가의 비상을 꾀하던 때였지.
지리
정치
종교
통일

이때의 콜럼버스의 제의는 포르투갈을
샘내던 이사벨 여왕에겐 솔깃할
수밖에.
밑져야 본전인
장사 아닌가….

배 3척 잃어버리는
셈치고 이 친구 제의를
받아들일까?
조금 사기꾼
같기는
하지만….

좋다!
그대와의 계약서에
도장을 찍겠노라!
탁

서… 성은이
망극하여이다,
폐하!
대신 계약
사항은 철저히
준수하렸다!

계약서에 따라 짐은 그대 크리스토발
콜론*을 해군
제독에 임명하며
돈 드는 거
아니니까….

앞으로 생기는 모든 이익의
4분의 1은 짐이
차지할 것이며
소신은 8분의
1이옵니다.

앞으로 발견하는 모든
땅의 통치권을
그대에게 주노라!
언제든 다시
뺏으면
되니까….

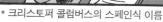

* 크리스토퍼 콜럼버스의 스페인식 이름

이사벨 여왕이 내준 3척의 배
니나호(60톤급), 핀타호(55톤급),
그리고 산타마리아호(120톤급)로

대서양을 건넌 콜럼버스는 1492년
10월 12일 오늘날의 바하마제도를
발견하였고
바하마제도
남아메리카

신대륙 아메리카는 이제 새로운
역사의 막을 열게 되었던 거야.
아메리고 베스푸치*
Amerigo Vespucci
1454~1512

* 그의 이름에 따라 '아메리카'란 이름이 생김

콜럼버스가 서쪽으로 항해해 신대륙을
발견한 것은 포르투갈에게는 큰
충격이었대.
어매,
저거 장난 아니네…!
포르투갈

아깝다! 진작
콜럼버스 말을
들어주었더라면
아프리카, 신대륙
모두 우리가
손아귀에 쥘 수
있었을 텐데….
탁

그나저나… 에스파냐가 이제부터
아프리카에 손을 뻗으면
안 되는데….
아프리카

에스파냐는 에스파냐대로…
코끼리 뒷걸음치다
쥐 밟은 것처럼
기대도 않던
신대륙 발견은
했다마는…

포르투갈 녀석들이 그곳에 얼씬
거리면 안 되는데 이를 어쩐다…?
포르
투갈
아프리카

여기에서 두 나라의 이해가 맞아
떨어졌다.
나누어 먹자.
아프리카는 포르투갈,
신대륙은 에스파냐!

1494년 두 나라는 교황 알렉산드르
6세에게 중재를 부탁했고
나누어
먹겠다…?

교황은 대서양에 세로로 선을 그었다.
아프리카 서쪽 끝
카보 베르데 섬부터
1800km를 경계로
카보
베르데
아프리카
1,800km
찌익

* Cape Verde Islands

오늘부터 이 선의 서쪽에서 발견되는
모든 땅은 에스파냐가, 동쪽에서
발견되는 모든 땅은 포르투갈의
영토로 인정하노라!
에스파냐
포르투갈

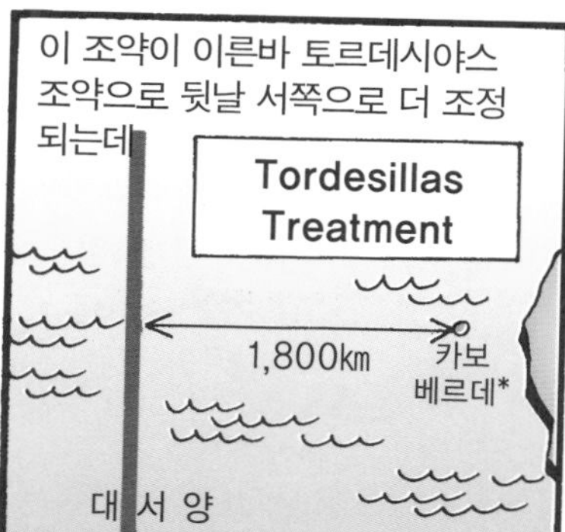
이 조약이 이른바 토르데시야스 조약으로 뒷날 서쪽으로 더 조정 되는데
Tordesillas Treatment
1,800km
카보 베르데*
대 서 양

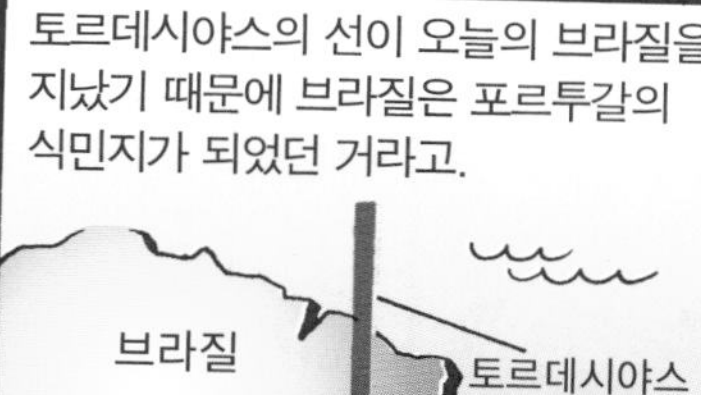
토르데시야스의 선이 오늘의 브라질을 지났기 때문에 브라질은 포르투갈의 식민지가 되었던 거라고.
브라질
토르데시야스 선(조정 후)
남아메리카

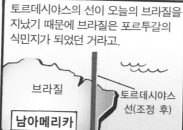

* 브라질은 1500년에 발견됨

이처럼 세계를 포르투갈, 에스파냐 두 나라가 나누어 가진 사실을 영국과 네덜란드는 전혀 모르고 있었어.
……

아메리카 대륙을 독점하게 된 에스파냐는 본격적인 신대륙 진출을 시작하였지.

에스파냐의 신대륙 지배 방식은 한마디로 '약탈'이었어.

이른바 콘키스타도레스*라고 불리는 직업군인들의 무리를 보내어

* Conquistadores

반항하는 원주민들을 무자비하게 살육하고
타 타 탕

황금과 보물을 닥치는 대로 약탈하여 본국으로 실어오는 방식이었지.

착하고 순진했던 원주민들은 하얀 피부, 금발에 파란 눈의 이방인들을 보고
!

신이 보낸 성자로 여겨 온갖 정성을 다해 맞았고,
??

옥수수와 감자를 기르는 법도 가르쳐주었지만

정복자들이 돌려준 것은 무참한 살육과 천연두, 홍역이라는 몹쓸 병이었지.

콜럼버스가 첫발을 딛기 전의 아메리카 대륙에는 누가 살고 있었는가?
1492

아메리카 원주민에 대한 학설은 여러 갈래여서 아직까지도 정확한 이동 경로는 밝혀지지 않고 있어.
아메리카 원주민의 뿌리는?
북동아시아계 항해설
베링육교건너온 클로비스족설

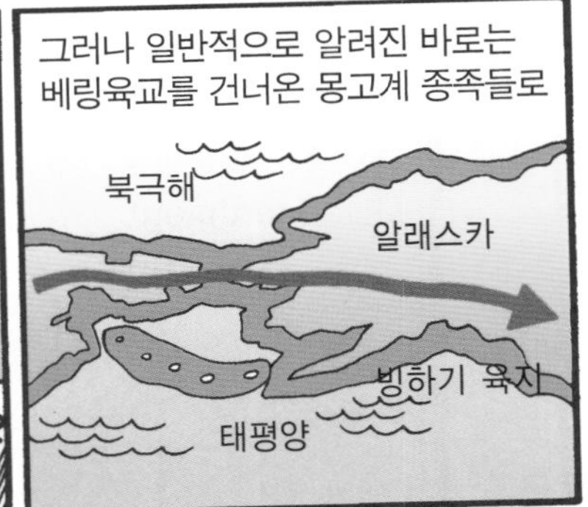
그러나 일반적으로 알려진 바로는 베링육교를 건너온 몽고계 종족들로
북극해
알래스카
빙하기 육지
태평양

15,000년 전 빙하기에 수위가 낮아져 다리처럼 연결되었던 베링육교를 건너 알래스카로 이동한 뒤
해빙 후 바다 높이
빙하기 바다 높이

북아메리카 전역에 퍼져 살게 되었다는 설과
태평양
대서양

역시 몽고계 종족이 태평양을 항해 하였다는 설
남아메리카

그리고 남태평양의 아시아계 종족들이 바다를 건너 남아메리카에 도착했다는 주장도 있어.
남아메리카
오스트레일리아

바이킹족도 기원전 1,000년경 북아메리카로 건너가 포도를 재배한 흔적(Vinland)이 남아 있지만

Vinland
=Vin(포도)
+land(땅)

그것은 전설로만 남아 있을 뿐 아무런 학문적인 증거도 남아 있지는 않아.
옛날 옛적 우리 조상들이….

어쨌든 콜럼버스 이전의 아메리카 대륙은 원주민들이 평화롭게 살던 땅이었으나

탐욕스러운 유럽인들이 건너오기 시작하면서

원주민들의 비극의 역사도 시작된 거야.

콜럼버스 이후, 유럽인들의 신대륙 탐험은 봇물을 이루어

존 캐벗

자크 카르티에

북아메리카

헨리 허드슨

1513년 발보아*는 지금의 파나마를 가로질러 최초로 태평양에 도착했고
요렇게 가까운 길이….
태평양
파나마
대서양

* Vasco Nunez de Balboa

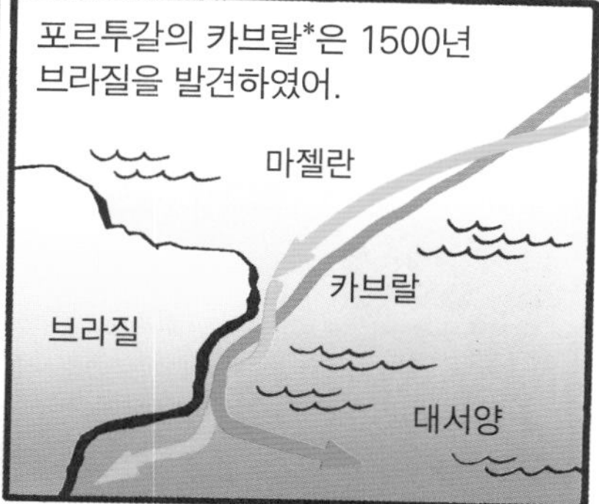

포르투갈의 카브랄*은 1500년 브라질을 발견하였어.
마젤란
카브랄
브라질
대서양

* Pedro Alvarez Cabral

에스파냐를 비롯한 백인들의 원주민 살육은 상상을 초월하여

1492년 콜럼버스가 아메리카를 발견한 이후 불과 200년도 안 되어

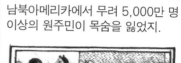

남북아메리카에서 무려 5,000만 명 이상의 원주민이 목숨을 잃었지.

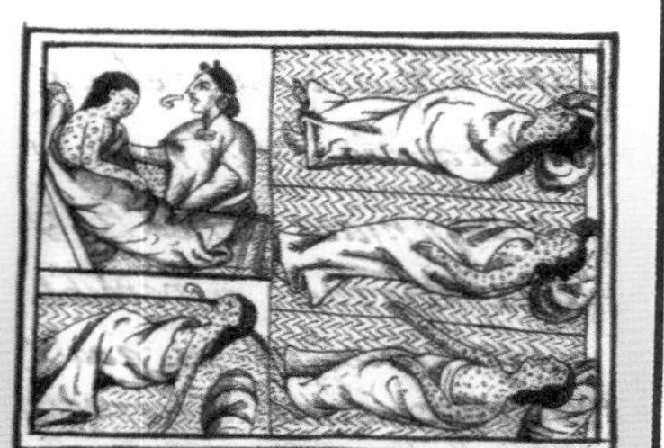

* 천연두로 죽어가는 원주민들

그 원인은 전쟁과 학살, 노예화 그리고 특히 백인들이 옮겨온 천연두였는데 한 역사학자는* 이를 "인류역사에서 가장 크고 잔혹한 '홀로코스트(집단살육)' 였다" 고 기록하고 있어. 특히 멕시코의 아스테크 문명을 파괴한 코르테스, 페루의 잉카문명을 말살한 피사로의 만행은 영원히 씻지 못할 백인들의 만행이었지.

* Alvin M Jesephy, Jr.

* 테오도르 드 브리의 그림: 아메리카 원주민을 학살하는 콘키스타도레스

신대륙 발견이라는 빅 뉴스는 곧바로 영국에도 전해졌어. 당시의 영국왕은 헨리 7세였어.
내가 엘리자베스 1세 여왕의 할애비여.

폐하, 바다 서쪽에 크기가 얼마나 되는지도 모르는 거대한 새 땅을 발견했답니다!
그래?

임자 없는 땅이니 가서 깃발 꽂으면 주인이 아닌가? 우리도 가만히 앉아 손가락만 빨 수는 없지!

항해 경험이 많은 존 캐벗*경을 보내 살펴보고 오도록 하거라!

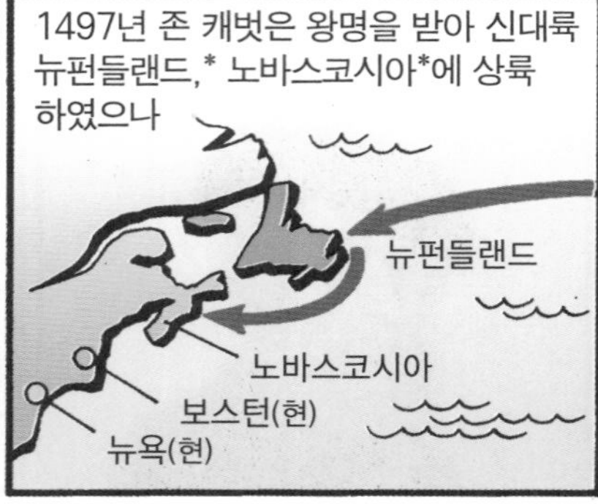
1497년 존 캐벗은 왕명을 받아 신대륙 뉴펀들랜드,* 노바스코시아*에 상륙하였으나
뉴펀들랜드
노바스코시아
보스턴(현)
뉴욕(현)

당시 복잡했던 국내사정으로 신대륙 문제는 100년 가까이 뒷전으로 밀려나고 말았어.
지금 그 쓸데없는 땅에 신경 쓸 겨를 없다.
아지꼰
영국

* John Cabot

* 현재 캐나다 영토

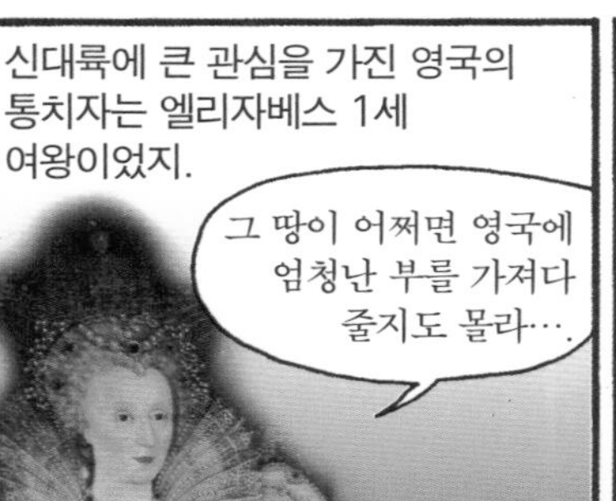
신대륙에 큰 관심을 가진 영국의 통치자는 엘리자베스 1세 여왕이었지.
그 땅이 어쩌면 영국에 엄청난 부를 가져다 줄지도 몰라….

월터 로리경. 아메리카 대륙을 탐험하고 그 경제 가치를 살펴보고 오라!
존명!

1585년 이래 두 번이나 아메리카를 원정한 월터 로리경은

이 땅에 축복 있으라! 처녀이신 우리 엘리자베스 1세 여왕폐하를 영원히 기리기 위하여

이 땅의 이름을 '처녀의 땅'이란 의미인 버지니아로 정하노라!
Virginia

잠깐! 월터 로리가 명명한 버지니아는 현 사우스 캐롤라이나 지방으로 지금의 버지니아주와는 다르니 조심해!
Virginia
≠
버지니아 주

미국 역사를 다룰 때 자칫 오해할 수 있는 말이 바로 버지니아주야.
HISTORY OF The USA

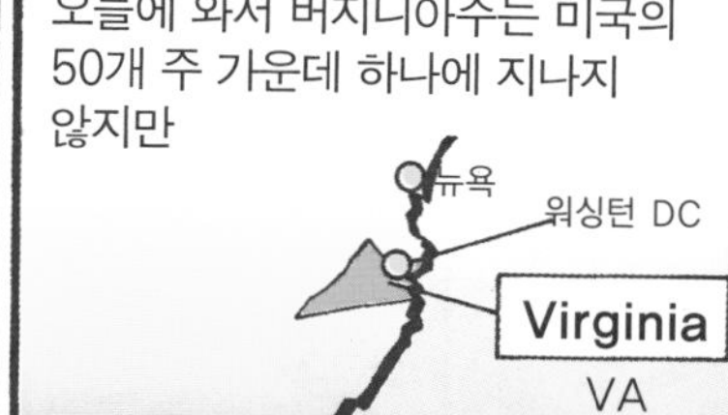
오늘에 와서 버지니아주는 미국의 50개 주 가운데 하나에 지나지 않지만
뉴욕
워싱턴 DC
Virginia
VA
뉴올리언스
대서양
마이애미

초창기에는 버지니아란 미국 동남부 평야지대를 통틀어 일컫는 말이었어.
루이지애나
오하이오
버지니아

즉 애팔래치아 산맥 동쪽 해안지방을 중심으로 미국이 발전하였는데 크게 두 개의 지방으로 나누어
뉴잉글랜드
애팔래치아 산맥
버지니아

북부 산악지방을 뉴잉글랜드라 했고
New England

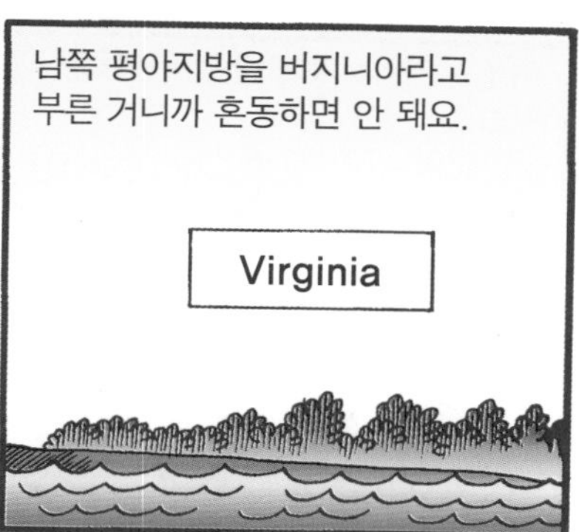
남쪽 평야지방을 버지니아라고 부른 거니까 혼동하면 안 돼요.
Virginia

월터 로리는 상당수의 영국인들을 버지니아에 남겨놓고 돌아왔는데
이곳에서 뿌리내리고 살거라!

몇 년 뒤에 돌아와보니 한 명도 남지 않고 사라져버렸어. 완전히 실패한 거지.

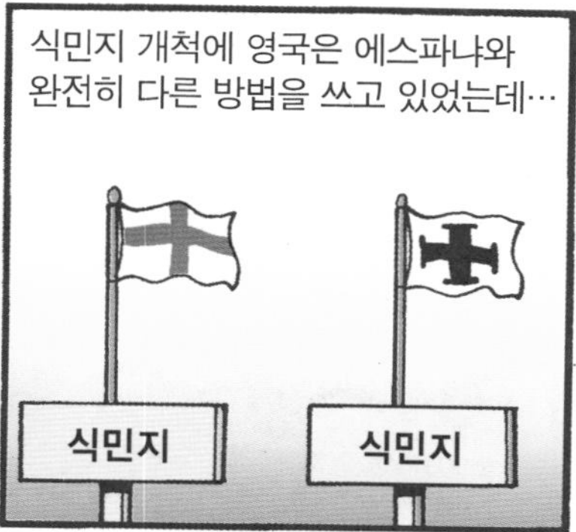
식민지 개척에 영국은 에스파냐와 완전히 다른 방법을 쓰고 있었는데…
식민지
식민지

에스파냐는 왕의 명을 받은 총독과 군대를 보내 직접 통치를 하며

정작 그곳에 남아 살 사람은 남기지 않고
왕을 위해…!
돈과 영광 찾아!

금은보화만 싹쓸이해 가는 약탈 방식을 쓰고 있었어.

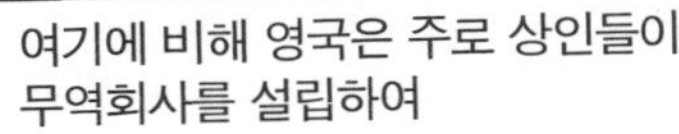

여기에 비해 영국은 주로 상인들이 무역회사를 설립하여

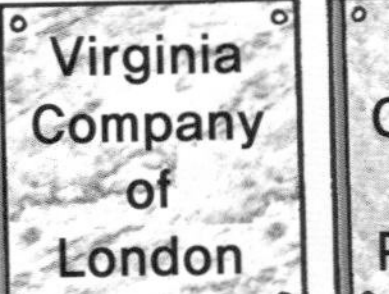
Virginia Company of London

Virginia Company of Plymouth

남부 전문회사 북부 전문회사

사람들을 식민지로 이민 보내는 방식을 채택하고 있었지.

어차피 임자 없는 땅 주는 대신
배삯만 받아도 남는 장사다….

그러니까 아메리카로 가는 사람들은 그 목적이 분명했지.

나 자신과 투자자들을 위해
그리고 돈 벌 기회를 찾아서!

이들 무역회사가 보낸 영국인들은 1607년 버지니아에 도착하여

신대륙이다!
제1차 식민지개척단
잘살아 보세!

영국인 최초의 마을인 제임스타운을 건설했어.

영국의 왕 제임스 1세*의 이름을 기려….

그 후 그들은 굶주림과 말라리아로 거의 죽었지만 제임스타운은 미국에 세워진 첫 식민지였어.

까악
까악
JAMESTOWN

* 엘리자베스 1세의 뒤를 이은 스코틀랜드 출신의 왕

그러나 2년 뒤인 1609년, 제임스타운에 또다시 500명의 정착민이 도착하여

제2차 식민지개척단
우선 살아남자!

필사적으로 영국에 팔 수 있는 작물 농사에 매달렸는데

존 롤프라는 사람이 인디언에게 경작법을 배워 와 담배농사가 시작되었지.

인디언들에게 백인을 친절하게 맞도록 주선해준 처녀가 바로 포카혼타스로

뒷날 존 롤프의 아내가 되어 영국으로 건너가 런던에서 세상을 떠난 인디언 여성이지.

1620년 메이플라워호를 타고 건너온 청교도가 미국을 건설했다지만, 엄밀히 말해 미국의 진짜 출발은 1607년의 제임스타운이야.

WALT DISNEY
GOLD COLLECTION
POCAHONTAS

* 포카혼타스(디즈니 영화의 소재가 되기도 함)

제임스타운 주변에서 영국 정착민이 재배한 담배는 높은 인기 속에 수출이 잘되었어.
아메리카산 담배야 품질 짱이죠!

버지니아 지방에 담배농사가 붐을 이루었고
지금도 세계 최대 담배회사가 버지니아에….

큰 농장에 오직 담배 한 가지만 심는 플랜테이션 경작이 시작되었는데
플랜테이션 (Plantation) 경작이란
넓은 농지에 한 가지 작물만 대규모로 경작하는 것!

담배농사란 게 워낙 일손이 많이 가는 일이기 때문에 곧 심각한 노동력 부족 현상이 나타났고
일을 해도 해도 끝이 없다!

드디어 1619년 20명의 흑인 노예가 네덜란드 배에 실려 옴으로써

자유와 평등의 나라라는 미국의 가장 치욕스러운 역사인 노예제도가 자리 잡게 되었지.
자유?

노예의 역사는 1441년 포르투갈에서 시작되었어.

안타웅 공칼베스*가 아프리카에서 12명의 흑인을 포르투갈로 데려온 것이 노예제의 시초였는데

* Antau Goncalves

미국의 노예제도는 인간의 도덕성에 치명적인 흠집을 냈음은 물론

미국 역사에서 두고 두고 분열과 반목의 원인이 되어왔으며
노예제 찬성!
노예제 반대!

남북전쟁이라는 5년에 걸친 처참한 내전의 원인이 되었고
CIVIL WAR
1861 - 1865

지금도 해소되지 않는 인종갈등의 핵심으로, 미국의 가장 큰 약점이자 화약창고이기도 해.

미국인이 띄운 첫 노예선은 1637년 매사추세츠주의 마블헤드* 항구를 떠났어.
노예 실으러 아프리카로….
마블헤드

너무도 비인간적이고 비문명적인 노예제도로

평등과 기회의 나라라는 미국의 이념은 백인들만을 위한 허울뿐인 가면임이 밝혀졌고
자유가 아니면 죽음을 달라!

* Marblehead

유럽인에게는 낙원이라는 미국이
오, 아메리카!
자유, 평등, 기회의 나라!

흑인에게는 지옥이라는 이분법을 성립시키고 말았지.

어쨌든 미국은 영국에서 온 정착민과 아프리카에서 끌려온 노예들의 손으로 일구어지고 있었어.

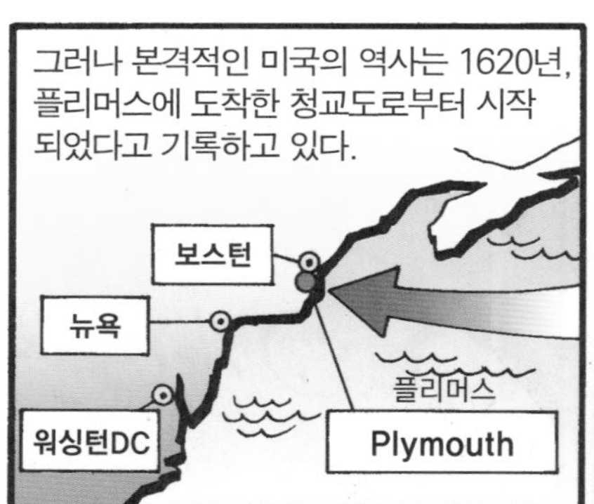
그러나 본격적인 미국의 역사는 1620년, 플리머스에 도착한 청교도로부터 시작되었다고 기록하고 있다.
보스턴
뉴욕
워싱턴DC
플리머스
Plymouth

이들은 영국이 아닌 네덜란드에 살던 사람들로

스스로를 필그림(Pilgrim)이라 부르는 종교반체제 그룹이었어.
영국 교회는 싫다.
헨리 8세가 멋대로 뜯어고친 사이비 종교야!

영국의 헨리 8세는 앤 불린과의 결혼을 위해 가톨릭과의 인연을 끊고
먼나라 이웃나라 영국편을 보세요!

스스로 교회의 수장이 되는 성공회(영국 교회)를 세운 다음
교회의 수장
+
영국의 왕

이를 받아들이지 않는 자는 무자비하게 살육했으므로 종교 문제로 영국에서 도망치는 무리가 많았지.
'피바다' 공연 중!

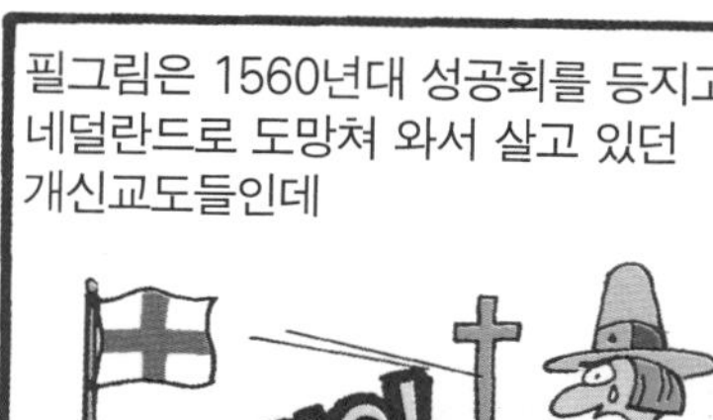
필그림은 1560년대 성공회를 등지고 네덜란드로 도망쳐 와서 살고 있던 개신교도들인데
NO!
성공회
네덜란드

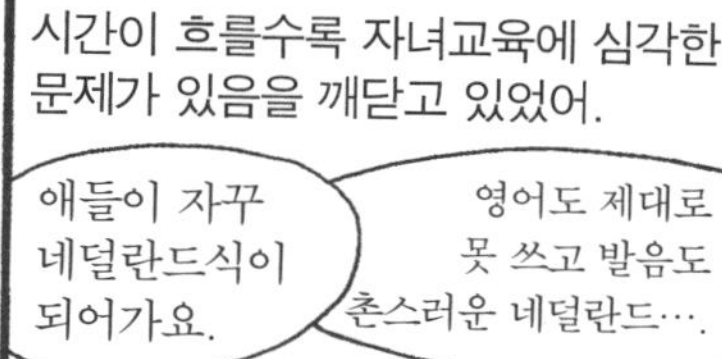
시간이 흐를수록 자녀교육에 심각한 문제가 있음을 깨닫고 있었어.
애들이 자꾸 네덜란드식이 되어가요.
영어도 제대로 못 쓰고 발음도 촌스러운 네덜란드….

기러기 아빠 되더라도 영국으로 조기 유학 보내?
성공회 교도 되는 건 네덜란드 사람 되는 것보다 더 나빠요!

여기에 아주 간단하고 이상적인 해결방법이 있소이다!
당신은 누구요?

플리머스에 있는 버지니아회사 해외 홍보담당이올시다.
플리머스? 영국의 항구 아닌가?
Virginia Company of Plymouth

여러분들은 아주아주 싼, 공짜에 가까운 가격으로 토지를 분양받고, 종교에 구애 없이 자유로운 세계를 건설할 수 있습니다!!

아메리카로 가십시오. 그리하여 새 세계, 여러분의 세계를 건설하십시오!
아메리카?

그곳에는 그 누구도 필그림을 박해할 사람이 없습니다. 영국인끼리 모여 살며 모든 종교의 자유를 누릴 수 있습니다!

땅값은 거저이다시피 싸고, 그저 배삯만 내시면 됩니다.
…그럼 어떤 조건으로 가는 거죠?

여러분은 국왕폐하가 최대 주주이신 버지니아 토지펀드 회사의 주주 형태로 가시는 겁니다.
귀하는 본사의 직원이 아니라 주주의 자격으로 이주하게 됩니다!

주주인 만큼 여러분이 잘되면 회사도 국왕폐하도, 나라도 잘되는 거죠. 또 국왕폐하께 충성도 하게 되는 겁니다.

땅도 여러분이 마음에 드는 곳을 고르면 됩니다. 어차피 빈 땅이니까요.
골라,골라!

1620년 6월 9일, 필그림 102명이 탄 메이플라워호가 영국의 폴리머스항을 출발했어.

* 플리머스에 전시된 메이플라워호 모형

항해 중인 배 안에서 이들은 서약을 했지.

여러분, 모두 들으시오!

이제 아메리카에 도착하여 배에서 내리게 되면 모두 각자의 생활을 시작하게 될 것이오.

이제 우리 모두의 안녕과 질서를 유지하기 위하여, 우리 모두의 동의 아래 법률과 공직을 정하여 이에 복종합시다!!

이것이 바로 '메이플라워 서약' 이며

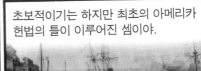

* 메이플라워호의 서약서

초보적이기는 하지만 최초의 아메리카 헌법의 틀이 이루어진 셈이야.

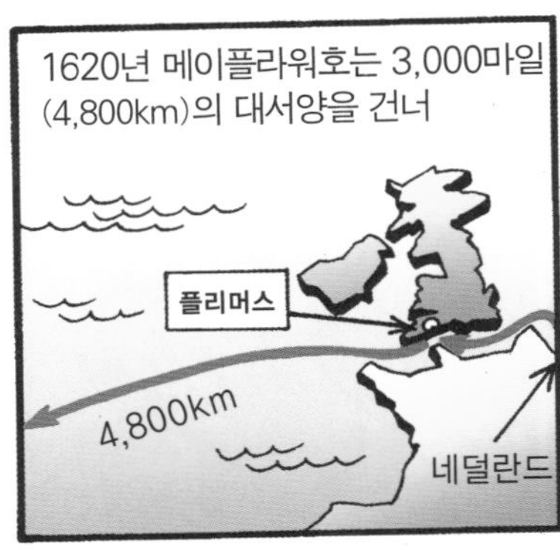
1620년 메이플라워호는 3,000마일(4,800km)의 대서양을 건너
플리머스
4,800km
네덜란드

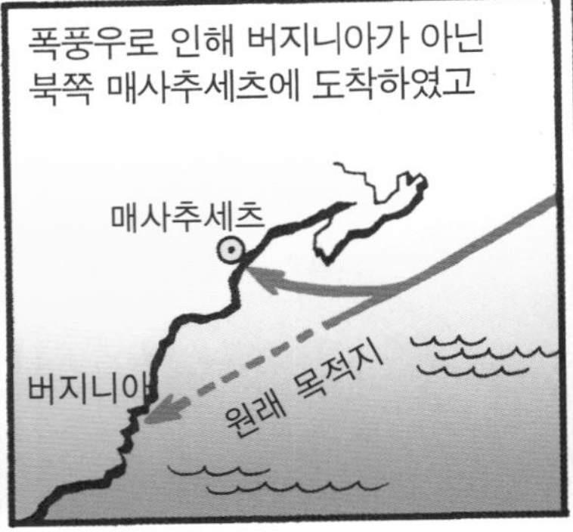
폭풍우로 인해 버지니아가 아닌 북쪽 매사추세츠에 도착하였고
매사추세츠
버지니아
원래 목적지

그들이 첫발을 디딘 곳에 그들이 떠난 영국 항구의 이름을 따 플리머스(Plymouth)라고 명명하였다.
1620

* 필그림의 도착을 기념하는 바위(플리머스)

그곳의 생활이 얼마나 힘겹고 위험하였던지
휘잉

이듬해 4월 메이플라워호가 영국으로 다시 떠날 때엔
정말 혹독한 겨울이었다.

102명의 필그림들 가운데 이미 반은 죽어 있었지.

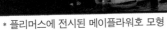

그럼에도 불구하고 플리머스의 영국인 정착지는 살아남았어.

그 이유는 필그림들이 그곳 지방 원주민들과의 관계가 아주 좋았던 덕분으로

이는 1615년 강제로 유럽에 끌려가 있던 두 인디언 사모셋과 수콴토가 영어를 배워

I speak English.
Me, too!

필그림과 원주민들 사이를 원만하게 중재해주었던 까닭이었다고 해.

필그림들은 원주민에게서 옥수수 등 토착 곡물을 재배하는 방법을 배웠고

그 덕분에 첫 수확을 거둔 날을 기리는 것이 추수감사절의 유래가 되었지.

* 첫 추수감사절을 지내는 모습을 그린 그림

필그림이 플리머스에 첫발을 디딘 1620년 이후

1732년까지 100여 년 동안 영국인들의 정착지는 동부해안을 끼고 계속 확대되었지.

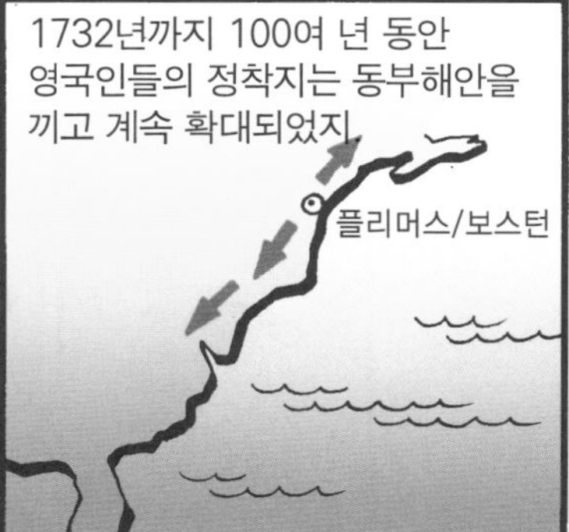
플리머스/보스턴

그 중 중요한 정착지는 주로 청교도들이 세운 것으로

찰스 2세가 청교도인 윌리엄 펜에게 하사한 땅.
펜실베이니아

이들은 본국 영국의 성공회를 거부하고 있었지만

NO!
성공회

겉으로는 영국에 충성하는 척함으로써

충성!

귀중한 그들의 종교의 자유를 누릴 수 있었던 거야.

영국은 5000km 떨어진 곳…
성공회 안 믿으면 어쩔 거야?!
메롱

신대륙, 아메리카… 이곳에는 어떤 사람들이 왔을까?

차도 못 타고 걸어다니던 시대, 하루에 잘해야 40km 정도를 이동할 수 있었던 시대에
10시간 걸어야….
40Km

5,000km나 멀리 떨어진 곳으로 이주를 한다는 것은 말 그대로 '신천지'를 찾아 돌아올 수 없는 길을 떠난 사람들이야.
영원한 안녕….

어떤 위험, 어떤 미래와 마주칠지 모르고 새 삶을 찾아 고향에 모든 것을 묻고 떠난 사람들은

대체로 지긋지긋한 가난에 지쳐 풍요로운 삶을 꿈꾸던 사람들이었어.
지금까지보다 더 가난해지지야 않겠지.
한 번이라도 배불리 먹어 보았으면….

그들은 먼저 아메리카에 건너간 친척, 친구들의 부름을 받고 뒤따라갔는데
아메리카에 간 삼촌이 보낸 편지!

신대륙에 건너간 친척, 친구들이 보낸 편지에 들어 있던 여비는
편지와 배삯이 함께….
!

그들에게 엄청난 성공의 증거처럼 비쳤던 거지.
삼촌이 성공한 거죠?
암, 우리에게 배삯까지 보낼 정도니….

또 한 부류는 종교 갈등으로 혼란스럽던 유럽에서
구교!
우지끈
신교!
유럽

다른 종파의 탄압을 받지 않고 믿음의 자유를 누리려는 사람들이었고
종교의 자유!!

또 정치적으로 핍박받던 사람들이
왕은 필요 없다!
죽여라!!

정치적 자유를 찾아 아메리카로 대거 건너왔어.
왕이 없는 나라로!!
아메리카

또 신대륙에서 돈을 벌어 떵떵거리고 살아보려는 상인들도 영업을 위해 왔지.
고향을 등지고 이 먼 데까지 왔을 때엔
돈 벌어 신세 좀 고쳐보려는 굳센 결심이…!

이들은 이민 온 사람들을 일손이 필요한 곳에 알선해주기도 하고
당장 먹고 살 돈을 꾸어줄 테니…
내가 시키는 곳에 가서 일해 갚아라!
노동계약서

선박회사나 무역회사에서 일하며 돈을 긁어모으기 위해 무슨 짓이든 서슴지 않았어.
돈! 돈!
돈을 벌자!

이 밖에도 영국 사회가 별로 달가워하지 않던 사람들

즉 빈민이나 죄수 등을 경우에 따라 강제로 보내기도 했고
너 평생 감옥에서 썩을래…
아니면 아메리카에 갈래?

전혀 뜻하지 않게 납치되어 끌려 온 노동자들도 적지 않았는데
웬일이니?

이들은 원하지 않았는데도 타고 와야 했던 배삯을 물기 위해
배삯 내놔!
내가 언제 오고 싶댔나?

4~7년을 강제노동에 시달려야 했고

영국에선 '아메리카'라는 말만 들어도 거지들조차 벌벌 떨 정도였어.
아메리…
시… 싫어, 나 안 갈래!

그러나 자신의 뜻과 전혀 관계없이 끌려온 사람들은 바로 아프리카 흑인들이었어.

인디언 원주민들은 자존심도 강하고 부리기 어려웠던 만큼
차라리 날 죽여라!

노동력 착취를 위해 아프리카 흑인들을 마구잡이로 끌고 온 거지.
* 노예선을 그린 당시 그림

이처럼 아메리카에 건너온 사람들은 주로 유럽의 하층민이나
굶어 죽으나 인디언에 죽으나
죽기 아니면 살기다!

낡은 유럽체제에 반대하여 자유로운 새 세상 건설을 위해 목숨까지 걸었던 사람들이었기 때문에
죽기 아니면 살기다!
FREEDOM
FREIHEIT
LIBÉRTÉ

모험과 개척, 그리고 투쟁정신으로 단단히 무장된, 거칠기 그지없는 사람들이었지.
비켜! 우린 보이는 게 없다!

또 '임자가 없는' 빈 땅에 건너와 정착한 사람들이었고
임자가 없다구?

그들을 지배할 정부, 즉 국가가 없었으므로
NO 정부!
NO 지배자!
NO 세금!

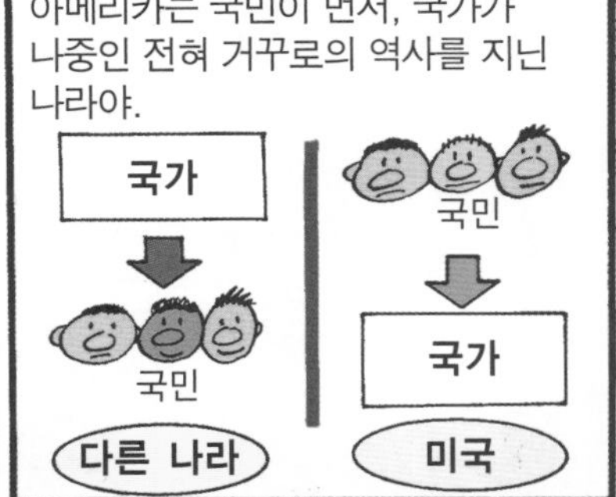
아메리카는 국민이 먼저, 국가가 나중인 전혀 거꾸로의 역사를 지닌 나라야.
국가
국민
다른 나라
국민
국가
미국

그런 만큼 아메리카 국민들의 주인 의식은 그 어느 나라 국민보다 투철하였고
내가
바로 이 나라의 주인이다!

이런 드센 국민들의 나라였기 때문에 미국은 민주주의 국가로 출발했던 것이 너무 당연했어.
국민이 주인인 나라
민주주의국가

어느 모임에선가 국민대표들이 회의에 참석하려는데 사람들이 너무 많아 뚫고 갈 수 없자
와글
국민대표자회의
와글

대표들은 이렇게 외쳤지.
비켜주시오! 비켜주시오!
우리는 '국민의 대표' 입니다!

그러자 군중들은 이렇게 대답했어.
당신들이 비켜 가시오.
우리가 바로 '국민 (people)' 이오!

미국은 이런 국민들로 이루어진 나라야!
미국의 헌법은 '우리 국민들은' (We the people)이란 어구로 시작된다.
We the people

네덜란드 총독 미누에트는 맨해튼을 원주민으로부터 단돈 24달러에 사들였대. 아메리카에서 가장 먼저 발달한 도시는 네덜란드 사람들이 건설한 뉴암스테르담이었지. 이 도시는 보스턴보다 크고 번창하여 당시 아메리카 전체 인구의 4분의 1이 살던 큰 항구로 발전하였는데, 1664년 영국이 네덜란드로부터 빼앗았어. 영국군 사령관 R. 니콜라스는 당시 황태자였던 요크 대공(Duke of York)의 이름을 따 뉴욕(New York)으로 바꾸었지.

그때 10달러어치만
땅을 사두었더라면….

* 뉴암스테르담(17세기 그림)

북아메리카 대륙에 진출한 나라는 영국만이 아니었어.
임자 없는 땅인데
깃발 꽂으면 내 땅이지….

영국과 다투어 본격적으로 신대륙에 진출한 나라는 네덜란드였고
신대륙

네덜란드도 식민지 건설과 세계 무역으로 세계적인 강대국으로 떠올랐지.
우릴 빼고 장사 얘기하면 섭하지!

포르투갈과 함께 일본과 무역을 트고
포르투갈 사람은 우리 일본에 못 오게 하라!
자꾸 예수 믿으라고 귀찮게 하니까….

인도네시아를 식민지로 삼는 등
본국의 13배나 되는 땅덩이!
인도네시아

한때 '바다의 거지'라는 별명이 붙었던 네덜란드는 영국, 프랑스와 어깨를 겨룰 정도로 크게 떠오르고 있었어.
어쭈, 거지가 많이 컸네….

1642년 영국에서 국왕 찰스 1세와 의회와의 충돌이 벌어져 내란으로 발전했고
왕당파
와
와
의회파

1648년에는 의회군 지도자였던 크롬웰에 의해 국왕이 참수되는 대사건이 벌어졌다.
Ilssont fous!
미쳤어….
프랑스
영국

이런 혼란스러운 국내사정으로 영국의 상품생산이 크게 줄 수밖에 없었고
MADE IN ENGLAND
MADE IN ENGLAND

자연 영국 상품의 가격이 오르는 바람에
MADE IN ENGLAND
£120
품귀
£100

경쟁하던 네덜란드 상품의 수출이 크게 늘어나면서
SALE
MADE IN NEDERLAND
£100.-
£90.-

유럽과 아메리카 시장에서 영국상품을 밀어내고 주도권을 장악하게 되었어.
네덜란드제품
대량입하
가격인하
단행!
고객감사세일

심지어는 영국의 다른 식민지 안에서도 네덜란드 돈이 주 거래 수단이 되자
영국 돈 말고
네덜란드 길드로
주세요.
여기가 우리 영국
식민지 맞아?!

네덜란드는 아메리카의 시장은 물론 운송까지 장악해 버렸던 거야.
미국행
네덜란드배
영국배

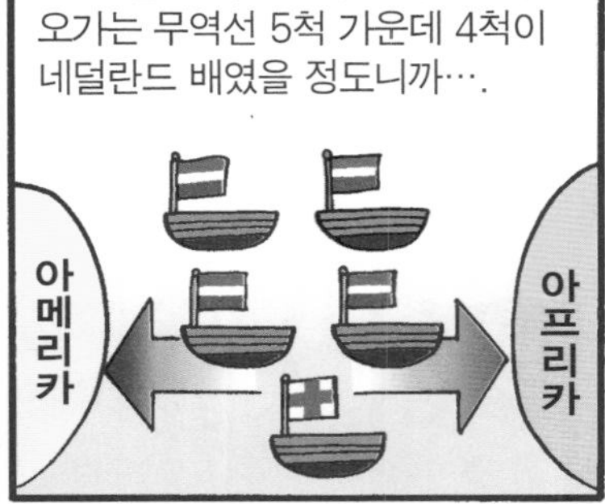
1655년엔 아프리카와 아메리카를 오가는 무역선 5척 가운데 4척이 네덜란드 배였을 정도니까….
아메리카
아프리카

드디어 영국은 아메리카 시장을 두고 네덜란드와 한판 결전을 피할 수 없게 되었지.
이대로는 도저히
그냥 둘 수 없다!

네덜란드를 꺾어버리지 않으면
우리가 망한다. 완전하게
굴복시켜 버려야 해!

영국의 독재자 크롬웰은 네덜란드를 꺾기 위해 항해조례를 선포했어.

영국의 식민지로 운송되는 모든 상품은 영국의 배와 항구를 이용해야 한다!
항해조례*
Navigation Act

* 1651년 영국 정부가 제정한 해운 · 무역의 보호입법

아니, 그게 무슨 뚱딴지 같은 소리야?
전혀 뚱딴지 같은 소리가 아닌데…!

암스테르담에서 뉴욕으로 팔려가는 우리 네덜란드 옷감은?
암스테르담에서 영국으로 실어 와 영국 배로 뉴욕으로 실어 가야지.

그럼 쿠바에서 뉴욕으로 가는 네덜란드 상품은?
물론 쿠바에서 영국으로 실어 와 영국 배로 뉴욕으로 가져가야지! 아니면 쿠바 배로 실어 가든지….

에라~이… 그건 한마디로 너희 식민지와 무역하지 말라는 얘기 아냐?
짧게 얘기하면 그렇다!

더 짧게 얘기하면 전쟁이다!!
그게 바로 우리가 바라던 바다!

1652년, 2년에 걸친 영국 - 네덜란드 전쟁이 터졌다.
콰쾅

비록 짧지만 정말 격렬했던 전쟁이었고

이 전쟁에서 승리한 영국은 북아메리카 대륙에서 완전한 주도권을 쥘 수 있었지.

영국이 완전한 주도권을 쥐었다고? 아직은 아니지!

네덜란드는 워낙 덩치에서 영국에 밀려 신대륙 식민지에서 주도권을 빼앗겼지만
팅
아메리카

북쪽(지금의 캐나다 지방)에서 남쪽으로 밀고 내려오는 프랑스와 영국의 충돌도 결코 피할 수 없었어.
프랑스
쾅
영국

1620년 영국에서 건너온 필그림들이 본격적인 정착지 개발을 시작한 이래

존 스미스
(John Smith)
필그림보다 앞서
제임스타운을 건설한
인물로 알려짐

미국 동해안을 따라 영국인 정착민의 거주지가 계속 확대되어 갔다고 했지?

* 매사추세츠 식민지를 건설한 존 윈스럽(J. Winthrop)

그런데 미국의 지도를 잘 들여다보면 애팔래치아 산맥에 막혀서 이들은 더 이상 서쪽으로 나아가지 못해.

STOP!
애팔래치아 산맥
뉴잉글랜드
버지니아

동북부 뉴잉글랜드 지방은 거칠고 돌투성이인 산악지방,

하필 이런 데 자리를 잡아서….

동남부의 버지니아 지방은 비옥한 평야지대로 그 성격이 크게 달랐어.

땅이 끝내줘요!

자연 남부에서는 담배 등 대규모 플랜테이션 농업이 활발히 이루어진 데 비해

이 넓은 땅에 모두 담배만 심어라! 최고 인기 수출품이니….

북부에서는 농사보다는 공업이나 고기잡이가 주로 발달했지.

자연히 미국에서 발달한 최초의 공업은 제염업으로

애써 잡은 생선을 썩히지 않으려면…
소금은 필수품 중의 필수품이니까!
SALT

1621년에 최초로 소금공장이 세워졌는데

SALT
FACTORY
소금공장

고기잡이가 주업이었던 이 지방에서 생선이 상하지 않도록 갈무리하는 소금이 절대로 필요했던 까닭이었어.

SALT

이 지방에는 소금광산이 없어서 바닷물을 끓여 만드는 방법을 사용했고

곧이어 고래잡이가 시작되면서 북부의 어업과 공업은 크게 발달해.

고래잡이는 당시에 대단한 산업이었어. 고래는 모든 부위를 활용할 수 있는 소중한 자산이었거든. 고래 살코기는 식용으로, 뼈는 연모 만드는 데 쓰이고, 기름으로는 등불을 켰어. 특히 향유고래는 귀중한 향료의 원료가 되었지. 뿐만 아니라 영국과 유럽에서 다투어 사들이는, 불경기가 없는 수출품이었고 배를 만들고 어부들의 물건을 대주는 부수산업까지 발달케 하는 원동력이 되었던 거야.

* 고래잡이를 그린 당시 그림

제염업으로부터 시작된 북부의 공업은 나날이 발전하여

나무가
무진장하니…
양도 많이
키우거든!
지하자원
풍부하지….
뚝딱
뚝딱
소금
공장
종이
공장
옷감
공장
철물
공장

갖가지 종류의 공업이 고르게 발달, 그 제품의 수출도 크게 늘었는데

MADE
IN
AMERICA

어느샌가 식민지인 미국과 영국의 수출 · 수입 양이 뒤바뀌고 말았어.

수입
미국
수출
영국

이에 영국 의회는 식민지에서 수입을 금지하는 품목을 정하기에 이르렀고

무역 적자가
심각하여
식민지에서 털실, 천,
종이, 철의 수입을
금지한다!
수입금지
품목

각종 수입품에 무거운 세금을 매기기 시작하면서

세금
수출가격

영국과 식민지의 갈등은 차츰 심각해져갔지.

이거 너무하는
거 아냐?
세금
가격

영국과 네덜란드가 메인에서
조지아까지 식민지를 건설하고
있을 때
메인지방
조지아지방
영국 · 네덜란드
식민지

프랑스도 동부 캐나다에 식민지
건설을 시작했어.
퀘벡
토론토
몬트리올
오타와
미시시피강

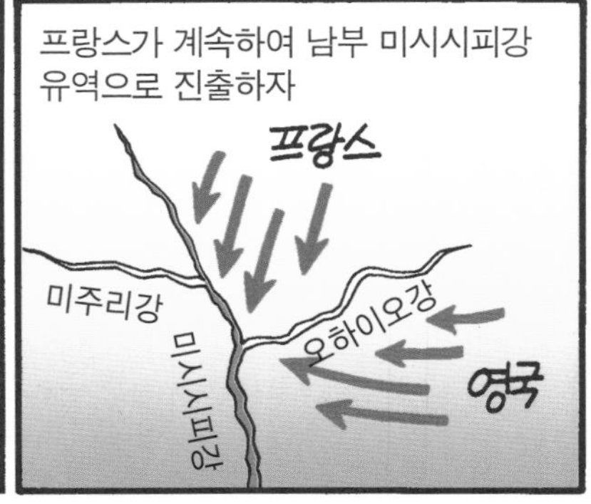
프랑스가 계속하여 남부 미시시피강
유역으로 진출하자
프랑스
미주리강
미시시피강
오하이오강
영국

이 세 나라 식민지 주민들 사이엔
점차 팽팽한 긴장감이 감돌기
시작했지.
프랑스
네덜란드
영국
미시시피강

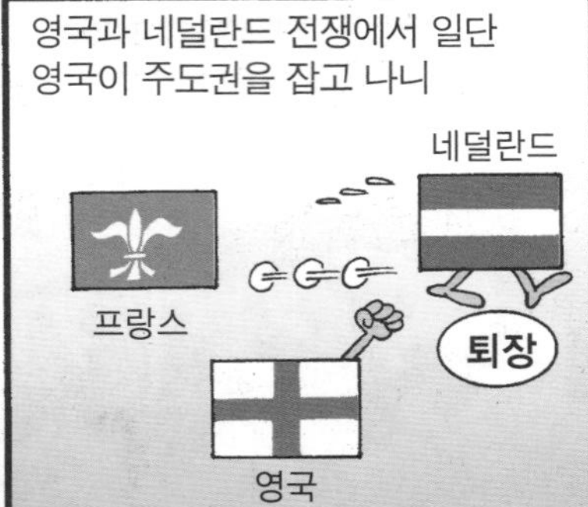
영국과 네덜란드 전쟁에서 일단
영국이 주도권을 잡고 나니
네덜란드
프랑스
퇴장
영국

이번엔 오랜 앙숙이던 영국과
프랑스의 분쟁이 본격화되었어.
어차피…
둘 중의 하나는
사라져야…

뉴욕 남쪽 농업지대에 살던 사람들은
이런 분쟁에 질려 관심도 없었지만
찌그락
짜그락
거기 좀
조용히 못해?

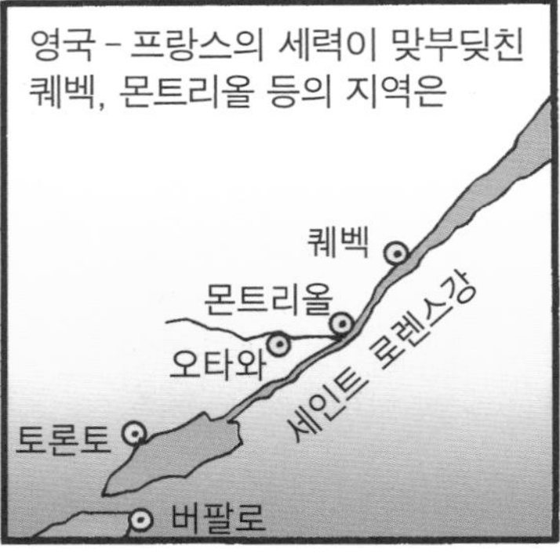
영국 – 프랑스의 세력이 맞부딪친
퀘벡, 몬트리올 등의 지역은
퀘벡
몬트리올
오타와
세인트 로렌스강
토론토
버팔로

캐나다의 주요 지리적 거점인
동시에 모피 무역의 중심지였으며

캐나다 어선의 주요 집결
장소였기 때문에
모피 무역
중심지
어업의
중심지
운송의
요지!

무엇보다도 경제적인 이유에서라도
너희 같으면
황금알을 낳는
거위를
포기하고
넘겨주겠냐?

영국도, 프랑스도 결코 양보하려 들지
않는 지역이었지.
절대 못하지!

이러한 긴장 상태에서 1702년 유럽에서는 에스파냐 왕위계승 전쟁이 터진다.
에스파냐 계승전쟁
유럽

미국에서는 당시 영국여왕 이름을 따서 '앤여왕의 전쟁'이라 부르지.
앤여왕, 전쟁하네!
잘해보시오, 잉!

* Queen Ann's War(1692~1714)

100년 전쟁 이래 개와 고양이처럼 사이가 나빠진 영국과 프랑스는
같은 하늘 이고 못 산다!
눈에 박힌 가시 같은….

사사건건 맞부딪쳐 전쟁을 벌이곤 했는데
유럽대륙 제패!
절대 그렇게는 안 되지!
영국
프랑스
유럽

1692년에 일어나 1714년까지 계속된 앤여왕의 전쟁이 그렇고
오래도 싸운다….
광 콰광
미국

1740년에 시작되어 1748년에 끝난 오스트리아 왕위계승전쟁도 그랬어.
아메리카에서는 이 전쟁을
'조지왕의 전쟁' (King George's War) 이라고 하지.
바다 건너 일이니까…

'앤여왕의 전쟁'도 '조지왕의 전쟁'도 유럽에서는 영국에게 이로운 조건으로 협상이 이루어졌지만
졌다…
하지만 유럽에선 양보할 테니
프랑스
영국

아메리카 식민지에서는 오히려 프랑스에게 유리한 조건이어서
식민지에선 우리 체면 좀 봐주라.
좋아. 그까짓 식민지야 뭐…

프랑스인들이 대거 남쪽으로 내려올 수 있는 빌미를 마련해주는가 하면
그 쓸모없는 땅에 가서 살고 싶다면
가서 살도록 해라.

오히려 뿌리박고 살던 영국인들이 쫓겨나게 되는 사태가 벌어지자
너희는 이 이상 넘어오지 말고
넘어온 자는 도로 되돌아가라!
프랑스
영국
STOP

영국인 정착민들의 반발은 점점 격렬해질 수밖에 없었지.
뭐야, 우릴 가지고 노는 거니?
누구맘대로 오라 가라 하는 거야?

이젠 어쩔 수 없이 영국계 정착민과 프랑스계 정착민들의 생명을 건 한판 승부는 피할 수 없게 되고 말았어.
우리가 언제 오래서 가고 오지 말래서 안 갔니?!

조지왕의 전쟁 결과 1748년부터
영국정착민들의 서부 진출이 금지
되었음에도 불구하고
STOP
더이상 나가지말것
서부

1754년까지 6년 동안 그들이 이를
무시하고 서쪽으로
진출해 나가자
귀신 씨나락 까먹는 소리 하네.
서부
STOP

프랑스계, 영국계 정착민들은 경계가
닿는 곳이면 어느 곳에서나 충돌했어.
야, 너희들 넘어오지 못하게 됐잖아? 여긴 프랑스 차지야!
웃겨!

영국계 식민지인들은 서로 이해는
달랐지만 한 가지에서 일치단결하고
있었어.
프랑스인들을 몰아내자!!

프랑스인들이 영국인들의 서부
진출을 막기 위해 오하이오 강가
요지에 요새를 짓자
날강도 같은 영국놈들을 막아라!

영국 총독은 300명의 군대를
보내 공격을 명령했는데
요새를 함락시켜라!

이 군대의 지휘관이 바로 당시
21살의 중령 조지 워싱턴이었다고.

* George Washington

영국인들이 인디언들과 적대적인
관계였던 데 비하여
야만인!

프랑스인들은 인디언들과 동맹관계를
맺고 있었기 때문에
파트너!
함께 영국인을 몰아내자!

영국은 프랑스 - 인디언 연합군과
싸우게 되어

이 전쟁을 '프렌치-인디언 전쟁' 이라고 불러(The French and Indian War).

프랑스
연합
인디언
영국

첫 영국의 공격은 실패로 끝났고,
워싱턴은 패장의 기록으로 그의 역사를
시작했어.
데뷔가 좀 엉성하네….

프렌치 - 인디언 전쟁이 날로 치열해지자
미국

식민지에서의 전쟁의 불은 드디어 본국으로 옮겨 붙어
유럽

1756년에 이른바 7년전쟁이 터져 1763년에 끝나는데
유럽

이 전쟁은 최초로 아메리카에서 아메리카 문제로 시작된 전쟁이

대서양을 건너 유럽으로 번진 첫 사건이지.
애들 싸움이
집안 싸움이 된 셈이네….

식민지에서는 영국군이 패전을 거듭하고 있었지만
야아

1757년 윌리엄 피트가 수상이 되면서 전쟁의 형편은 완전히 바뀌게 돼.

식민지를 잃으면 안 된다!

유럽에서의 전쟁보다 식민지에 집중해야 한다!

영국의 해군과 육군을 인도와 아메리카에 집중 투입하라! 식민지는 영국의 미래이다!

전세는 역전되어 프랑스에 불리하게 전개되더니
웬일이니….

1763년, 영국과 프랑스는 파리조약으로 7년전쟁을 마무리했어.
프랑스 자존심 구겼네….
졌지? 사인해!

그러나 이 전쟁으로 두 나라 모두 재정이 바닥나버려
프랑스 재정
영국 재정
파산위기
파산위기

뒷날 미국의 독립과 프랑스 대혁명의 주요한 원인을 제공한다.
돈…
돈
돈..
돈
망하기 직전이다.
돈..돈..
돈..
돈..
프랑스
영국

사실상 프랑스의 패전으로 막을 내린 7년전쟁의 결과로 조인된 파리조약으로

파리조약
Treaty of Paris 1763
7년전쟁 끝!

서인도제도의 몇몇 작은 섬만 프랑스가 계속 차지하는 것을 제외하고는

돈은 있는 대로 다 쏟아붓고
남은 건 고작… 망했다!

북아메리카의 모든 프랑스 소유의 영토를 영국이 차지하게 되었어.

전쟁은 이기고 봐야 해….
아메리카 프랑스 전영토

이제 영국은 드디어 네덜란드와 프랑스를 몰아내고

프랑스
네덜란드

북아메리카의 절대 강자로 군림할 수 있었어.

북아메리카 대륙 단독지배

그러나 전쟁이 끝나면 자신들의 소유가 되려니 믿었던 아메리카인들은

와
짝 짝 짝 짝 짝 짝
이제 마음껏 서부로 진출할 수 있게 되었다!

계속 지배자의 위력을 과시하려 드는 영국에게 큰 배신감을 느끼게 되었고

너희가 누구 덕에 편히 살 수 있지?
시키는 대로 얌전히 따르라!

그들의 공동의 적인 프랑스를 물리치고 나자

이제 아메리카에선 그 누구도 영국에게 대들지 못할 거야!

자신의 이해에 따라 영국과 식민지는 등을 돌리게 되었지.

프랑스와 인디언의 위협이 사라졌으니…
영국의 보호는 필요 없다!

이제 더 넓은 땅을 찾아 서부로 진출하려는 식민지 사람들과

가자, 서부로!
STOP
서부

이를 허락하지 않는 영국 사이의 갈등은

안 된댔잖아!
인디언 자극하면 군대에 돈 들어!

혁명의 횃불에 불을 당기게 된다.

이거 안 되겠군.
쓴맛을 좀 보여주련?

2

새로운 나라가 열린다

미국의 탄생

미합중국의 독립선언서에 서명하는 대륙회의 대표들 선언서는 토머스 제퍼슨을 중심으로 존 애덤스, 벤저민 프랭클린, 로저 셔먼, 로버트 리빙스턴으로 구성된 독립선언서 초안 구성위원회가 작성하였다.

"모든 인류는 나면서부터 평등하며 창조주는 인간에게 몇 가지 남에게 넘겨줄 수 없는 권리를 주었다. 그 중에서 생명과 자유와 행복을 추구할 권리는 의심의 여지가 없는 진리이다."

〈독립선언서〉 中

식민지가 비록 본국인 영국으로부터 수천km나 떨어져 있고
고향이 그리워도 못 가는 운명~

다시는 돌아갈 수 없을지도 모르는 고향을 떠나 신대륙에 뿌리를 내렸지만
여기가 새 고향…
식민지

식민지 주민들은 대부분 스스로를 영국인이라고 생각하고 있었어.
암, 몸은 비록 떠나왔지만 내 몸엔 영국의 피가….

영국의 종교와 정치에 큰 영향을 받으며
영어 못하는 외국인이 왕위에 올랐대요.
본국이 꽤 시끄럽겠군.

영국식 도덕과 신념에 충실했고
재잘재잘 재잘재잘

영국식으로 생각하고 영국식으로 살아가고 있었지.
영국인은 그렇게 말을 많이 하지 않는다!
뚝!

그들은 영국인들만큼 어린 왕 조지 3세에 충성스러운 신하였어.
충성!
식민지

그러나 이주한 지 두 세기 가까이 흐르는 동안 그들은 점차 '미국인'으로 변해갔는데
어디다 발을!!

그것은 피할 수 없는 변화였어.
천박한 식민지 인간들….
뭘 궁시렁거려?

해외 식민지를 둘러싼 해묵은 영국과 프랑스 간의 7년전쟁이 끝날 즈음
Seven Years' War
1756~1763
영국
프랑스
아메리카

영국은 이미 세계적인 강대국이자 상업사회로 성장하여 있었고
누가 우리에게 감히 맞서랴!

미국은 급격히 문명화되고는 있었지만 아직 길들지 않은 야생의 땅이었지.
내 운명은 내가 개척한다!

영국인들이 원주민과의 투쟁이
어떤 것인지 전혀 모르고 있는 동안
원주민과
왜 싸워?
원주민 대표와
의회에서 토론으로…

새 정착지에 뿌리를 내린 새로운
'아메리카' 인들이 태어나고 있었고
의회에서 떡볶이
졸이는 소리 하고
있네…!
너희가 인디언을
알아?

이런 현상은 16~19세기 영국의
깃발 아래 전세계적으로 진행되고
있었어.
아메리카
아프리카
오스트레일
리아
뉴질랜드

그러나 이런 움직임이 '새로운 국가' 로
옮아간 것은 오직 미국뿐으로
독립

대부분의 영국 식민지들이 두 세기나
지난 뒤에야 독립했던 것과 비교되지.
재들 튀네!
캐나다
오스트레일리아
등등
뉴질랜드

미국인들의 영국적인 성격은
시간과 함께 점점 옅어져갔지만
세월

그들의 '영국적인 성격' 은
혁명에서 그대로
드러나
이런 파괴적인
변화는 싫다!

'미국의 독립' 이라는 혁명은 철저히
영국적이었고
이런 스타일로….

열정과 추상적인 이념이 아닌 현실과
상식에 바탕을 둔 경험론적인 영국의
특징이 그대로
드러났지.
이상
이념
현실!

미국에서는 유럽과 달리 엄격한
지배체제나 질서가 자리잡지 못하여
지배체제
질서

실제 권력이 상대적으로 쉽게
장악되었는데

반면에 그에 따른 진정한 책임이
뒤따랐던 것이, 미국혁명에서 지켜볼
수 있는 과정이었어.
독자
생존!

7년전쟁이 막바지였던 1760년, 조지 3세가 22살의 나이로 영국의 왕위에 올랐다.

그는 부지런하긴 했지만 너무 젊었고 또 영리하지도 못한 인물이었어.

바쁘다, 바빠!
부지런하고 미련하면 사고확률 100%

'애국자' 란 별명처럼 조지 3세는 나라를 사랑했지만 소신도 비전도 부족하여

I ♥ 영국!

통치기간 10년 동안에 수상을 5명이나 바꿀 만큼 갈팡질팡했지.

날 비꼬는 노랜가?
바꿔 바꿔 자꾸 바꿔

더구나 그는 국제 정세에 밝지 못해 식민지 사람들을 이해하지 못하고

식민지 사람들 고생한답니다.
영국서 편히 살지 왜 사서 고생이지?

오로지 복종만을 강요해 미국인들을 크게 자극하였어.

뭐라… 국왕폐하께서 말씀하시기를
식민지 사는 천한 것들은 입 다물고 있으라?

그가 첫 수상으로 임명한 조지 그렌빌* 또한 식민지에 별 관심이 없었던 것도 큰 화근이었다.

* George Grenville(1712 ~1770)

프랑스와의 7년전쟁이 끝난 뒤, 영국정부는 무려 1억 3,000만 파운드의 빚을 지고 있었는데

국가부채
130,000,000
£

한 해 이자만 450만 파운드에 달하는 엄청난 액수였지.

원금
밥 줘!
이자

영국이 미국에 군사를 주둔시키는 데 드는 비용은 한 해 35만 파운드에 불과했지만

미국
£350,000

빚더미에 앉은 영국정부에겐 큰 부담인 반면,

야, 너희를 위해 보낸 군대니까 비용은 너희가 내!

미국인들은 이 비용을 떠맡을 의사가 전혀 없었던 거야.

누가 군대 보내라고 했나? 우리가 그 돈을 왜 내?
프렌치-인디언 위협도 이젠 사라졌는데….
NO
NO
NO

결국 식민지는 영국정부의 재정을
더욱 힘들게 하는 골칫거리로
이그… 저것들을
죽여, 살려?
배째라!

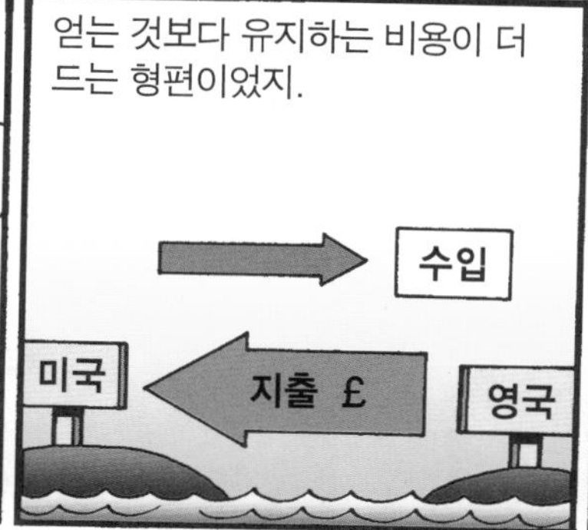
얻는 것보다 유지하는 비용이 더
드는 형편이었지.
수입
미국
지출 £
영국

그래도 영국의 식민지였기 때문에
어쩔 수 없이 유지비를 지불할 수밖에
없던 처지였는데
버릴 수도
없고
지니자면
돈 들고…

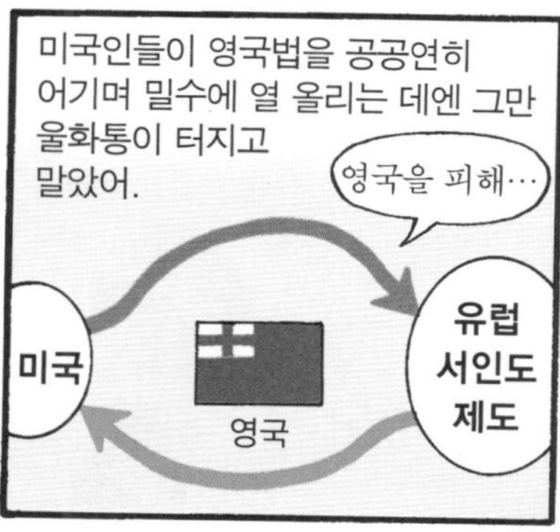
미국인들이 영국법을 공공연히
어기며 밀수에 열 올리는 데엔 그만
울화통이 터지고
말았어.
영국을 피해…
미국
유럽
서인도
제도
영국

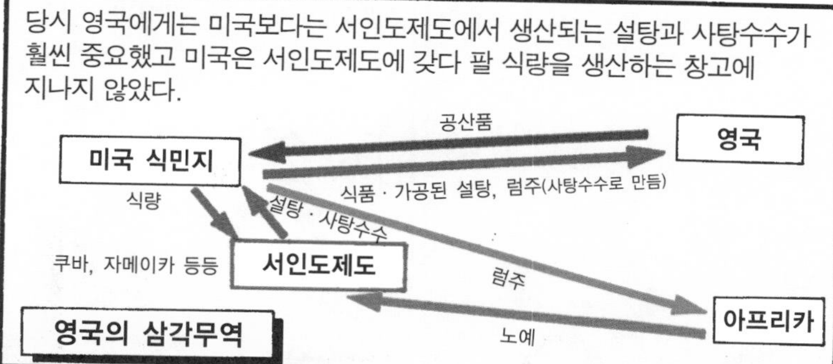
당시 영국에게는 미국보다는 서인도제도에서 생산되는 설탕과 사탕수수가
훨씬 중요했고 미국은 서인도제도에 갖다 팔 식량을 생산하는 창고에
지나지 않았다.
공산품
영국
미국 식민지
식품 · 가공된 설탕, 럼주(사탕수수로 만듬)
식량
설탕 · 사탕수수
쿠바, 자메이카 등등
서인도제도
럼주
아프리카
노예
영국의 삼각무역

그런데 미국인들은 영국상인에게
반드시 현금을 받고 식량을 팔아서
꼭 현금이어야
되니?
싫으면 굶어!

이 돈으로 영국의 경쟁상대인
프랑스령 카리브섬에서 더 질 좋고
싼 설탕과 사탕수수를 사들여

주요 무역상품인 럼주를 대량생산,
밀수출하여 영국을 격분시켰어.
이…
이럴수가!!
RUM
RUM
영국산
2파운드
미국산
1파운드

7년전쟁의 마지막 해인 1763년에는
매사추세츠의 수입 사탕수수 95%가
프랑스령에서 산 거야.
우리 군대 보내
지켜줬더니
프랑스와 밀무역을?!
영국

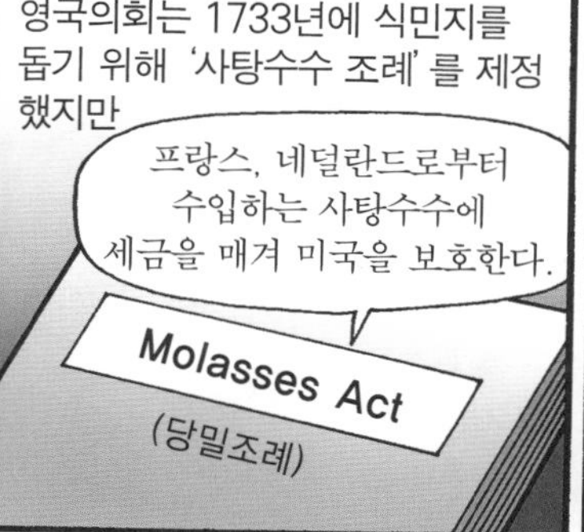
영국의회는 1733년에 식민지를
돕기 위해 '사탕수수 조례'를 제정
했지만
프랑스, 네덜란드로부터
수입하는 사탕수수에
세금을 매겨 미국을 보호한다.
Molasses Act
(당밀조례)

미국인들은 이 법을 뻔뻔스럽게
위반하고 있었어.
이것들을 도저히
그냥 둘 수 없다!
본때를
보여줘야지!!

그러나 식민지인들의 관심은 돈을 버는 거지, 영국의 분노가 아니었지.
내가 부자되는 것만이 유일한 관심사다.

영국의 법을 지켜야 잘살 수 있다면 그 법을 지킨다. 그러나 잘살기 위해 법을 어겨야 한다면 그 법은 어긴다!

내 돈지갑에 구멍이 뚫리지만 않는다면 영국의 법에 구멍이 뚫리는 것엔 전혀 관심이 없다!!

미국인들이 영국 정부의 속을 뒤집어 놓는 것은 밀수뿐이 아니었어.
식민지 주민의 세금은 영국인의 20분의 1밖에 안 되는데
거기에다 밀수까지!!

인디언 거주지역에 백인들이 마구 들어가 주인 노릇을 하는 바람에 인디언과의 분쟁이 날로 심해져서
나가!
싫어!

이를 다스리려고 힘든 경제 형편에 군사비가 더 들어가게 되자
아그그 짜증나!!
미국식민지 유지비
군사주둔비
인디언분쟁
지역관리비

영국은 1763년 포고령을 내렸다.
백인들은 별도의 지시가 있을 때까지
애팔래치아 산맥을 넘어 서쪽으로 진출하지 마라!!

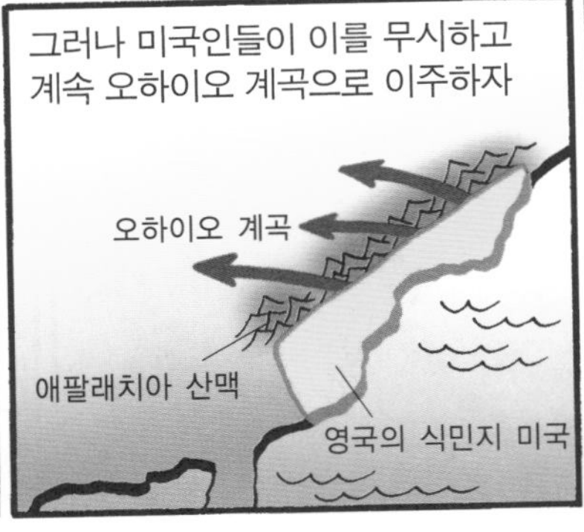
그러나 미국인들이 이를 무시하고 계속 오하이오 계곡으로 이주하자
오하이오 계곡
애팔래치아 산맥
영국의 식민지 미국

그렌빌 수상은 특단의 조치를 내리게 되었지.
이쯤되면 막가자는 얘기지?!
특별 훈령으로 호되게 다스릴 테다.
쾅

밀수업자는 식민지출신이 아닌 왕실 판사가 재판하여 같은 미국인이라고 봐주지 않도록 엄중처리하게 했다.
밀수했지만
같은 미국인이니 경범죄로…

식민지인들이 멋대로 돈을 만들어 써 경제질서를 어지럽히는 짓을 엄격히 금지하며
통화조례
Currency Act

설탕 등에 새로 관세를 매기는 한편 위반하는 자에겐 호된 벌금을 물린다!
진짜 막가자는 얘기네….
설탕조례
Sugar Act

영국의 강경한 조치에 식민지인들의
불만은 엄청났고
뭐야, 이거… 식민지를
악당소굴 취급하다니!!
봐주기 재판 근절
통화조례
설탕조례

보스턴의 새무얼 애덤스는 노골적으로
영국을 비난하고 저항하자고 선동했지.
영국은 우리의
모국이지만
이런 부당한 대접은
참지 말자!!
* Samuel Adams(1722~1803)

매사추세츠를 비롯한 여러 주들이
영국상품 수입 중단으로 맞서자
영국상품
수입
거부
영국상품

당장 수출이 크게 줄어들면서
영국의 수출상인들이 들고일어났고
돼먹지 않은
강경정책으로
대 식민지 수출이
크게 줄어들었다!!
와
와
의회

직·간접으로 이들 업체와 관련을 맺고
있는 의원들이 대다수인 영국의회는
의원님들, 그냥
두고 볼 거요?
수출이 줄면 의원님
배당금도 줄 텐데….

영국정부의 정책을 비난하며
식민지를 지지하고 나섰어.
식민지를 차별
대우 하지 마라!!
강경정책을
거두어라!!

압력에 밀려 슬그머니 강경정책을
거두어들인 영국정부는
그래도…
식민지에서
세금은 거두어야….
설탕조례
통화조례

그렇다! 식민지에서 사고팔리는
모든 상품에 세금을 냈다는 인지를
붙이게 하자. 즉 납세필증 말야.
딱

이건 영국에서도 오래전부터 시행되어
온 제도이니 식민지에서도 불평이
없겠지?
A
Half
Penny
Sheet
* 영국의 인지. 영국은 1694년부터 시행했음

모든 상품에 납세필증, 즉 인지
(Stamp)를 붙이라는 '인지조례'
Stamp Act
인지조례
(1754년)
납세 필증
1페니
영국재무부

그러나 이 인지조례는 미국에서
격렬한 저항에 부딪히고 말았다.
죽어도 받아들일
수 없다!
영국에서도 시행
되는데 왜 안 돼?

여기는 영국이 아니라 미국이다!
미국인은 특권을 누릴 권리가 있다.
이곳의 험난한 삶을 개척해나가는
우리가 아니냐!

인지조례 반대의 최선봉에 나선 인물이 패트릭 헨리라는 변호사였다.
시저는 브루투스에게
찰스 1세는 크롬웰에게 죽음을 당했거늘

조지 3세는 어찌하여 역사에서 교훈을 얻지 못하는가? 인지조례는 거대한 비극의 씨앗이다. 당장 철폐하라!!

왕에 대한 충성파의 반격도 만만치 않았는데…
감히 국왕폐하께 그런 말을….
국왕 명령 거부는 반역행위다!

* Patrick Henry(1736 ~1799)

인지조례 거부가 반역이라면 우리 모두 기꺼이 반역자가 되리라!

식민지의 일부 주들은 이에 자극받아 영국제품 수입을 중단했고
또냐?
영국상품 NO THANKS
STOP

자칭 '자유의 아들들(Sons of Liberty)'이라는 과격 단체가 등장
우리는 비밀 결사대!

인지판매소를 습격하여 폭행과 파괴행위가 거듭되었다.

* 인지판매소 습격

인지조례로 분쟁을 일으킨 주역은 바로 세금을 내야 하는 부유한 상인층이었지만
인지조례

실제 행동에 나선 사람들은 부유층의 이익을 위해 선동된 서민층이었어.

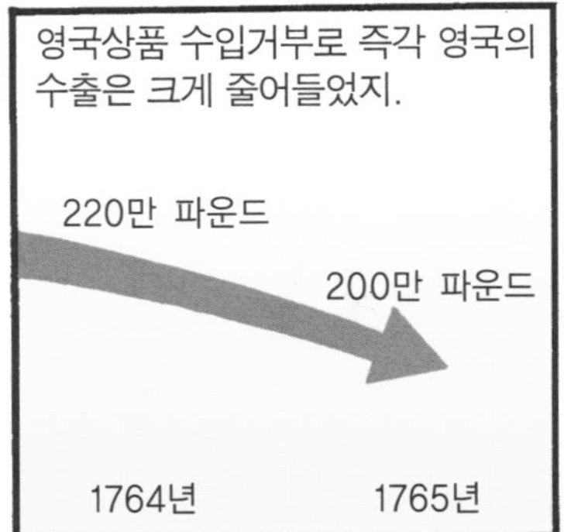

영국상품 수입거부로 즉각 영국의 수출은 크게 줄어들었지.
220만 파운드
200만 파운드
1764년
1765년

영국의회는 인지조례의 폐지를 요구하였고
식민지에 굴복하는 인상 주면 너무너무 쫀심 상하는데….
인지조례

결국 1766년에 폐지되고 말았어.
으하하하… 영국은 또 우리에게 굴복하였다!!
하는 짓거리가 점점 심해지겠군.
미국
영국

당시 영국의 재무장관 타운센드는 대쪽같이 강인한 인물이었다.
식민지인들은 웃겨도 너무 웃긴다.
말도 안 되는 주장만 하지 않는가?

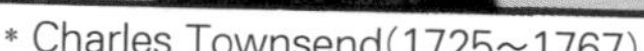
* Charles Townsend(1725~1767)

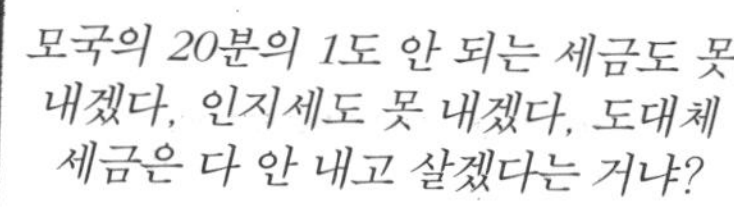
모국의 20분의 1도 안 되는 세금도 못 내겠다, 인지세도 못 내겠다, 도대체 세금은 다 안 내고 살겠다는 거냐?

좋다! 본국의 쓴맛을 보여주마.
식민지가 본국과 맞장 뜨겠다면, 어디 한번 해보라지.

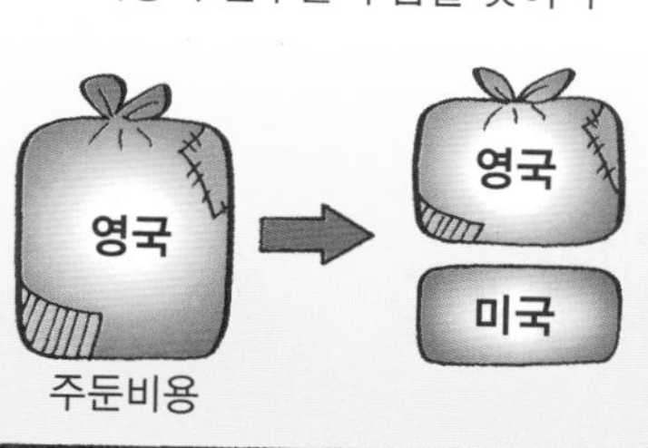
첫째, 미국에 주둔하는 영국 군대는 미국인을 보호하기 위한 것이니, 그 주둔 비용의 일부를 부담할 것이며
영국
영국
미국
주둔비용

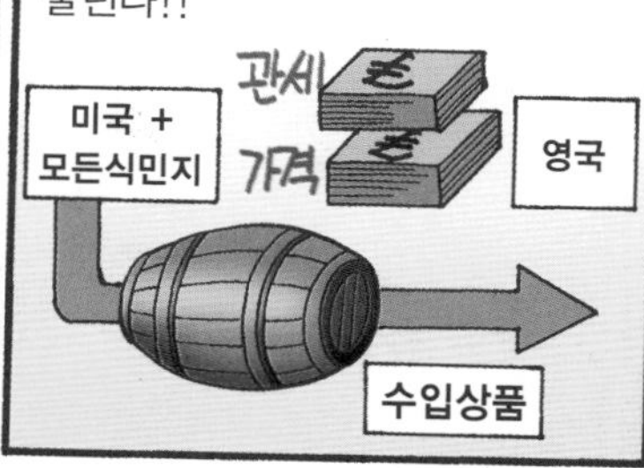
미국뿐 아니라 모든 식민지에서 수입되는 상품에는 모두 관세를 물린다!!
관세
가격
미국 + 모든식민지
영국
수입상품

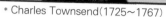

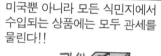

이건 미국인이 무는 세금이 아니라 영국인 수입상이 무는 세금이니…
됐지?!

이것이 인지조례를 폐지한 뒤 영국이 1767년 11월에 제정한 '타운센드법' 이다.

1. 보호군 유지비 일부 수혜자 부담
2. 모든 수입품에 관세

TOWNSHEND ACT

그러나 식민지 미국인들의 반응은…
OH, NO!!
NEVER!!

영국군대는 누가 오라 했나요~
누가 우리를 보호해달라 했나요~

아무리 영국인 수입상이 물어도 미국상품에 세금을 매기면 수출이 줄어요~

이처럼 독단적이고 불공정한 법으로 식민지의 목을 조이려 하나요~

집어치워! 바꿔, 바꿔!
대표 없는 곳엔 세금도 없다!!

존 디킨슨* 같은 이는 '자유의 노래'를 만들어 노골적으로 저항을 선동하였지.
손에 손을 맞잡아라!
용감한 미국인들이여!

* John Dickinson(1732 ~1808): 정치가

뭉치면 살고 흩어지면 죽는다!

JOIN, or DIE.

1754년 벤저민 프랭클린이 만든 유명한 포스터. 프렌치-인디언 전쟁 때 미국인들의 단결을 호소한 것.

영국은 격분하여 보스턴에 군대를 파견하는 초강경 조치를 취했고
너무도 비타협적이고 반역적인 자들에게 뜨거운 맛을!!
보스턴

보스턴은 영국상품 수입거부, 불매운동으로 맹렬하게 저항했어.
와
와
단결
수입거부
불매운동
강경조치

영국과 식민지의 불화가 일촉즉발의 위기로 치닫고 있는 와중에

정작 타운센드 장관은 법이 통과된 뒤 두 달 만에 발진티푸스로 죽었고
세금도 안 내겠다. 군사유지비도 안 내겠다. 도대체 어쩌자는 거야?
내가… 정말… 못살아….

병든 피트 수상 후임에는 식민지에 대해 무식하고 무관심한 그래프턴 공작이 임명되었지.
바람둥이로 유명한 수상.
수상

그는 식민지 문제를 역시 식민지 문제에 문외한인 힐스보로 장관에게 일임하였으니
알아서 처리하슈!

영국과 미국이라는 식민지 사이에 갈등이 최고조에 이르는 중요한 시기에
식민지 문제
치치치칙

영국정부는 코드만 맞고
국제감각, 비전, 식민지 관심, 모두 없음!
왕
수상
담당장관

경험은 없는 서투른 지도자의 손에 식민지 문제를 맡김으로써
처음 몰아 보는데….
식민지 문제

미국의 문제는 미국인도 영국인도 '꿈조차 꾸지 않던' 독립의 길로 접어들게 되었던 거야.
우리가 독립?
왜? 우리는 영국의 신민인데….
미국
독립

타운센드법이 발표된 후 영국에 대한 미국의 감정은 최악으로 치달았고
반영
나는 영국 정부가 싫어요!

영국의 무역은 커다란 타격을 받았지. 1767년 타운센드법 제정 이후
수입거부 불매운동

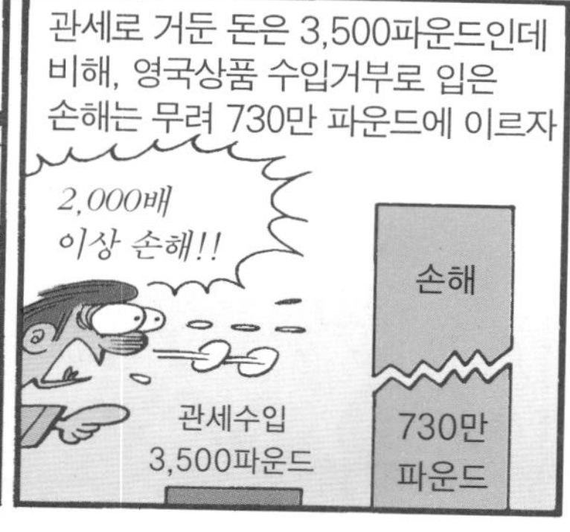
관세로 거둔 돈은 3,500파운드인데 비해, 영국상품 수입거부로 입은 손해는 무려 730만 파운드에 이르자
2,000배 이상 손해!!
손해
730만 파운드
관세수입 3,500파운드

1770년 수상이 된 노스경은 어쩔 수 없이 유화정책으로 돌아설 수밖에 없었고
타운센드법을 폐지한다.
식민지에 새로운 세금을 부과 않겠다!

미국인들은 다시 한번 기고만장했지.
영국은 이빨 빠진 호랑이
결국 우리가 하자는 대로 끌려다니게 되어 있다!
와
와

그러나 '새 세금은 없다'는 발표가 나던 날 미국혁명의 첫 총성이 울렸으니…
탕

타운센드법 폐지 발표소식을 모르던 보스턴의 일부 군중들은 보스턴 세관을 습격하여 영국군대와 대치하고 있었는데, 이들이 손으로 뭉친 눈덩이를 던지기 시작하자 흥분한 영국군이 발포, 5명이 죽고 여러 명이 다치는 사건이 터졌지. 이를 이른바 '보스턴학살(Boston Massacre)'이라 하여 미국혁명의 최초 희생자가 발생한 사건으로 미국역사는 기록하고 있어.

그러나 영국의 양보로 식민지인들의 흥분은 점차 가라앉았고
세금 안 걷을게!
!

오히려 의견이 강경, 온건으로 나뉜 채
온건정책이 세금 군대보다 더 무섭고 교활하다!
영국이 양보했는데 계속 강하게 밀어 붙일 이유가 없다!

1773년까지 3년 가까이 그런대로 평온이 유지되었다.
조용~
훌쩍!
미국
영국

정작 심각한 문제는 영국의 동인도 회사가 파산위기에 몰리면서 터졌어.
인도 · 아시아 담당
동인도 회사

영국의 많은 정치 거물들이 이 회사의 대주주들이었으므로
EAST INDIA COMPANY
동(東)인도회사 대주주 명단
XXX 내무장관
○○○○ 재무장관
△△△ 하원의원
XXXX 건설장관
XXX 하원의원
□□□□ 상원의원
○○X 상원의원
상원의원
XX○ 상원의원

동인도회사의 파산 여부는 이들에게 심각한 관심거리였을 수밖에….
동인도회사가 망하면
우리도 엄청난 손해를 보게 된다!

이 회사를 살리고 대주주인 우리들의 손해를 막는 단 한 가지 방법은…

런던의 창고에 쌓여 있는 1,700만 파운드에 달하는 차를 파는 것뿐입니다. 그 외에는 길이 없어요.

영국시장에서는 이미 그만한 차를 팔 수 없는데
그 엄청난 양을 어디에 다 판단 말이오?

식민지, 즉 미국에다 아주 싸게 파는 겁니다. 덤핑하는 거지요.
미국? 덤핑?

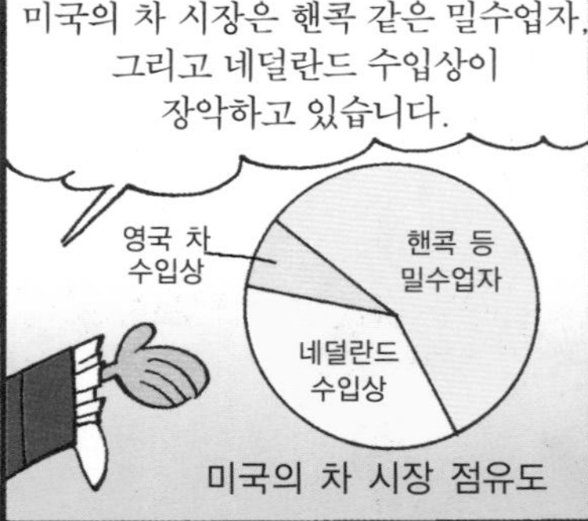
미국의 차 시장은 핸콕 같은 밀수업자, 그리고 네덜란드 수입상이 장악하고 있습니다.
영국 차 수입상
핸콕 등 밀수업자
네덜란드 수입상
미국의 차 시장 점유도

그들이 파는 가격보다 훨씬 싼 값으로 팔면, 세금을 붙여도 밀수한 차보다 더 싸게 소비자에게 팔 수 있거든요!

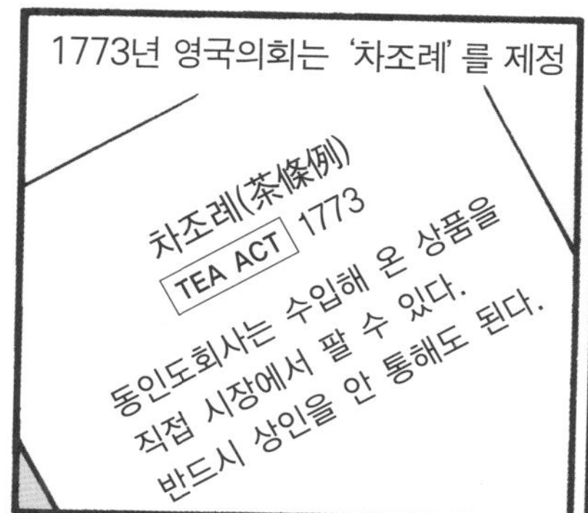
1773년 영국의회는 '차조례'를 제정
차조례(茶條例)
TEA ACT 1773
동인도회사는 수입해 온 상품을
직접 시장에서 팔 수 있다.
반드시 상인을 안 통해도 된다.

중간 상인을 거치지 않고 소비자에게 직접 차를 팔 수 있도록 하였는데

차조례 이전

동인도회사 →영국상인→미국상인→미국소매상→미국소비자

차조례 이후

동인도회사 →미국소매상→미국소비자

이는 핸콕 같은 미국 밀수업자에겐 치명적인 타격이 될 것이 너무도 분명했어.
정부가 밀수업자의 뒷통수를 치려 들다니…
세상에 이런 법이 어디 있어?

1773년 12월 16일 밤, 핸콕, 새무얼 애덤스 등 '자유의 아들들' 단원들은 인디언으로 분장하고 보스턴항으로 가 7만 5,000달러어치나 되는 동인도회사의 차를, 싣고 온 배에서 바다로 집어던졌다. 이를 '보스턴 차 사건(Boston Tea Party)'이라고 하는데, 항구에 모여든 사람들은 일부 열광하는 과격분자들 외엔 너무도 차분하게 이 광경을 지켜보고 있었다고 전해진다.

아깝다, 저 차를 돈으로 치면…
왜 싸게 판다는 차를 바다에 내던지지?
와
와

밀수꾼들이 저 차로 손해 볼 테니까….
멋모르고 함께 소리 지르고 기뻐하는 인간들 하고는…!
와
와

어느 자본주의 사회의 혁명이나 그랬듯이 미국의 혁명도 '있는 자'의 이익을 위해 '없는 자, 무지한 자'들이 동원된 것이다.
잘한다, 잘해!
짝
짝

이젠 식민지에 동정적이던 영국 의회도 격분했어.
내 차를 물에 던져?
풍덩 풍덩
영국

이것들이 보자보자 하니까 상투 잡고 흔들어?!
상투가 어디 있어? 가발이지….

저 상스러운 미국의 '막가파' 들을 철저하게 응징합시다!
반드시 손해 배상을 받고야 말겠어….
부르르
빠드득

1774년 3월 영국의회는 식민지가 손해배상을 하지 않으면 해군으로 항구를 봉쇄하는 법
9,750파운드 물어내지 않으면 보스턴 항구를 가두어버리겠다!
보스턴 항구조례
Boston Port Act
1774. 3

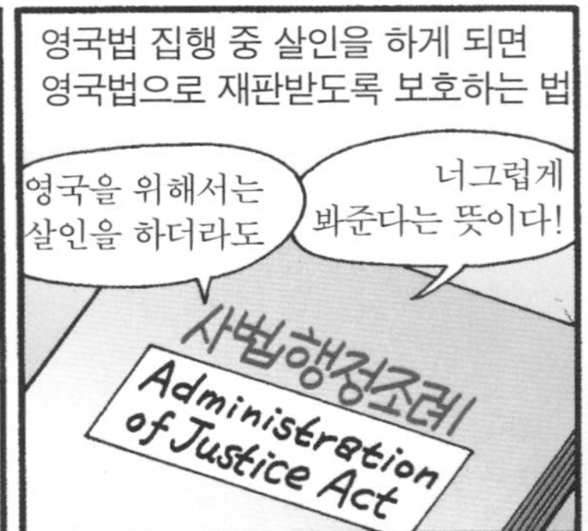
영국법 집행 중 살인을 하게 되면 영국법으로 재판받도록 보호하는 법
영국을 위해서는 살인을 하더라도
너그럽게 봐준다는 뜻이다!
사법행정조례
Administration of Justice Act

미국인의 거주지를 오하이오 계곡으로 제한하여 캐나다에 유리한 법들을 계속 제정했고
더 이상 넘어오지 마!
오하이오 계곡

국왕 조지 3세도 단호한 결의를 다짐했어.
이제 식민지가 선택할 길은 오직 하나뿐이다.

대영제국에 굴복하거나 대영제국을 굴복시켜야 한다!!

사태는 심각해졌다. 1774년 9월 5일 조지아주를 제외한 미국의 모든 식민지가 대책을 논의하기 위해 필라델피아에서 모였는데
각 지방 대표 모여라!
사태가 장난 아니다!
수근 수근
필라델피아

이 회의는 뒷날 '대륙회의' 라는 명칭으로 계속된다.
제1차 대륙회의 1774. 9. 5.
대륙회의
Continental Congress

그러나 이 회의 자체가 조지 3세를 또다시 격분시켰어.
순종하지 않고 회의를 해?
그것 자체가 반역이다!
쾅

뉴잉글랜드가 반역의 상태에 놓여 있다.
무력만이 그들이 나의 신민인지, 독립국 인민인지 알려줄 것이로다!!

드디어 영국군 사령관 토머스 게이지가 군대를 이끌고 출동하였다.
반역자를 체포하라!
둥둥
둥

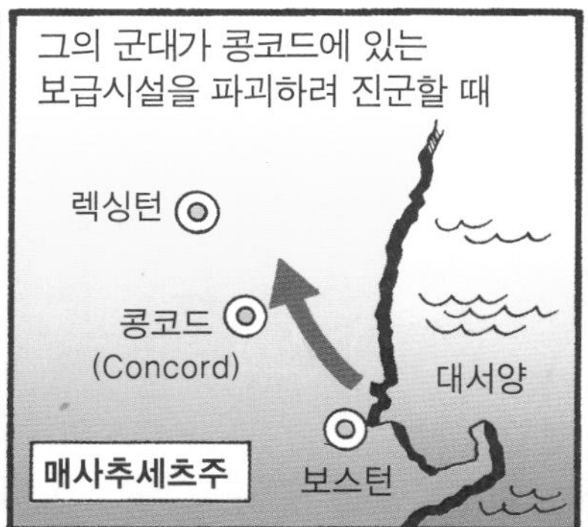
그의 군대가 콩코드에 있는 보급시설을 파괴하려 진군할 때
렉싱턴
콩코드 (Concord)
대서양
매사추세츠주
보스턴

보스턴의 대장장이 폴 리비어는 이 사실을 알리기 위해 밤을 새워 36km를 달렸다.
영국군이 온다!!
마라톤에서 아테네까지는 42km가 넘는데….

미국인에게 총부리를 겨눈 첫 영국 군대의 출동
영국군이 우리를 죽이러 온다!

이를 알리기 위해 달린 그를 뒷날의 시인 롱펠로*는 이렇게 노래했어.
그날 밤, 한 나라의 역사가 달리고 있었으니….

* 헨리 워스워즈 롱펠로

1775년 4월 19일, 미국 혁명전쟁의 첫 총성이 울렸다.
탕
'The shot heard round the world'
(전세계가 들은 총성)

렉싱턴에 도착한 영국군대가 70인의 미국 민병대와 마주쳤는데
!
렉싱턴

어느 쪽에서 먼저 쏘았는지 밝혀지지 않았지만 총격전이 벌어져
탕
따콩
탕
탕
타타타탕
탕
따콩

민병대는 8명 사상, 10명의 부상자를 내고 퇴각하였지.
서라, 이 오합지졸들아!

물러가던 영국군은 콩코드에서 다시 5배나 되는 농민군과 마주쳐 치열한 전투가 벌어졌는데

* 영국군 사령관 토머스 게이지 장군

식민지인이 93명 죽고 영국군은 800명 가운데 273명이 목숨을 잃었어.
식민지 오합지졸에게 대영제국 군대가 완패했다…!

새무얼 애덤스*는 이날의 전투를 친구인 핸콕에게 이렇게 말했지.
미국에게 이 얼마나 영광스러운 아침인가?!
야~싸

* 미국 독립혁명가(1722~1803)

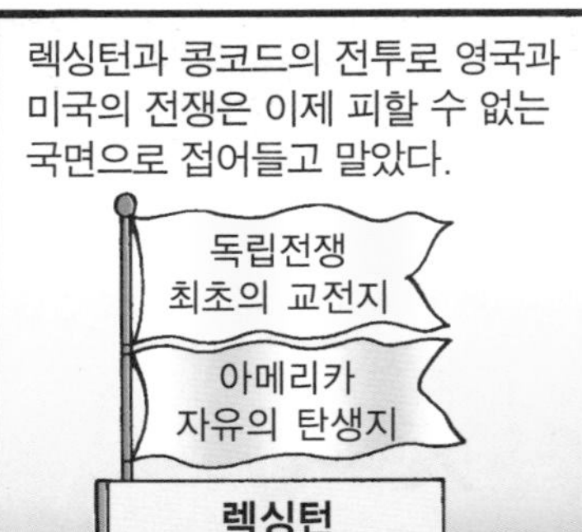
렉싱턴과 콩코드의 전투로 영국과 미국의 전쟁은 이제 피할 수 없는 국면으로 접어들고 말았다.
독립전쟁 최초의 교전지
아메리카 자유의 탄생지
렉싱턴

1775년 5월 10일, 제2차 대륙회의는
제2차 대륙회의: 1775. 5. 10.

존 디킨슨 등 온건파와
국왕폐하께 반역하는 것은 불충이오.
모국과의 전쟁은 그 누구에게도 도움이 되지 않소!!

존 애덤스 등의 과격파가 대립한 끝에
이 전쟁은 피할 수 없으며, 국왕폐하께 대한 반역도 아니오!
식민지를 탄압하는 영국의회를 응징하는 것이오!

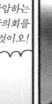

* John Adams(1735~1826)

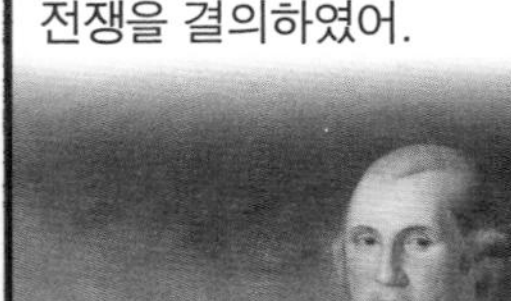
조지 워싱턴을 지도자로 선정하고 전쟁을 결의하였어.

* George Washington

이때까지도 미국은 결코 독립을 희망한 것이 아니라
독립? NO!
우리는 모두 국왕폐하의 충성스런 백성이다.
미국
충성!

충성스러운 왕의 신하인 영국인으로서 자신을 탄압하는 영국의회와 싸우는 것으로
의회를 응징하자!
수상을 몰아내자!

영국인으로서 자신의 진정한 권리를 지키기 위한 전쟁이었으며
식민지주민도 영국인이다!
차별대우 철폐하라!

워싱턴 자신도 1776년 1월까지 왕의 백성으로서 영국의회의 '사악한 무리'를 벌주겠노라 서약했지.
토머스 페인의 《상식》이 출판되기 전까지는….

그러나 소수 과격파들은 점차 미국의 독립문제를 전쟁의 이유로 들고 나왔어.
어차피 영국에서 떨어져 나올 때가 되지 않았나?
뭐야?!

같은 영국의 신민으로 의회 때문에 전쟁하는 것은 명분에 맞지 않는다는
의회는 영국인의 대표기관인데 영국의회와 싸우는 것은
우리가 뭐래도 결국 영국과 싸우는 것이 되지 않는가?

독립주장의 선두에 39세의 코르셋 제작공 출신 토머스 페인*이 서 있었지.

* Thomas Paine(1737~1809)

토머스 페인은 영국 출생으로 미국인이 되어 1776년 1월 《상식》이라는 47쪽짜리 팸플릿을 냈는데

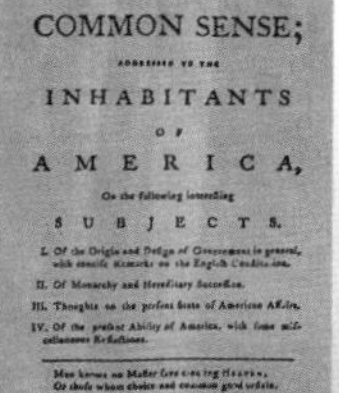

COMMON SENSE;
ADDRESSED TO THE
INHABITANTS
OF
AMERICA,
On the following interesting
SUBJECTS.

I. Of the Origin and Design of Government in general, with concise Remarks on the English Constitution.
II. Of Monarchy and Hereditary Succession.
III. Thoughts on the present State of American Affairs.
IV. Of the present Ability of America, with some miscellaneous Reflections.

Man knows no Master save creating Heaven,
Or those whom choice and common good ordain.
Thomson.

왜 이 전쟁이 미국의 독립을 위한 것이어야 하는지를 분명히 밝히고 있지.

미국인은 미국인을 위해 싸울 뿐이지, 그 외에는 아무것도 모르고, 알 필요도 없다!!

'대표 없이는 세금도 없다' 따위의 자질구레한 문제도 관심없다. 영국으로부터 권리를 얻기 위함도 아니다!

미국인이 신세계에 또 하나의 새로운 문명을 창조하기 위해서는 영국으로부터 떨어져 나오기 위해 싸워야 한다!

모국과 화해를 추구하는 식민지인은 어리석으며, 이는 의존을 위해 독립하려는 모순일 뿐이다.
끄덕
끄덕
Common Sense

토론의 시기는 끝났다. 최후의 수단으로 무기가 결정지어야 한다!!

《상식》은 3개월 만에 15만 부가, 혁명 말기엔 50만 부가 팔려서 미국의 모든 가정에 한 부 꼴로 보급되었다.

Common Sense
150,000부
처음에는 익명으로 발표했지요.

토머스 페인은 미국인들의 영혼을 일깨웠고

지난 30년간, 페인만큼 우리에게 큰 영향을 준 인물은 찾아볼 수 없다.
존 애덤스

혁명의 방향을 급격히 돌려놓았어. 식민지의 권리에서 독립으로.

식민지의 권리
독립

페인에 이르러서 미국인들은 누구나 느끼고 있었으나 인정하지 않던 사실을 적나라하게 깨달았지.

우리는 미국인이다. 우리는 더 이상 영국인이 아니다.

미국인들은 유럽을 떠날 때 이미 혁명을 시작하고 있었고

새 천지… 새 삶….
유럽

그 혁명 속에는 새로운 국가가 잉태되어 있었던 거야.

독립…
새국가…!

1776년 1월, '갑자기' 독립으로 방향을 돌린 대륙회의는

'자유롭고 독립된' 국가를 만들기 위한 결의문인 독립선언서를

자유
독립
독립선언서

'독립선언서 작성 5인 위원회'에 위임하였지.

가장 지식이 풍부하고 문장력이 뛰어난 다섯 분께…

독립선언서는 당시 33살이었던 토머스 제퍼슨이 주로 작성하였다.

Thomas Jefferson
1743~1826

독립의 이유를 밝히는 서문과 크게 두 부분으로 구성되어 있어.

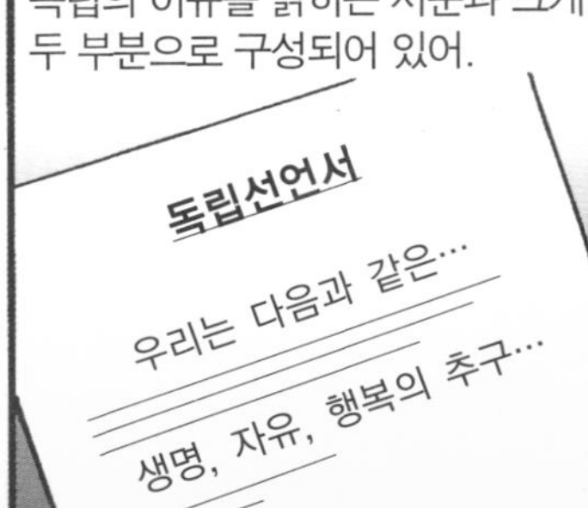
독립선언서
우리는 다음과 같은…
생명, 자유, 행복의 추구…

첫 부분은 존 로크의 계몽사상을 반영하고 있지.

존 로크
John Lock
1632~1704

이는 정부라는 공권력이 국민의 행복, 재산, 생명을 보호하지 못하면

공권력
행복
재산
생명

국민은 이에 저항하여 정부를 무너뜨릴 권리가 있다는 것으로

저항권

독립만 외치는 급진파들을 설득하기 위한 의도가 숨어 있지.

독립!
독립!
알았어! 너무 설치지 마. 요구 다 들어줄게.
독립 선언서

두 번째 부분은 전례 없이 영국 국왕 조지 3세를 맹렬히 비난하고 있는데

폭군, 압제자! 멩구, 칠칠이, 바보, 멍충이!
미국

이는 군주제를 공격할 이유가 없다는 온건파를 설득하기 위함과

그런 폭군을 계속 섬길 수는 없는겨!
독립 선언서

어쩌면 도움을 청하게 될지도 모를 영국의 경쟁자 프랑스를 염두에 두고 간접적으로 설득하는 내용이야.

영국 욕하는 거, 아주 맘에 드네….
프랑스

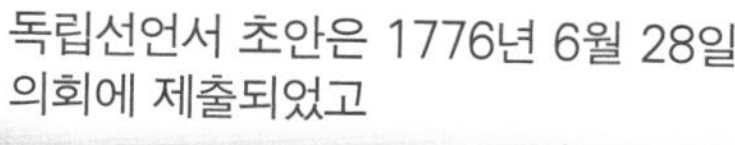
독립선언서 초안은 1776년 6월 28일
의회에 제출되었고

* 독립선언서를 제출하는 5인 위원회
(왼쪽부터) 벤저민 프랭클린, 로버트 리빙스턴,
로저 셔먼, 토머스 제퍼슨, 존 애덤스

노예무역에 대한 제퍼슨의 격렬한
공격 부분은 삭제하고
노예무역은 꽤
짭짤한 장사인데
너무 욕해놓으면…
신의 뜻을 거역하고
인간의 도리를 저버린
가장 비열한 행위가 바로
노예무역이다. 당장 이를
중지할 것이며

7월 4일 12대 0, 만장일치로
채택되어 선포되었어.
찬성!

독립선언서가 발표된 7월 4일은 독립기념일로 미국 최대의
국경일이야.
펑
펑
펑

이제 미국의 영국과의 전쟁은 독립
전쟁으로 그 성격이 근본적으로
바뀌었지.
INDEPENDENCE
뜨단따라
라~

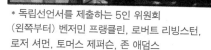

그러나 막상 전쟁은 시작되었지만
미국에게 크게 불리한 전쟁이었던
것이

영국은 세계에서 가장 강력한
해군 국가이며

경험 많고 잘 훈련된 정예군을
지닌 데다가

거대하고 강력한 재정을 갖춘
세계 최대 강국인 데 비해

미국은 단지 영국에서 5,000km 떨어져
있다는 사실 외엔 아무런 유리한 점이
없었어.

우리집 앞
마당에서 하는
전쟁이다!

그러나… 우리는
준비가 안 된 채
전쟁을 시작했다.

세계의 바다를 장악하고 있는
대영제국의 해군에 맞설 만한
함대는 고사하고

쓸 만한 군함 한 척 제대로 갖고
있지 못하고
너희가 우리와
전쟁을 하겠다고?

막상 전투에 투입할 만한 훈련된
군사도 갖지 못한 형편이었지.

그러나 미국에게 가장 불리했던
점은 이러한 군사, 재정문제보다도
……

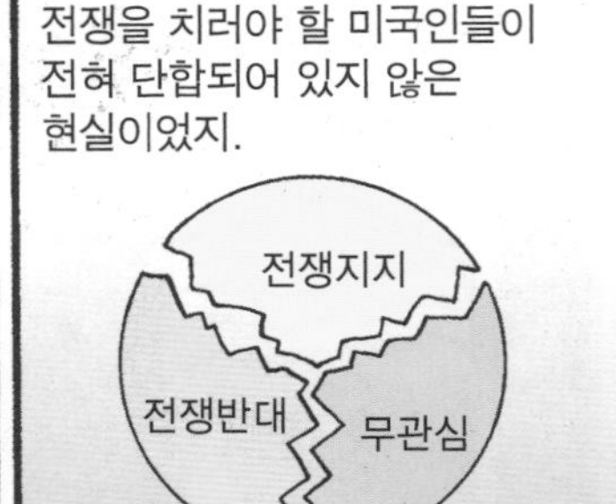
전쟁을 치러야 할 미국인들이
전혀 단합되어 있지 않은
현실이었지.
전쟁지지
전쟁반대
무관심

세금부과 반대로 시작하여 혁명을
지지한 미국인은 3분의 1에 지나지
않고
밀수를 못하게
하다니!
세금 못
내겠다!
독립하자,
전쟁이다!

자신의 재산 보호와 안전을 위해서
영국의 통치가 계속되기를 바라는
사람도 3분의 1
국왕폐하께
충성!!
이대로가
좋다!
전쟁반대!

혁명이든, 전쟁이든, 영국이든 관심이
없는 미국인도 3분의 1이나 되었으니
쟤들
왜 저래?
난 관심없으니 고만 좀
떠들어라!

미국의 독립전쟁은 영국이라는 거
대한 적을 상대로

미국민의 3분 2가 등을 돌리거나
무관심한 상황에서

전혀 준비가 안 된 3분의 1뿐인
미국인을 이끌고 벌여야 하는
저 3분의 1도…
언제 등을 돌릴지
모르는 믿을 수 없는
사람들이다…!

워싱턴 스스로가 인정했듯 전혀
승산이 없는 전쟁이었던 거야.
계란으로 바위 치기
아닌가….

당시 44세의 사령관 조지 워싱턴이 이끄는 미국군은 전쟁이 시작되자

와
와
와

패전에 패전을 거듭했다.

승산 없는 전쟁임을 뼈저리게 느끼던 워싱턴은 전략을 바꾸었는데…

군대는 오합지졸이고 사기는 땅에 떨어졌다.
도와주는 이는 없고 적은 세계 최강이다.

영국의 약점은 무엇인가?
5,000km나 본국에서 떨어져 있다는 것이고

이는 결국 물자보급이 제때제때 이루어지기 어렵다는 문제가 있다. 그러자면 가능한 한 싸우지 않고 전쟁을 질질 끌어

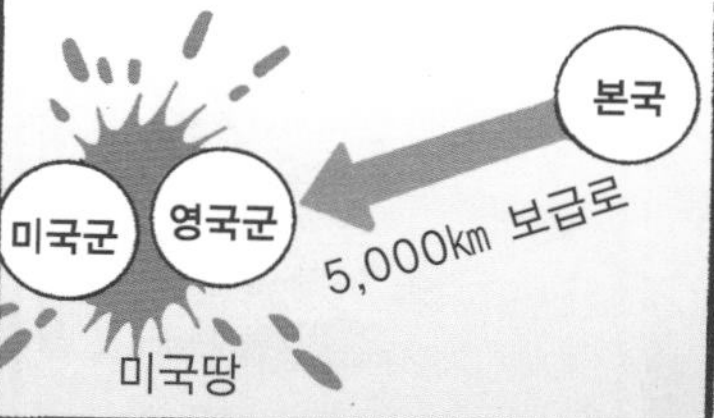
본국
미국군
영국군
5,000㎞ 보급로
미국땅

적의 물자를 한없이 소모하게 만드는 지구전밖에 승리의 길이 없다. 누가 오래 버티는가로 승패가 갈라질 것이다!

깊이 숨어 적과의 전투를 피하면서 시간만 끌던 워싱턴은 1776년 12월 24일 크리스마스 전날, 갑자기 델라웨어 강을 건너 트렌턴 요새를 공격, 대승을 거둠으로써 전쟁판을 크게 뒤집어놓았다.

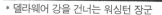

* 델라웨어 강을 건너는 워싱턴 장군

미국 독립전쟁의 판도를 뒤집은 크리스마스 이브의 공격!

이는 워싱턴 장군 스스로도 특별한 작전계획에 따라 감행한 것은 아니었다.

와
와
와

장군님, 그럼 왜 하필 크리스마스 전날에 공격을…?

병사들이 1월 1일까진 설 쇠러 집에 가야 하니 이날밖에 시간이 없었던 거죠… 적들이 역시 크리스마스라 방심했었소!

델라웨어의 트렌턴의 승전에도 불구하고 이듬해인 1777년은 계속 영국군이 압도적으로 우세했다.
한 번 당하지 두 번 당하니?

영국은 존 부르고뉴 장군을 새로 사령관으로 임명했고
취미로 코미디 극본을 쓰죠. 히트한 적도 있고….

그는 워싱턴에게 치명적인 타격을 가하기 위해 총공격을 거듭했어.

그러나 9월 19일, 워싱턴 장군은 마침내 새러토가 전투에서 영국군을 격파하고 대승을 거두지.

이 승전을 기리기 위해 뒷날 항공모함에도 '새러토가'란 이름을 붙여주었다고 해.
Saratoga

트렌턴과 새러토가, 이 두 번에 걸친 미국군의 승리는
트렌턴 승전
새러토가 승전

미국돕기를 머뭇거리던 유럽의 국가들에게 강렬한 인상을 심어주었어.
아니, 그 오합지졸 군대로
세계 최강 영국군을 격파했다고?
그럼 미국이 이길 수도 있겠네?
대~ 단해요!

파리에 와 있던 벤저민 프랭클린은 이러한 유럽 분위기에 힘입어
프랑스만 도와주면 반드시 이기는 전쟁입니다.
그 은혜는 절대 잊지 않을 겁니다요.

드디어 프랑스의 지원을 이끌어내는 데 성공했고 뒤이어 에스파냐, 네덜란드도 미국을 돕기로 결정함으로써
이길 수 있는 전쟁이라면 돕는 게 남는 장사지.
천하의 앙숙 영국에게 이때 복수하자!
식민지 경쟁에서 영국을 꺾어야 해!
네덜란드
프랑스
에스파냐

미국의 독립전쟁은 전혀 새로운 국면으로 접어들게 되었지.
아니, 이것들이 이제 떼거리로 덤비네!!
프랑스
네덜란드
에스파냐
미국

프랑스 등 동맹국들의 참전은 미국에겐 승리로 가는 중요한 발판과도 같았어.

승리
동맹국 참전

그럼에도 전쟁은 결판이 나지 않고 지루한 밀고 밀리기를 거듭하였는데 워싱턴은 영국군보다 오히려 자신의 군대인 미국군과 더 힘든 싸움을 하지 않을 수 없었기 때문이야.

지루한 전쟁이 계속되자 무기를 버리고 도망치는 군인이 늘어나고

나 집에 갈래!

밀린 봉급 달라는 투쟁이 벌어지는가 하면

월급을 줘야 집에 생활비를 부치지….
전쟁을 돈도 안 받고 거저 해주냐?

아예 전쟁에 불만을 품고 반란을 일으키려는 자도 적지 않았어.

이 따위 희망 없는 전쟁은 왜 해?
확 뒤집어엎어 버리자!

이러한 최악의 조건 속에서도 끝까지 굴복하지 않고 싸우는 워싱턴과 그 군대 앞에

우리에게 다른 선택은 없다!

영국군은 서서히 사기가 꺾여 갔으며

에고, 저 지독한 녀석들….

지휘부 안에 불화와 갈등으로 군대의 기강이 무너져 내리는가 하면

왜 제때 지원군을 보내지 않는 거요?
내 코가 석자인데 지원 보낼 병력이 어딨어?

영국 내의 여론도 전쟁에 반대하는 쪽으로 기울고 있었는데

초라하기 그지없는 미국군이

자기 군대 안의 탈영병과 싸우면서도

와글 와글

영국

세계 최강국이라는 대영제국의 군대를 물 먹이고 있지 않은가?!

이때 새러토가 해전 이후 미국은 또다시 가장 중요한 승리를 거둔다.

1781년 10월 9일, 영국해군이 전열을 재정비하여 미국군에게 최후의 결정타를 가하기 위해 뉴욕항을 떠난 순간, 요크타운에서 영국군 사령관 콘월리스(Cornwallis) 장군은 미국군의 포위를 뚫지 못하고 워싱턴 장군에게 항복을 한 거야. 이 항복은 그렇지 않아도 전쟁을 반대하는 영국 내의 여론을 더욱 부채질했고 미국군의 사기는 하늘을 찔렀어. 또한 전쟁 시작 이래 국가의 빚이 2배로 늘어난 책임을 떠맡은 영국의회가 전쟁비용 지출을 거부함으로써, 영국정부는 영국군의 본국 귀환을 명하였고 7년여에 걸친 지루했던 미국의 독립전쟁은 미국의 승리로 막을 내렸지.

* 1820년 존 트럼벌이 그린 〈콘월리스의 항복〉, 말 위의 워싱턴 장군과 붉은 제복의 콘월리스 장군

전후 문제를 두고 파리에서 평화회담이 열렸고

파리
미국
프랑스
영국

미국이 앞으로 캐나다에 손 뻗지 않을 것과

Don't touch!
캐나다
(영국영토)
미국
(독립인정)

에스파냐를 견제하려고 미시시피강에 영국해군이 머무르는 것을 허용하는

에스파냐가 기어 올라오면 미국도 골치 아프겠지?
하지만 우리가 에스파냐를 막아준다면야….

조건으로 1783년 9월 3일 파리조약이 서명되었다.

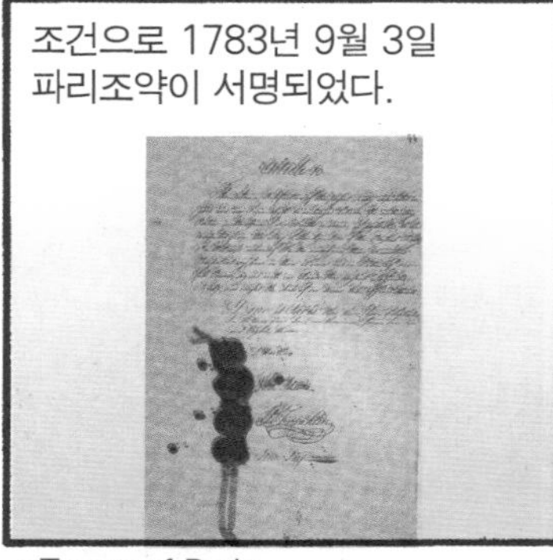

* Treaty of Paris

그리고 이해 12월 4일 마지막 영국인이 뉴욕을 떠남으로써

잘 있거라, 나는 간다!
잘 가~ 오지 마!
뉴욕

미국은 드디어 명실상부한 독립을 달성하였던 거야!

1779년부터 사용된 미국 국기

마지막 영국인이 미국을 떠난 날,
워싱턴도 미련 없이 고향으로 떠났다.

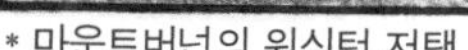
* 마운트버넌의 워싱턴 저택

그가 왕이 되어야 한다는 빗발 같은 요청을 거절하고
나더러 왕이 되어달라고?
하기야 왕이 없는 나라는 상상도 못해 보았을 테니….
NO

버지니아의 마운트버넌에 있는 자기 농장으로 되돌아간 거야.
즐거운 곳에서는 날 오라 하여도
내 쉴 곳은…
Mount Vernon

자, 미국인들은 독립을 했고, 자유도 얻었지만 아직 나라는 갖지 못했어.
국민 ○
국토 ○
국가 ✕

이제 그들은 세계 역사에서 처음으로 인민의 손으로 국가를 만들어야 했고

국가를 만들기 위한 주춧돌인 헌법을 만들기 위해 모였지.
국가
헌법
CONSTITUTION

자, 이제 우리는 헌법을 만들기 위해 이 자리에 모였소이다.
여기에 모인 사람들은 모두 서로 이해관계가 다르고 가치관도 다른 다양한 존재들입니다.
우리들은 결코 이상적인 국가를 만들기 위한 숭고한 논의를 하자고 모인 게 아니오.

여기에 모인 모든 사람들이 받아들일 수 있으며, 당장 필요한 것들을 만족시킬 수 있고

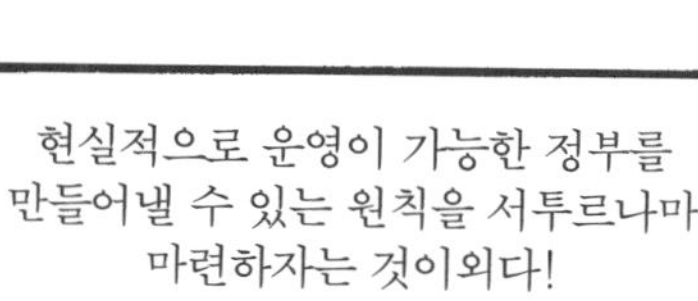

현실적으로 운영이 가능한 정부를 만들어낼 수 있는 원칙을 서투르나마 마련하자는 것이외다!

그렇소! 우리는 유토피아, 즉 이상국가를 만들자는 게 목적이 아니고

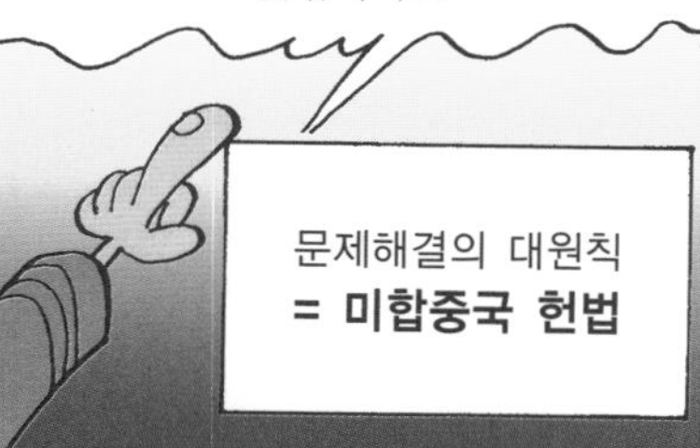

앞으로 당면하게 될 수많은 문제를 해결할 수 있는 원칙을 고안해내는 것입니다!!
문제해결의 대원칙
= 미합중국 헌법

숭고한 독립선언문과는 달리

인간의 평등!
자유!
인권보장!

미국의 헌법은 그보다 훨씬 간단해.

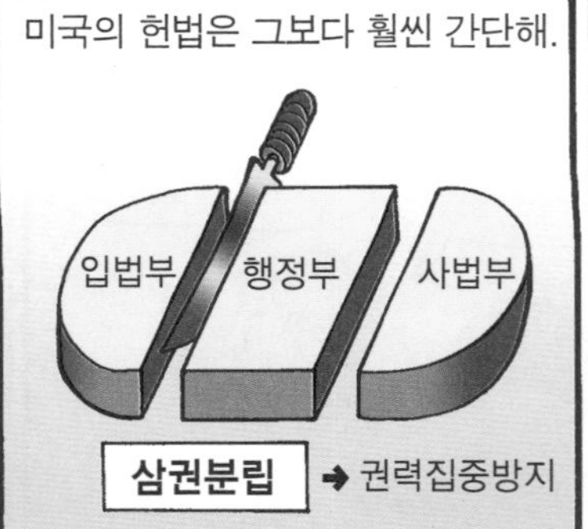

입법부
행정부
사법부
삼권분립
➜ 권력집중방지

헌법은 문제해결의 원칙들을 한데 모아 놓은 것이며, 여러 법들이 이 규칙들을 뒷받침한다.

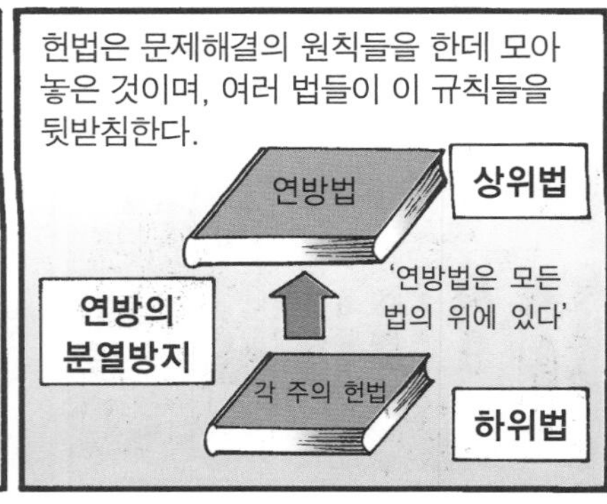

연방법
상위법
'연방법은 모든 법의 위에 있다'
연방의 분열방지
각 주의 헌법
하위법

미국의 헌법은 아주 현실적이며 간단하기 그지 없지만 인류역사에서 가장 존경받고 모방되는 헌법이야.

베껴라, 베껴!
잘 만들었네….
미국의 헌법

왜냐하면 미국의 헌법은 당시 전세계를 지배하던 봉건사상을 거부하고 민주이념을 지향하며

NO!
국가의 주인은 국민
국가의 주인은 군주

식민지 사상과는 정반대되는 독립과 자주 정신을 높이 평가하고 보장하고 있기 때문이지.

자주 독립 정신
국민인 내가 주인!

미국 헌법의 놀라울 만큼 진보적인 면은 '자라나는' 국가의 새 영토 문제 해결에서도 잘 나타나.

〈문제〉
미국에
새 영토가
생기면
?

1783년 파리조약에 의해 미국의 영토는 애팔래치아 산맥 서쪽에서 미시시피강까지로 인정되었는데

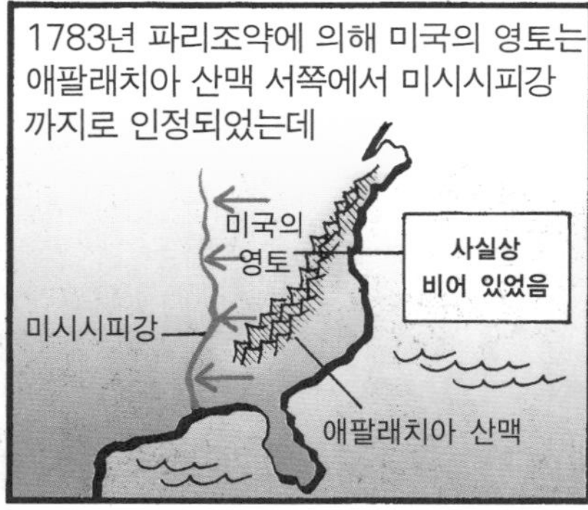

미국의 영토
사실상 비어 있었음
미시시피강
애팔래치아 산맥

사실상 미개척지인 이 지역의 권리를 어떻게 다룰 것인가?

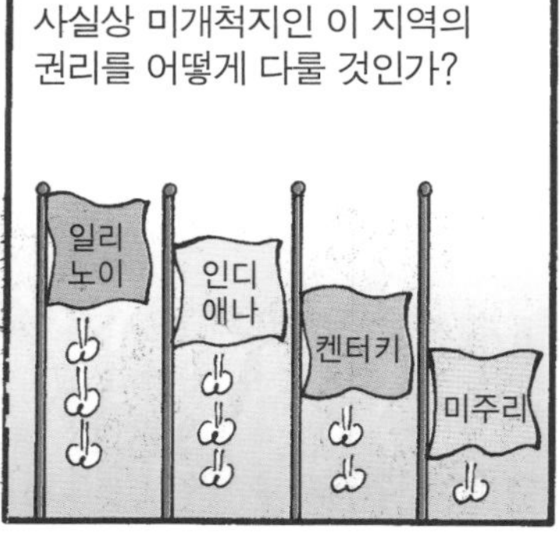

일리노이
인디애나
켄터키
미주리

미국의 헌법은 이 지역 주민이 5,000명이 되면 곧바로 주민 스스로 입법 기관을 설립해 법률을 제정할 수 있으며

인구 5,000명
↓
독자적인 입법기관 설립

6만명 이상이 되면 원래의 13주와 동등한 주로 연방에 가입할 수 있게 규정했어.

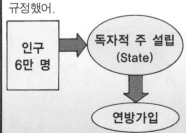

인구 6만 명 → **독자적 주 설립 (State)**
↓
연방가입

미국 영토 안의 모든 이에게 종교의 자유를 보장하고

자유롭기 위해 이곳에 온 우리들이다. 물론 종교도!!

영국의 전통이던 맏아들 상속제도를
폐지하여
상속
맏아들

모든 아들딸은 평등하다고
못 박았으며
모두가 함께 고생하니까…

노예제도는 전면 폐지하는 등
노예문제는
나중에 다룹시다.
그러나 헌법엔
그렇게 되어 있는
게 사실이죠.

유럽보다 수십 년 앞선 혁명적인
헌법으로 미국은 '자유국가' 로
평판받게 된 거야.
미국
헌법
세계 최초의
성문(成文)헌법!

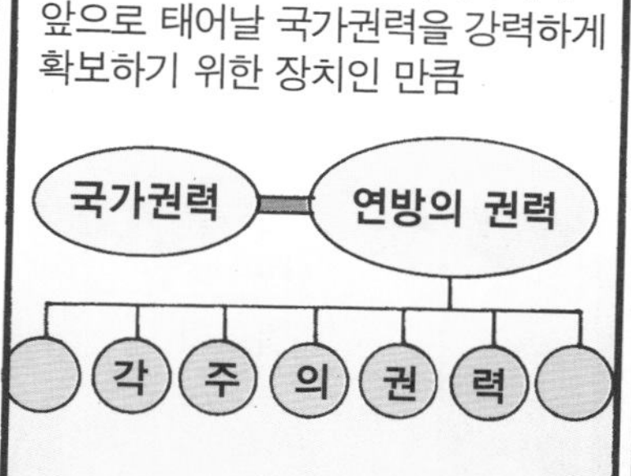
그러나 미국의 헌법은 어디까지나
앞으로 태어날 국가권력을 강력하게
확보하기 위한 장치인 만큼
국가권력
연방의 권력
각 주 의 권 력

국가권력 강화를 위해 자칫 인민의
정당한 권리를 무시할 경우가
생기는 것을 막기
위해
연방의 분열을
막기 위해 각 주와
인민의 권리를
일부 제한한다!
헌법

* 성문헌법: 글로 쓰여진 헌법

토머스 제퍼슨 등이 주장하여 헌법에
권리장전이 추가되었어. 수정헌법
이라고도 해.
고렇게는 못한다!
권리장전
The Bill
of
Rights
(수정헌법)

미국 헌법은 1777년 대륙회의에서 결정, 1781년 효력을 발생하였는데

BILL
OF
RIGHTS

* 권리장전 150주년 기념 표지

이 미국 최초의 헌법은 '헌법' 이 아니라 연합규약(聯合規約)이었지.

아직 미국이란
나라의 개념이
생기기 전이니까.

여러 주가 연합하여
연방을 만드는
대 원칙으로….

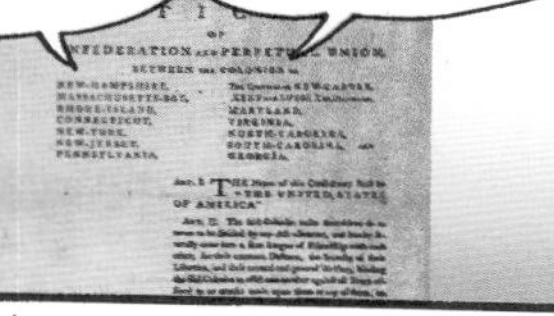

* 연합규약: Articles of Confederation

이제 독립이 되어 연합규약이
제정되고 의회도 생겨났지만
연방
의회

13개 주가 모여 만든 연방의회는
전혀 힘을 쓸 수가 없었던 것이
껍데기만
번지르르….

연방에 가담한 13개 주가 중앙권력인 셈인
연방의회가 힘을 갖지 못하게 규제했기
때문이야.
우리가 지금까지
왜 영국과 싸웠냐?
강력한 중앙정부
로부터 벗어나기
위해서였지 않는가!
주
주
주
주

자연 미국의회, 즉 연방의회는 13개 연방가맹주들에게 명령은커녕
돈 좀 보내라!
NO!
우리 쓸 돈도 모자란다!
연방의회
주

모든 것을 구걸해야 하였고
운영비 좀 보태주쇼~~!
징징 짠다. 몇 푼 보태줘라!
연방의회
주

미국 전체는 제대로 되어가는 일이 없이 마비상태로 빠져 들어갔지.
도대체 되는 일이 없어요!
뭔가 연방의회를 강력히 뒷받침하는 법이 있어야 해.
연방의회

드디어 1787년, 연합규약을 고쳐 미합중국 헌법을 제정하기 위한 의회가 소집되었고
각 주의 대표들은 모여라!
연합규약으론 안 되겠다!

이를 헌법회의라고 부른다.
왜 불렀냐?
13주를 뭉쳐 한 나라 만드는 법을 제정하자고!
와글
와글
헌법회의
1787.5 ~ 1787.9.17
필라델피아

* The Constitutional Convention

미국의 헌법제정에 참여한 대표들, 즉 '미국헌법의 아버지' 들은 무엇을 가장 중요한 원칙으로 삼았을까?

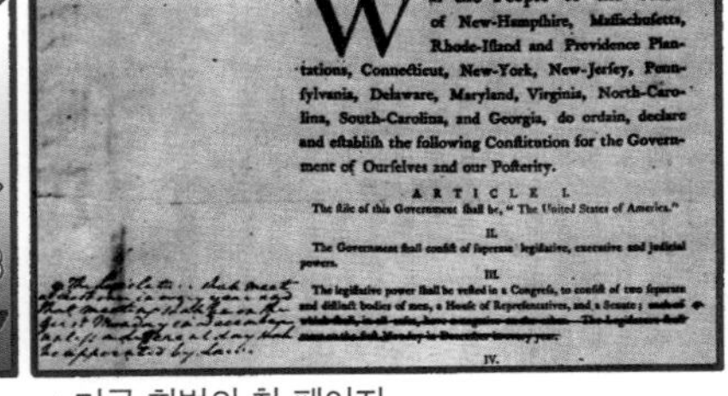
WE the People of the States of New-Hampshire, Massachusetts, Rhode-Island and Providence Plantations, Connecticut, New-York, New-Jersey, Pennsylvania, Delaware, Maryland, Virginia, North-Carolina, South-Carolina, and Georgia, do ordain, declare and establish the following Constitution for the Government of Ourselves and our Posterity.

ARTICLE I.

The stile of this Government shall be, "The United States of America."

II.

The Government shall consist of supreme legislative, executive and judicial powers.

III.

The legislative power shall be vested in a Congress, to consist of two separate and distinct bodies of men, a House of Representatives, and a Senate; [illegible]

IV.

* 미국 헌법의 첫 페이지

첫째, 그 누구도 자신을 지배하지 못하도록 강력한 권한을 주지 않는 것.
내 말이 법이다!
내 말을 따르라!
내 말이 곧 판결이다!
왕 = 입법권 + 행정권 + 사법권

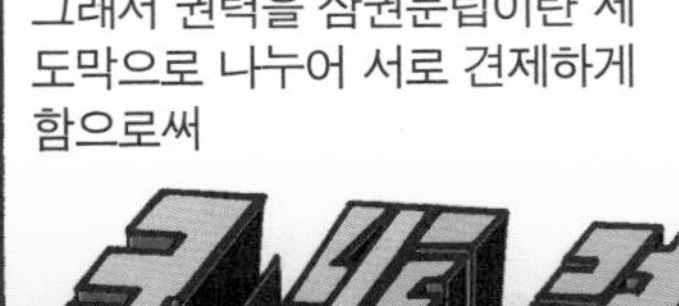
그래서 권력을 삼권분립이란 세 도막으로 나누어 서로 견제하게 함으로써

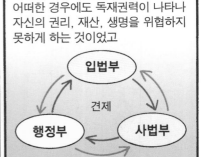

어떠한 경우에도 독재권력이 나타나 자신의 권리, 재산, 생명을 위협하지 못하게 하는 것이었고

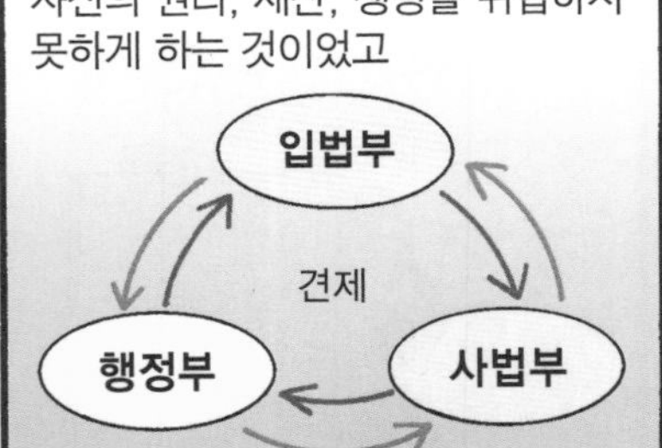
입법부
견제
행정부
사법부

둘째는 민중, 즉 재산이 별로 없거나 전혀 없는 사람들이
도련님~ 같이 놀아요!

너무 많은 힘을 가지지 못하도록, 그리하여 자신들의 안전을 위협하지 못하게
나가 있어!!
어디서 천한 것이 같이 놀려고….

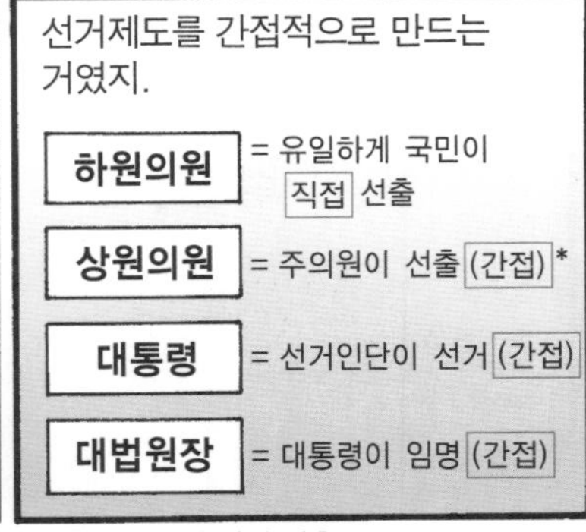
선거제도를 간접적으로 만드는 거였지.
하원의원 = 유일하게 국민이 직접 선출
상원의원 = 주의원이 선출 (간접)*
대통령 = 선거인단이 선거 (간접)
대법원장 = 대통령이 임명 (간접)

* 1913년부터 직접 선출

1년 가까이 격렬한 찬반논쟁이 거듭되던 끝에
그건 천한 것들에게 너무 많은 권한을 주는 것이다!
맞다, 그 조항은 빼라!
흑인은 인간이 아니다!
와글 와글

1788년 6월 21일, 13개 주 중 마지막으로 뉴햄프셔주가 헌법을 승인함으로써
썩 맘에 들지는 않지만
우리도 헌법을 인정하고 따르겠다!
땅 땅 땅
뉴햄프셔주 의회

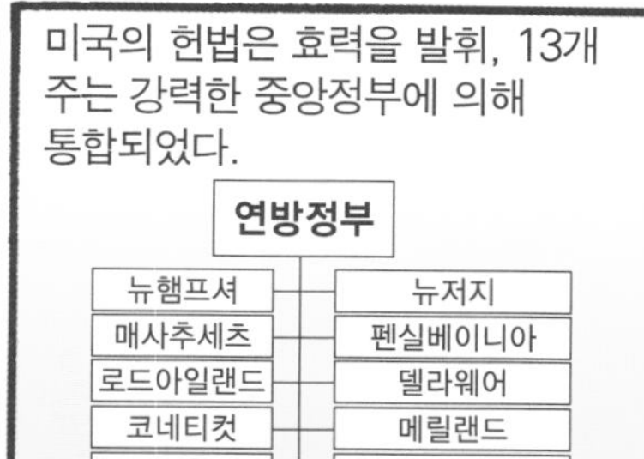
미국의 헌법은 효력을 발휘, 13개 주는 강력한 중앙정부에 의해 통합되었다.
연방정부
뉴햄프셔
매사추세츠
로드아일랜드
코네티컷
뉴욕
조지아
뉴저지
펜실베이니아
델라웨어
메릴랜드
버지니아
사우스캐롤라이나
노스캐롤라이나

헌법에 따라 초대 선거인단은 선거를 통해
좋습니다!

만장일치로 조지 워싱턴을 미합중국 초대 대통령으로 선출하였는데
워싱턴 후보 69표로 대통령 당선!
부통령엔 존 애덤스 후보 37표로 당선!

워싱턴은 미국역사에서 처음이자 마지막으로 만장일치로 선출되는 영광을 누렸지.

* 미국 초대 대통령 조지 워싱턴 부부

1789년 4월 30일 조지 워싱턴은 미합중국 초대 대통령으로 취임선서를 하였다. 부통령에는 독립투쟁에 앞장섰던 존 애덤스가 선출되었다. 조지 3세의 충성스러웠던 아메리카 식민지는 독립선언한 지 13년 만에 '갑작스럽고 놀랍게도' 가장 진보적이고 혁신적인 국가로 새롭게 태어났으니 이것이 바로 불과 200년 후의 세계유일 초대강국의 탄생이었던 거야.

* 워싱턴(중앙) 부부의 연회

1789년 아메리카 대륙에서는 한 나라가 새롭게 태어났다.

같은 해 유럽 대륙에서는 오래된 한 나라가 갑자기 사라졌다.
펑
유럽

왕과 귀족이 다스리던 프랑스라는 왕국이 대혁명으로 쓰러진 거야.

미국의 독립전쟁 승리를 위해 아낌없는 지원을 해주었던 프랑스
$
영국만 꺾어라!

그러나 전쟁비용의 막대한 부담은 프랑스 국가 재정을 파탄에 이르게 하였으며
빚

이는 곧 시민 대혁명으로 연결되어 봉건정권의 붕괴를 야기했던 거지.
와
와
와

프랑스는 무기와 군사로 미국을 도왔지만
무기 + 군사

미국은 자유와 평등사회의 건설이 현실적으로 가능하다는 실례를 보여줌으로써
해냈다!
자유·평등

프랑스, 나아가 전유럽에 민주주의와 인권의 화려한 꽃을 피우는 비료가 되었지.
우리도 할 수 있다!
뻥

1793년, 조지 워싱턴은 다시 한번 만장일치로 미국 대통령에 재선 되었다.

조지 워싱턴

1789~1793

1793~1797

같은 해 프랑스의 국왕 루이 16세는 콩코드 광장에서 단두대의 이슬로 사라졌어.

역사란 참으로 기묘한 연결고리로 이어져 있다고 생각되지 않니?

3

깊이 뿌리내리는 새나라

미국의 성장

NDER MY WINGS EVERY THING PROSPERS

1803년에 그린 뉴올리언스의 풍경 미국이 사들인 기념으로 그렸다. 미국의 상업과 물자운송에 가장 중요한 항구로 미시시피강 어귀에 자리잡고 있다.

오늘날 세계 유일의 초강대국인 미국
American Supremacy
미국 패권주의

그러나 정작 워싱턴의 취임으로 태어난 초창기 미국은 참으로 초라한 것이었어.
'성조기'란 명칭이 처음 붙었다!
1795~1818년에 사용된 미국 국기 "Star-Spangled Flag"

☆ 15개의 주로 늘어났음.

대통령 조지 워싱턴, 부통령 존 애덤스, 이 두 사람과 헌법,
The Constitution 헌법

이들을 도와주는 보조인력 열댓 명이 미국정부의 전부였으며
아직 이들에게 월급 줄 돈도 없다….

전쟁이 끝나 군대를 해산 군인이라곤 장교, 사병 모두 합쳐 672명이 전부였고
미국 최초의 군대는 단 672명!
USA

그나마 해군은 단 한 명도 없었던 것이 갓 태어난 미합중국 군대의 현실이었지.
저러고도 나라냐?

겉은 화려하게 출발한 미국이었지만 알맹이는 텅 빈 껍질만의 정부였고
미합중국 연방정부

당장 직원들에게 줄 월급도 각 주에 구걸해야 하는 가난뱅이 정부였어.
돈 좀 주라!
연방정부
거지 같아…
주정부

이제 대통령과 부통령은 정부를 조직해야 했다.
우리가 가진 것은 '헌법'이 전부
미국 헌법
The Constitution

초대 국무부 장관에는 독립선언서를 기초한 토머스 제퍼슨

나라의 살림을 도맡은 재무부 장관에는 알렉산더 해밀턴
THE UNITED STATES OF AMERICA
TEN DOLLARS

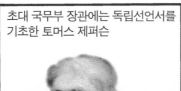

* Alexander Hamilton(1755~1804)

그리고 전쟁부에는 헨리 녹스가, 법무부에는 에드먼드 랜돌프가 각각 장관으로 임명되었지.

* (왼쪽부터)헨리 녹스, 에드먼드 랜돌프, A. 해밀턴, G. 워싱턴

독립전쟁이 끝나 미국인들은 자유와 독립을 얻었지만
독립

갓 태어난 미국의 경제는 깊은 수렁에 빠져 허우적거릴 수밖에 없었어.
경제

7년에 걸친 전쟁으로 국토는 피폐하고 산업은 잿더미로 변한 데다가

영국이라는 거대한 시장이 사라지고 수출의 길이 완전히 막히다시피하자
안 사!
미국 상품
영국

영국 때문에 손해봤다고 불평하던 미국인들은 영국 시장이 중요함을 깨달았던 거지.
그동안 영국 덕분에 잘 먹고 잘살았네….
미국 상품

각 주는 파산 직전까지 다다른 재정을 메우기 위해 세금을 올렸고
세금
세금

격분한 농민들은 1786년 12월 매사추세츠주에서 다니엘 셰이스의 주도로 반란을 일으켰어. 이 반란은 이듬해 2월 무자비하게 완전 토벌되었지만

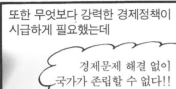

* 셰이스의 반란(Shays' s Rebellion)

미국 전체를 장악할 강력한 중앙정부가 필요하다는 사실을 모든 미국인들에게 절실하게 일깨워준 사건이었어.
그래. 주만으로는 안 돼. 강한 연방정부가 꼭 있어야 해!

또한 무엇보다 강력한 경제정책이 시급하게 필요했는데
경제문제 해결 없이 국가가 존립할 수 없다!!

초대 재무장관이었던 알렉산더 해밀턴은 갓 태어난 미국의 재정이 튼튼하게 자리잡도록

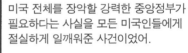

과감하고 강력한 경제 정책을 시행, 지금까지도 '미국의 가장 위대한 재무장관' 으로 평가되고 있지.

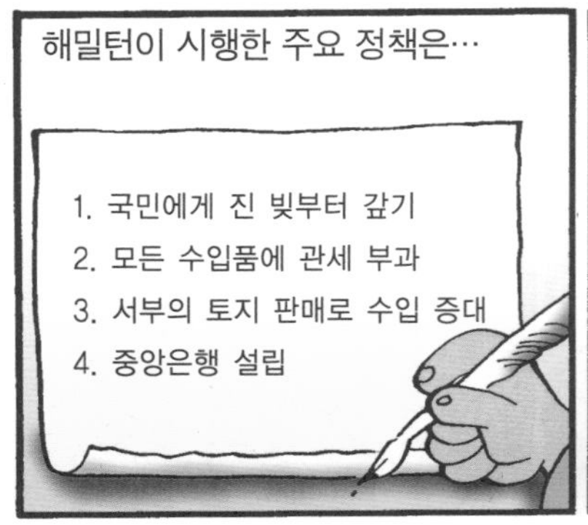
해밀턴이 시행한 주요 정책은…
1. 국민에게 진 빚부터 갚기
2. 모든 수입품에 관세 부과
3. 서부의 토지 판매로 수입 증대
4. 중앙은행 설립

영국과 전쟁을 치르느라 정부는 미국 국민에게 무려 5,000만 달러를 꾸어 썼어.
나중에 갚을게….

그 돈의 대부분은 주로 군인들의 밀린 봉급이었고, 이 빚을 갚지 않고는 연방정부의 권위도 있을 수 없었지.
밀린 군인 월급도 못 주는 나라가 과연 나라냐?

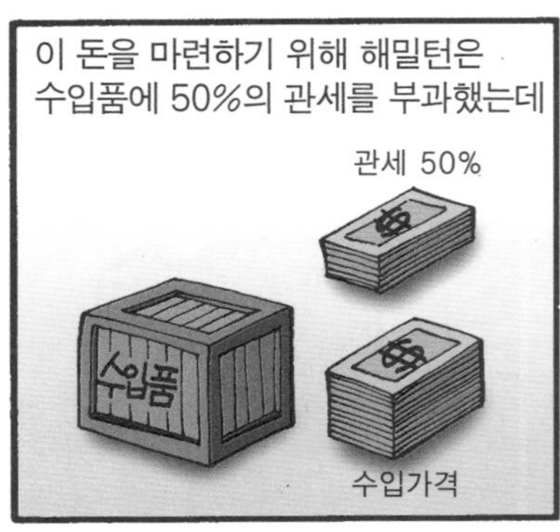
이 돈을 마련하기 위해 해밀턴은 수입품에 50%의 관세를 부과했는데
관세 50%
수입품
수입가격

우선 위스키부터 적용하기로 했다.
위스키는 안 마시면 죽는 필수품은 아니지만
그 소비량이 엄청난 사치성 수입품이니까!

당연히 납세 거부 운동이 일어났고 피츠버그에서는 위스키 반란 사건까지 일어났지.
* 위스키 반란 진압군을 사열하는 워싱턴

이 반란사건은 연방정부가 군대를 동원하여 강력히 제압함으로써
위스키를 돌려다오!
쾅

연방정부의 권위를 과시한 예가 되었어.
봤지? 연방정부에 대들면 다친다!

해밀턴이 서부의 광대한 토지를 이주민에게 판 돈으로 국가 빚을 갚으려 하자
넓은 토지 장만 절호의 기회!
서부토지 염가판매
땅
개국기념 대바겐세일!

북부보다는 빚이 적었던 남부가 크게 반대했고
우리는 빚도 적은데 왜 연방 빚잔치에 들러리 서야 하냐?

해밀턴은 수도를 워싱턴으로 옮겨주는 것으로 이를 달랬어.
남부는 점잖은 문화인의 땅 아니냐?
사실상 미국의 중심이 남부니까…

미국의 수도를 뉴욕에서 워싱턴으로 옮기자구!
우리 자존심을 살려줄 테니 눈감아달라…?

해밀턴의 주요 정책의 하나는 연방 은행 설립이었는데
전체 미국경제를 일관성 있게 연결해줄
중앙은행이 반드시 필요하다!
Federal Bank

이는 당연히 각 주 중심의 독자 경제를 주장하는 분권주의자들의 격렬한 반발을 샀다.
연방정부가 돈줄까지 장악하고 주 위에 군림하려는 거냐?!

그럼에도 불구하고 해밀턴은 그의 정책을 독단적으로 밀어붙였고 반발도 더욱 격렬해져
반대해도 할 수 없다!
정책

미국의 정치계뿐 아니라 국민들까지도 남북으로 분열되는 주요원인이 되었지.
남북전쟁의 씨앗은
미국의 탄생과 함께 잉태되었다!
USA
우지직

미국의 정계는 단연 알렉산더 해밀턴과 그를 지지하는 세력과
해밀턴파
토머스 제퍼슨과 그의 지지세력으로 완전히 두 쪽으로 갈라졌다.
제퍼슨파

토머스 제퍼슨은 자유주의자이며 반연방주의자였고
연방도 중요하지만
각 주의 자유와 독립은 더욱 중요하다!
각 주
연방 (중앙정부)

분권주의자이자 열렬한 민주주의의 신봉자였다.
연방을 위해 주를 희생시키지 마라!
국민이 국가의 주인이 되는 나라를 위해 우리는 피 흘렸다!
DEMOCRACY
민주주의

제퍼슨과 그를 지지하는 세력은 스스로를 자유공화파라 불렀지.
자유 만세!
국민이 주인되는 공화국 만세!
Republican

반면 알렉산더 해밀턴은 자본가들의 지지를 받는 강력한 중앙정부 지지파였어.
각 주의 자유와 독립도 중요하지만
연방은 그보다 더욱 중요하다!!
강력한 연방정부

그는 귀족주의자였으며 민주주의에 비판적이었지.
국민이 국가의 주인이라고?
무지한 대중에게 어찌 나라를 맡길 수 있나?

해밀턴과 그의 지지세력은 스스로를 연방주의자라 칭했어.
강력한 중앙정부
그것이 부강의 지름길이다!
Federalist

영국에 대한 견해도 두 사람은 전혀 달랐고

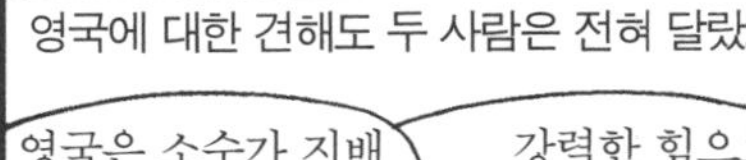

영국은 소수가 지배하는 비도덕적이고 억압적인 국가다!
강력한 힘으로 백성을 관리하는 영국은 이상국가다!

경제정책도 하늘과 땅만큼 달랐지.

해밀턴의 정책은 부자들 배만 불릴 뿐이다!

가난한 대중보다 부유한 소수가 도와야 경제가 산다!

경제정책

프랑스대혁명이 발발하자 두 사람의 견해는 더욱 크게 엇갈렸어.

와!
와! 와!

프랑스혁명은 고귀한 민주 투쟁이다!
너무도 혐오스러운 폭동행위다!

프랑스는 우리를 도와 전쟁의 승리를 이끌어준 나라다. 미국은 프랑스와 함께 낡은 체제를 뒤집어엎는 대열에 동참해야 한다!

그런 행위는 곧 영국과의 적대 관계를 의미한다. 영국과 다시 전쟁한다는 것은 상상할 수도 없다. 미국은 중립을 지켜야 한다!

루이 16세가 처형된 1793년을 전후하여

미국 정계는 완전히 두 파로 나뉘었고

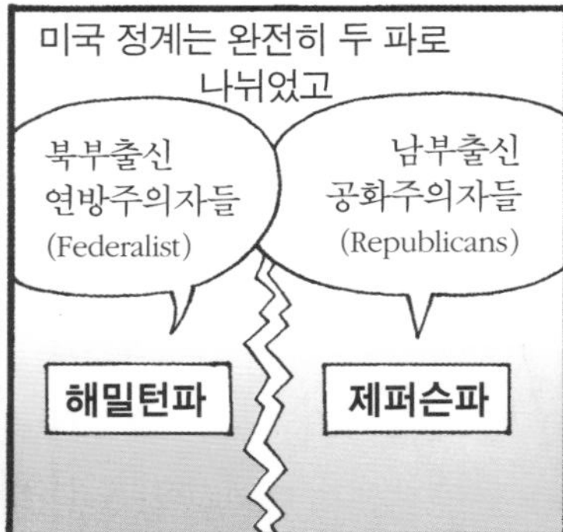
북부출신 연방주의자들 (Federalist)
남부출신 공화주의자들 (Republicans)
해밀턴파
제퍼슨파

이들은 서로 적대시하여 호텔, 식당도 같이 쓰지 않았으며

흥!
북부 식당
남부 요리

미국의 양대 정당정치의 기원이 되었어.

공화당
남부 농장주 중심
연방당
북부 상공업자 중심

한 가지 재미있는 사실은 개인의 이익에 따라 남부 · 북부의 이념까지 뒤바뀐 것이지.

영국왕에 충성
공화국 만세

원래 북부는 영국의 압제에 반대하여 왕이 없는 공화국, 각 주의 자유와 권리를 중요시하던 공화주의의 본거지였고

독립하자!
간섭 없고 압제자가 없는 나라를 만들자!
북부

남부는 귀족주의적이며 영국에 우호적이었는데
저 품위 없는 북쪽의 천민들…
영국이 우리의 고향이거늘….
어흠!
남부

프랑스혁명, 해밀턴의 등장과 함께 북부가 연방주의자들의 본거지로,
역시 영국이야…
영국과 같은 강한 중앙정부가 필요하다!
북부

제퍼슨을 중심으로 한 남부가 오히려 반연방주의, 공화주의자의 본거지로 탈바꿈한 사실은
강력한 중앙 정부가 생기면
각 주를 간섭하고 지배하려 들 것이다!
남부

미국의 정치나 이념이 철저하게 개인의 이익에 따라 바뀌는 특성을 잘 말해주고 있어.
실리
이념이 빵 먹여준다더냐?

해밀턴의 경제정책은 북부의 부유 상인, 금융업자들의 지지로 의회를 통과했고
해밀턴파
제퍼슨파

이를 지켜보면서 제퍼슨은 남북전쟁을 예감하고 있었는지도 몰라….

남부의 불만은 폭발 직전,

이것이 언제 터질지 모른다…!

1792년 10월, 워싱턴에 대통령관저가 건축되기 시작하였다. 오늘날에는 이곳이 세계정치의 중심이지만 초대 워싱턴, 2대 애덤스 대통령은 살아보지 못했고, 1801년 1월 1일 개관, 제3대 대통령 토머스 제퍼슨이 처음 입주하였어. 그러나 외부만 그럴듯하였지 내부는 엉망진창이었고, 그나마 1812년 영국과의 전쟁 때 영국군이 불을 질러 검게 그을린 것을 흰색으로 칠해 그때부터 '백악관(White House)'이라 불리게 되었지. 남북전쟁 때 일부분이 무너진 것을 트루먼 대통령이 완전히 분해, 재건축했고, 케네디 대통령 때 마지막 손질을 하여 오늘의 모습을 갖추게 된 거야.

프랑스대혁명은 끝내 나폴레옹을 등장시켰고
보나파르트
나폴레옹

유럽 대륙을 장악한 나폴레옹과 바다를 제패하고 있는 영국의 대립은 더욱 날카로와져 가는데
영국을 쓰러뜨리지 못하면 유럽을 손아귀에 넣을 수 없어….

미국은 이른바 '나폴레옹 전쟁'에서 중립을 표방하고 있었다.
중립

나폴레옹은 영국을 고립시키기 위해 1796년 대륙봉쇄령을 내려

영국으로 가는 모든 선박을 나포하거나 화물을 압수했고
영국과의 무역은 곧 죽음임을 각오하라.

이 와중에 미국의 선박도 약 300여 척이나 화물을 빼앗기는 등
무어라? 또 당했어?!
중립인 우리 미국의 배를 공격하다니….

미국과 프랑스의 관계는 날로 험악해져 갔어.
그렇지 않아도 연방주의자는 프랑스에 감정이 안 좋은데….

결국 존 애덤스 대통령은 프랑스에 3명의 특사를 보냈다.
미국과 프랑스의 관계가…
이렇게 험악해질 수는 없소이다.

우리의 독립전쟁 때 귀국이 군대를 보내 도와준 데 대해 우리 미국인은 감사의 마음을 지니고 있으며 관계가 개선되길 바라오.

나폴레옹의 외무장관은 그 유명한 탈레랑*

미국이란 나라는 종교가 32개나 되면서
요리는 한 가지 뿐이라죠?

저자가 노골적으로 우리 미국을 조롱하네.
하하… 미국이 프랑스와 관계가 나빠지는 걸 두려워하는 모양인데

내게 25만 달러만 가지고 오슈. 미국 대접 잘해드릴게.
이 정도 액수는 외교가에 늘 있는 것 아뇨?

* Charles Maurice de Talleyrand(1754~1838)

이 소식은 미국 정계를 격분시켰어.
미국을 뭘로 보고 조공을 요구해?
프랑스의 콧대는 도저히 그냥 두어선 안 돼!

미국은 자주국방을 서둘러야 한다!
군대엔 수백만 달러를 줄 수 있어도 프랑스엔 단 한 푼도 바칠 수 없다!

애덤스 대통령도 프랑스 편 드는 언론에 대해 철퇴를 내렸는데…
조중동 박살내라!
어… 어느 나라 말씀입니까, 각하?

조용한 중립을 동강내는 친불 언론을 박살내기 위한 법을 만들자!
원래 프랑스가 싫어….

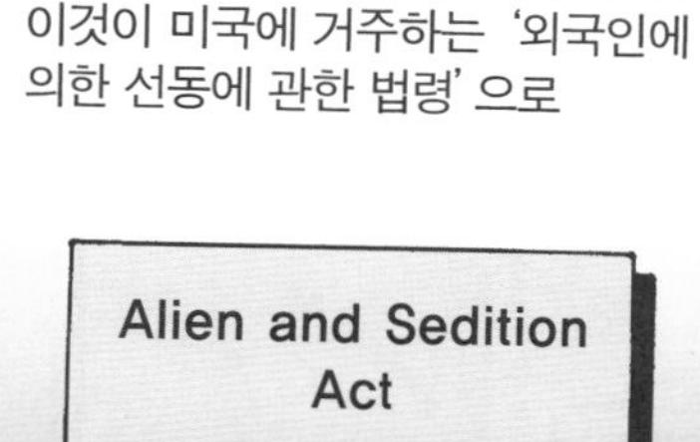
이것이 미국에 거주하는 '외국인에 의한 선동에 관한 법령' 으로
Alien and Sedition Act
외국인 특히 프랑스계를 견제하기 위한 법률

토머스 제퍼슨은 이를 맹렬히 비난했어.
언론에 재갈을 물리려는 언론 탄압법이다!!
우리와 코드가 안 맞는 언론은 끝까지 손봐줘야 하는 거 아냐?

제퍼슨을 중심으로 한 민주공화당 세력은 굳게 단합하였다.
언론 탄압하는 애덤스를 막자!
애덤스의 재선과 연방주의자들의 횡포를 막자!
민주공화당 단결하자!
와
와

1800년말 대통령 선거에서 토머스 제퍼슨은 73표 대 65표로 애덤스를 따돌리고
낙선…

미합중국 제3대 대통령에 당선되었어.

프랑스에 호의적인 제퍼슨이 1801년 대통령에 취임하면서
음… 제퍼슨이 당선되었다구?

프랑스와 미국의 대화는 훨씬 부드러워졌어.
그는 친불, 혁명지지자니까 대화가 잘 될 거야!

제퍼슨은 1803년 나폴레옹에게 특사를 보냈지.
미국 경제에 매우 중요한 뉴올리언스 항구를
미국에 팔지 않겠느냐고 나폴레옹에게 물어보시오.

뉴올리언스는 미시시피강과
카리브해가 만나는 어귀에
자리잡은
미국영토
서부
미시시피강
에스파냐 영토
뉴올리언스
카리브해

미국 경제에 가장 중요한 교역과
운송지의 하나로
프랑스의 도시
오를레앙(Orléans)
미국에 프랑스인들이
세운 '새 오를레앙'을
미국식으로 발음하여
뉴올리언스!
Orléans
New Orleans

원래는 에스파냐의 소유였으나
나폴레옹에 굴복, 프랑스가 차지하고
있던 곳이야.
나가 있어!
프랑스
에스파냐

미국으로서는 뉴올리언스를 절대
포기할 수 없는 입장이었지.
나폴레옹이
얼마를 달래도
뉴올리언스를 꼭
사들여야 해!

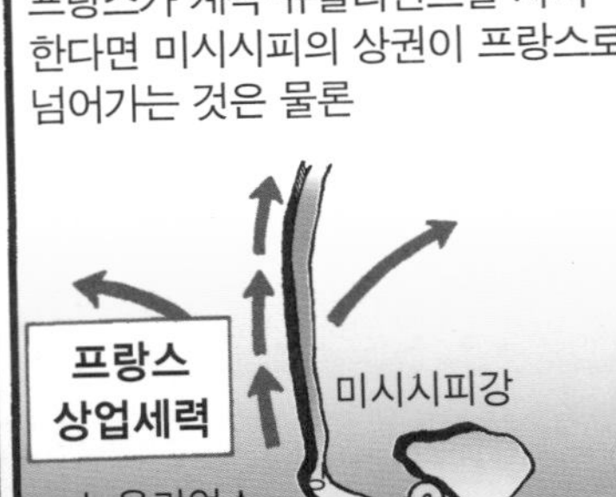

프랑스가 계속 뉴올리언스를 차지
한다면 미시시피의 상권이 프랑스로
넘어가는 것은 물론
프랑스
상업세력
미시시피강
뉴올리언스

프랑스가 대 서부로 진출할 길도
열려 있었기에 더더욱 그랬어.
프랑스
세력
미국국경
Go west!
에스파냐령
뉴올리언스

미국 대표의 제의를 들은 나폴레옹은
전혀 뜻밖의 제의를 했다.
그래, 뉴올리언스를
사고 싶다고?

아예 루이지애나를 모두
사버릴 의향은 없소?
루이지애나

루… 루이지… 루이지애나?!

루이지애나를…
모두… 라고
하셨습니까?
그렇소. 212만km²에
달하는 거대한 땅덩이
루이지애나 말이오!

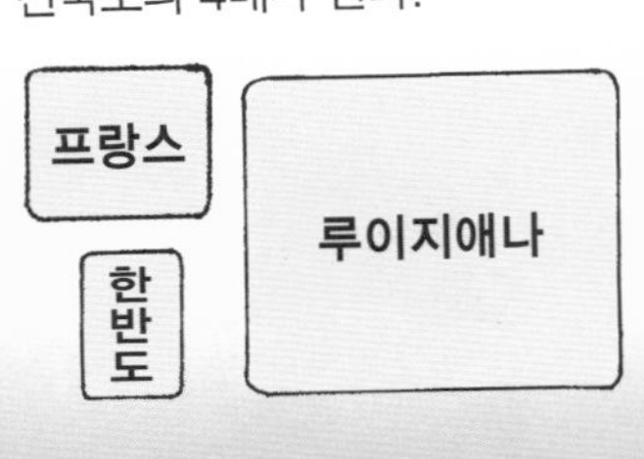

루이지애나! 한반도의 10배나
되는 거대한 땅, 오늘의 프랑스
전국토의 4배나 된다.
프랑스
한반도
루이지애나

프랑스인들이 국왕 '루이'의 이름을
따서 붙인 땅 '루이지애나'를
사라는 것이다!
토지
대바겐
세일
떨이요, 떨이!
LOUISIANA

가… 값은…
얼마에…
1,500만 달러만
내시오!

1,500만 달러…!
그 가격이면 거저나
다름없지. 강서지역
부동산 붐만 불면
몇 백 배 뛸 텐데.

1km²에 단돈 7달러에 불과한 가격으로
212만km²에 달하는 거대한 영토가
미국의 차지가 되었어.
아깝다!
우리나라도 그때
미국땅 좀 사
두었더라면….

나폴레옹은 왜 루이지애나를 미국에
팔았을까?
나라고 땅
아까운 줄 모르나?
너무 탐나지….

그러나 영국의 예를 봐서 아메리카
대륙의 영토는 언젠가 미국의 차지가
될 것이 분명하고
프랑스는 당장
아메리카에서
물러가라!

가지고 있어도 군대 주둔 등 엄청난
비용이 들어, 전쟁을 치르고 있는
프랑스가 감당하기 어려운 데다
관리비
유지비
군대주둔비
얻는 것에
비해
드는 돈이
너무 많다!

미국 내에 프랑스 영토가 있으면
언젠가 또다시 영국과 이 문제로
전쟁을 치르게 될
것이 분명,
딴건 몰라도
저 꼴은 못 보지!
아메리카

더구나 카리브해 프랑스령 섬에서
반란이 일어나 군대가 그곳에 묶여
있어
미국 땅에
군대 파견?
여기도 코가
석자인데….
우지끈
산토 도밍고

도저히 루이지애나를 관리할 군사적,
경제적 여건이 되지 않는다는
이유에서였지.
그렇다고 저걸 그냥
포기할 수도 없고….
루이지애나

아무도 가보지 않은 땅, 아무도
무엇이 있는지 모르는 미개척의
땅, 적당히 돈이나 받고
파는 게 이익이지!

사는 사람도 파는 사람도 그들이
사고파는 땅이 어떤 곳인지 모르는
어떤 땅인지
무엇이 있는지
모르지만…
사시오!

인류역사에서 가장 황당하고 가장 큰
규모의 토지거래는 이렇게 이루어졌던
거야.
사지요!
어떤 땅인지
무엇이 있는지
모르지만….
루이지애나

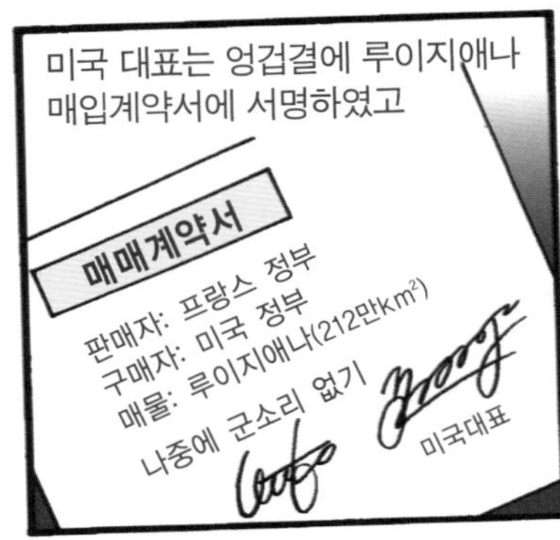
미국 대표는 엉겁결에 루이지애나 매입계약서에 서명하였고
매매계약서
판매자: 프랑스 정부
구매자: 미국 정부
매물: 루이지애나(212만km²)
나중에 군소리 없기
미국대표

미국의회는 펄펄 뛰며 반대했지만
미국 대표단은 복부인으로 구성됐냐?
불모지 사들인 책임지고 당장 사퇴하라!
미국정부가 땅투기라니!
와글와글

토머스 제퍼슨의 설득으로 이를 인준, 루이지애나의 매입이 이루어졌어.
의원 여러분, 신께 감사의 기도를 드립시다!
우리의 자손들이 살 새 넓은 터전을 주신 주님의 은총에….

이제 미국의 영토가 하루아침에 두 배로 늘었다.
펑
미국
미국

미시시피 동쪽으로 제한되었던 미국의 영토는 루이지애나 매입으로 로키산맥까지 확장되었고
1803년 까지
1803년 매입

미국의 서부개척의 막은 뜻하지 않게 갑자기 열렸던 거야.
대서부

평생 동지이자 경쟁자였던 애덤스와 제퍼슨
2대 대통령
J. Adams
3대 대통령
T. Jefferson

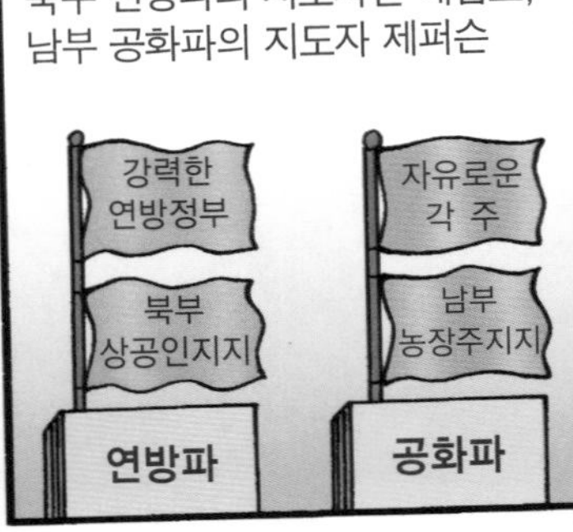
북부 연방파의 지도자인 애덤스, 남부 공화파의 지도자 제퍼슨
강력한 연방정부
북부 상공인지지
자유로운 각 주
남부 농장주지지
연방파
공화파

운명의 장난인가, 이 두 사람은 1826년 7월 4일 독립기념일, 나란히 숨을 거두었다.
연방파
공화파

미국의 국토를 2배로 늘린 토머스 제퍼슨은 유언으로 묘비에 3가지를 적어달라고 부탁했어.
미합중국의 대통령이었다는 것은 기록하지 말게!

나, 제퍼슨이 미국 독립선언서를 작성하였으며, 종교의 자유에 대한 루이지애나 법을 만들었고,
* 버지니아 몬티첼로에 있는 제퍼슨의 집

버지니아 대학을 설립하였도다!
* 토머스 제퍼슨이 설계한 건물

미국이 프랑스로부터 루이지애나를 사들인 1803년
루이지애나
$

결국 나폴레옹과 영국 사이엔 전쟁이 터지고 말았어.
쾅

이른바 혁명 이념을 전파시키려던 나폴레옹과 이를 저지하려던 세력의 중심이었던 영국이 충돌한 것은 숙명이었지.
자유·평등 박애정신
NO!

나폴레옹의 숙적은 1783년 24살의 젊은 나이로 영국의 수상이 된 윌리엄 피트, '소 피트'로 불리는 인물이었다.
William Pitt the Younger
1759~1806

그가 수상 자리에 오르자 세상은 모두 그를 비웃었지만
젖비린내 난다!
24살짜리 학동에게 영국의 운명을 맡기다니!

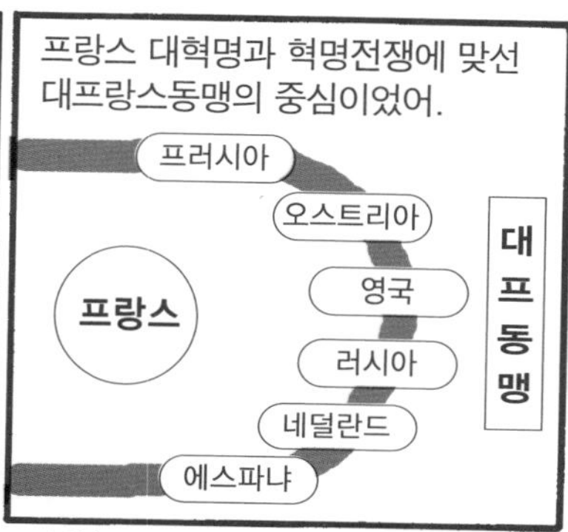
프랑스 대혁명과 혁명전쟁에 맞선 대프랑스동맹의 중심이었어.
프러시아
오스트리아
영국
러시아
네덜란드
에스파냐
프랑스
대프동맹

* 1차(1793~97), 2차(1799~1802)

1800년, 종교문제로 국왕과 충돌하여 사임하였지만
수상직 못해 먹겠다!
사표

나폴레옹 전쟁이 터지자 1804년 다시 수상이 되었는데
역시 피트만한 수상감이 없다.
컴백!

건강이 좋지 않은 데다 1806년 아우스터리츠*에서 연합군이 나폴레옹에게 대패하고
항복

* Austerlitz

신성로마제국이 멸망되는 운명을 맞자 그 충격으로 세상을 떠났어.
나폴레옹 판정승!
저승에서 보자….
꼴깍….

나폴레옹은 유럽을 호령하며 영국과 무역을 금지하는 대륙봉쇄령을 더욱 강화했지만
쥐새끼 한 마리도 영국으로 못 가게 해라!

영국은 오히려 프랑스를 해군으로 해안을 봉쇄하여 물자부족으로 더욱 고통스럽게 했지.
이쪽은 열려 있지롱!

이때 미국은 중립을 표방하고는 있었지만
중립
너희들의 전쟁!

'돈을 좋아하는' 미국 상인들이 영국의 봉쇄를 무시하고 프랑스와 무역을 해서
식량, 옷감… 뭐든지 말만 하셔!
$

영국의 격분을 사고 있었어.
중립을 지킨다는 것들이 프랑스와 무역을 해서 우리에게 물을 먹여?!

이런 와중에서도 미국은 계속 영토를 넓혀가고 있었고
우리 땅
삽스로, 삽스로!

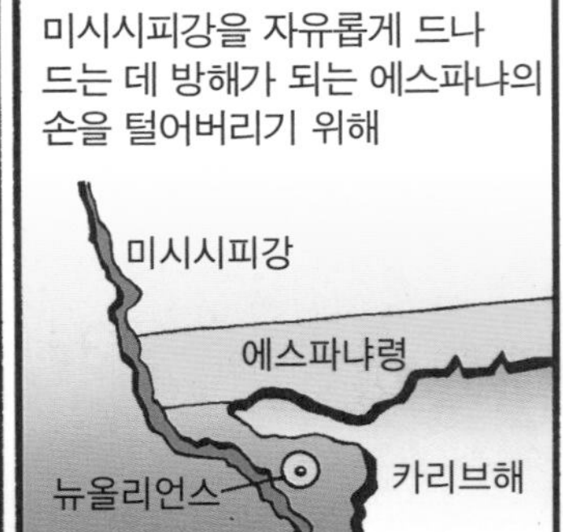
미시시피강을 자유롭게 드나드는 데 방해가 되는 에스파냐의 손을 털어버리기 위해
미시시피강
에스파냐령
뉴올리언스
카리브해

북아메리카 대륙 남쪽의 플로리다를 헐값에 사들였지.
에스파냐가 미국 국민에게 진 빚
500만 달러를 미국 정부가 떠안는 조건으로…
FLORIDA

영토로 보아서는 미국이 이미 영국의 10배가 넘는 거대한 국가지만
미국
영국

영국의 눈에 미국은 아직도 보잘것없는 신생국가에 지나지 않았어.
쓸모없이 땅덩이만 크다고 강대국인 줄 아나?

별것도 아닌 것들이 전쟁에 이겨 독립했다고 대영제국을 능멸하다니, 정말 뜨거운 맛 좀 보여줘야겠군.

영국해군은 닥치는 대로 미국 배를 나포하고 물건을 빼앗는 등
밀수품이지? 압수!
US

미국의 프랑스에 대한 무역에 초강경한 조치를 취하자

미국인들은 점차 영국과 한차례 전쟁을 하지 않을 수 없다는 여론이 높아져갔지.
이쯤 되면 막 해보자는 거지?
더 이상 영국의 횡포를 참을 수 없다!

제퍼슨 대통령의 신중한 태도가 아니었다면 영국과의 전쟁은 훨씬 전에 터졌을 거야.
여러분, 기도합시다!
이 땅에 평화를 주시옵고 피를 흘리지 않게….

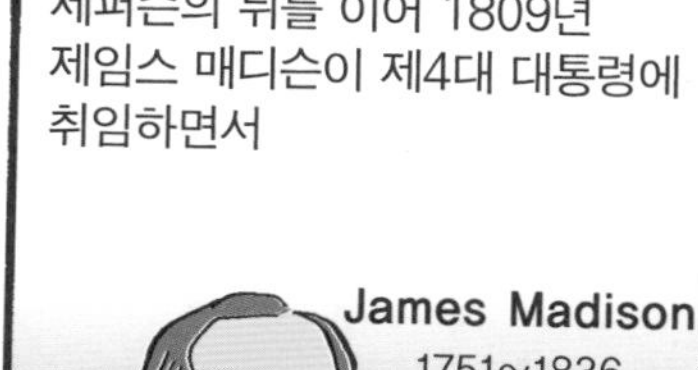
제퍼슨의 뒤를 이어 1809년 제임스 매디슨이 제4대 대통령에 취임하면서
James Madison
1751~1836
재임기간
1809~1817

공화주의자와 연방주의자들의 싸움은 더욱 격렬해졌지.
친불반영!
반불친영!
공화주의자
연방주의자

도대체 미국을 얕잡아보고 저토록 오만불손, 제멋대로인 영국을 그냥 두자는 것인가? 미국인은 자존심도 없는가?
I ♥

그러는 그대들은 영국과 전쟁을 해야 한다는 것인가? 그대들은 미국을 전쟁으로 몰아넣는 미치광이들이 아닌가?
I ♥

전쟁이다!
말도 안 된다!

사실상 영국도 미국과 전쟁까지 가야 할 이유도 명분도 없었으며
아… 뭐… 그거야…
잠자는 사자의 코털을 건드리니까….
영국

미국도 국내 정치계의 반목과 권력 싸움이 문제였지 영국과 전쟁을 할 만한 이유가 없었지만
연방주의자 세력을 꺾어야…
공화주의자를 박살내버려야…

두 나라 사이의 감정이 극도로 악화되어 있던 데다가
별것도 아닌 것들이….
별것도 아닌 것들이라고?
영국
크르르르
…
미국

공화파와 연방파의 세력싸움에서 공화파가 우세했기 때문에
텅

미국은 1812년 7월 18일 영국에 선전포고,

3년에 걸친 명분 없는 미영전쟁*은 시작되었던 거라고.

* 미영전쟁(1812~1814년)

전쟁은 쉽게 미국의 승리로 끝날 것처럼 보였어.
쾅
콰쾅

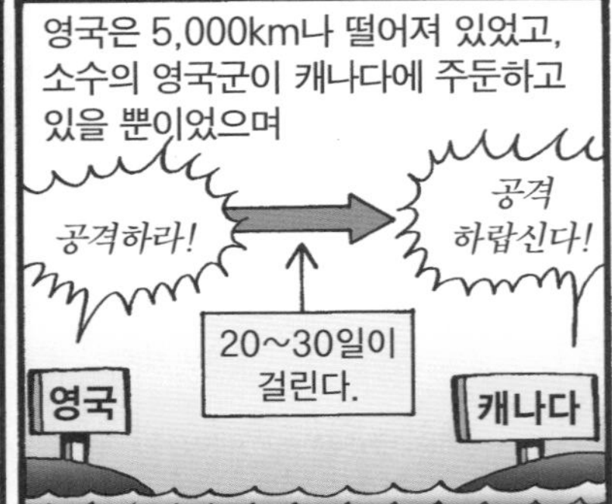

영국은 5,000km나 떨어져 있었고, 소수의 영국군이 캐나다에 주둔하고 있을 뿐이었으며
공격하라!
공격 하랍신다!
20~30일이 걸린다.
영국
캐나다

당시 미국은 캐나다 인구의 15배나 되는 700만 인구의 국가였거든.
캐나다
50만 명 미만
미국
USA

그러나 연방파의 본거지인 뉴잉글랜드 지방은 전혀 전쟁에 협조하지 않았고
'매디슨* 씨 전쟁' (Mr. Madison's War)에
왜 우리가 끼어들어?

* 매디슨: 당시 미국 대통령

자존심만 내세웠지 전혀 준비 안 된 상태에서 시작한 전쟁은 예상보다 어려운 것이었지.
너무 갑자기 시작한 거 아냐?

오히려 1814년 나폴레옹이 몰락하자
폐위, 추방!

유럽의 전쟁에서 손을 턴 영국은 총력으로 미국과의 전쟁에 달려들었어.
이번에야말로 미국의 버릇을 단단히 고쳐놓자!!
우두둑

영국군 정예 4,000여 명이 메릴랜드에 상륙, 수도 워싱턴을 쑥대밭으로 만들고 국회의사당, 백악관에 불을 질렀지.

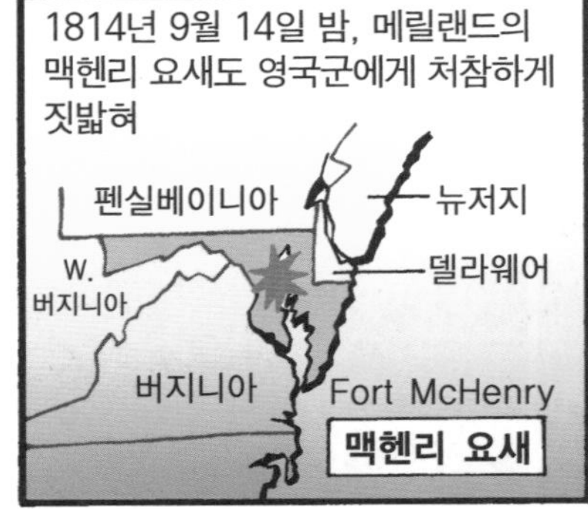

1814년 9월 14일 밤, 메릴랜드의 맥헨리 요새도 영국군에게 처참하게 짓밟혀
펜실베이니아
뉴저지
델라웨어
W. 버지니아
버지니아
Fort McHenry
맥헨리 요새

요새는 붉은 화염에 휩싸여 불타 결국 잿더미가 되었지만

* 맥헨리 요새를 공격하는 영국 해군

미국의 국기는 아침 햇살에 힘차게 펄럭이고 있었어.

이 모습을 앞바다에 떠 있던 배
위에서 지켜보는 사나이가 있었으니

그는 프랜시스 스콧 키*라는 워싱턴
출신의 변호사였어.

* Francis Scott Key

그는 바람에 펄럭이는 미국기를
눈물을 흘리며 바라보다가
오, 동트는 새벽빛에
저처럼 자랑스럽게
우리가 휘날리고 있는
것을 보고 있는가!

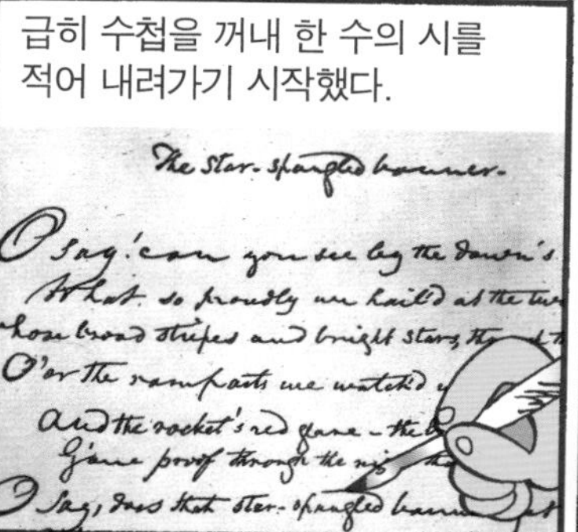
급히 수첩을 꺼내 한 수의 시를
적어 내려가기 시작했다.

* 스콧 키의 시 원본

이 시는 많은 미국 사람들의 가슴에
감동을 전하며 입에서 입으로 널리
퍼졌고

Oh! say can you see by the dawn' s
early light what so proudly we hail' d
at the twilight' s last gleaming

드디어는 미국의 국가(별들이
반짝이는 깃발)가 되었던 거야.

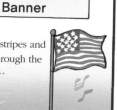

The Star-spangled
Banner

Whose broad stripes and
bright stars, through the
perilous fight···

영국군의 총공세에도 미국군은
굴복하지 않았어.

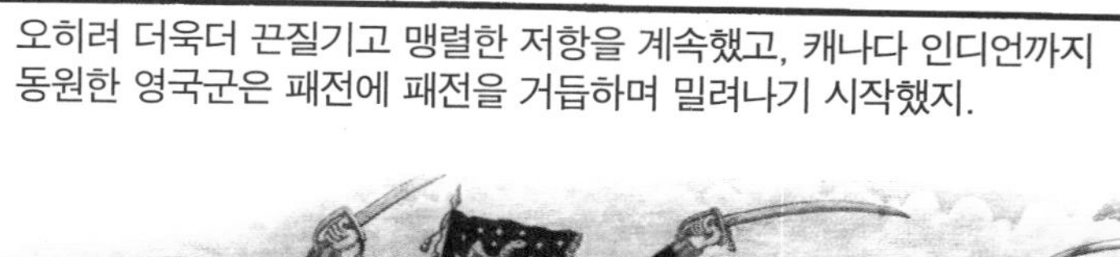
오히려 더욱더 끈질기고 맹렬한 저항을 계속했고, 캐나다 인디언까지
동원한 영국군은 패전에 패전을 거듭하며 밀려나기 시작했지.

* 미국군의 승전을 묘사한 판화(1813년 작품)

당황한 영국정부는 허둥지둥
미국에 협상을 제안했고
감정싸움
그만하고
명분도 실리도 없는
전쟁을 끝내자!
영국

이를 흔쾌히 받아들인 미국은
좋다. 자존심 싸움치곤
너무 희생이 크다!
미국

벨기에의 겐트에서 협상을 벌였어.
아무 조건 없이
전쟁을 끝내자.
전쟁하기 전으로
원상복귀. OK?
GHENT

1814년 12월 24일(크리스마스 이브) 겐트평화조약이 조인되었다.

Treaty of Gand
겐트조약
조건
조건없이 전쟁 전으로 돌아가기

* Gand=Ghent(프랑스식 지명)

그러나 미영전쟁에서 가장 치열했던 뉴올리언스 전투는

콰쾅
쾅
뉴올리언스

겐트조약이 맺어진 며칠 뒤에 벌어졌는데, 당시 통신사정이 나빠 전쟁이 끝났다는 사실이 전달되지 못했기 때문이야.

전쟁은 벌써 끝났…

뉴올리언스 전투는 미국의 위상을 세계에 떨친 대승리였어. 앤드루 잭슨이 지휘하는 미국군과 영국 정예군이 뉴올리언스에서 격돌하여

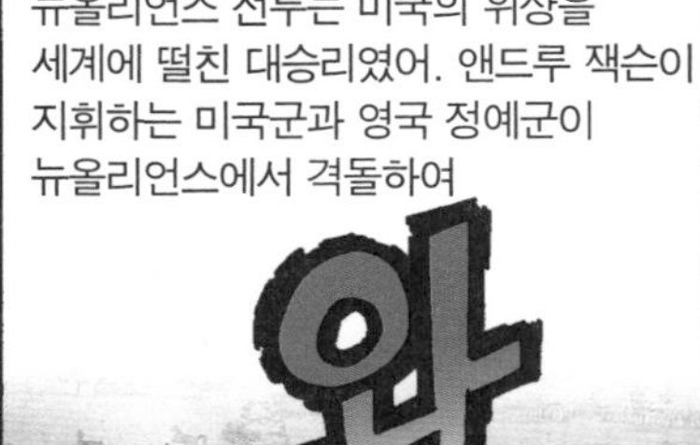

와

영국군이 2,037명의 전사자를 낸 데 비해 미국은 단 21명만이 전사한 미국 역사에서 가장 빛나는 승리였어.

와

* 뉴올리언스의 승리를 묘사한 판화(1815년 작품)

이 전투를 이끈 앤드루 잭슨은 단번에 워싱턴 이래로 전 미국의 영웅이자 존경받는 인물로 떠올랐고

와
와

드디어는 제7대 대통령의 자리에 오르게 된다고.

FEDERAL RESERVE
TWENTY

세계 최강의 영국을 두 번이나 꺾은 미국

독립전쟁 | 미·영전쟁
승리 | 승리
USA

미국의 위신은 하늘 높이 치솟았으며

으쓱
으쓱

미국 전국은 뜨거운 민족주의 열풍에 휩싸였지.

1815년~1830년
이 시대를 미국 역사에서 민족주의 시대라고 한다.
오, 오 아메리카!

영국과의 전쟁에서 승리한 미국은
자신감에 넘쳐 흘렀다.

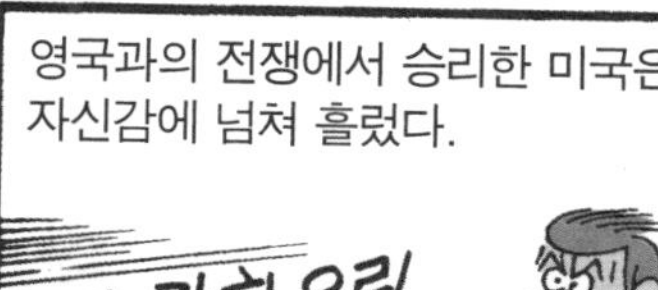
누가 감히 우릴
건드려?!
음허허허허
USA

세계 최강의 대영제국을 굴복시킨
미국인의 긍지와 자부심은
민족주의를 한껏 고취시켰고
위대한 미국
영광된 조국

민족주의는 오늘에 이르기까지 미국
정치이념의 중요한 전통으로 확고히
자리 잡았어.
오, 위대한
아메리카!

국제 무대에서 미국의 자신감은
1817년 제임스 먼로가 제5대
대통령에 취임하면서 절정에 달했다.
James
Monroe
1758~1831
재임
1817~1825

1823년 12월 그는 대서양에 세로로
굵은 선을 그었어.
자, 이 선을 보라!
대서양

남북아메리카 대륙에서 유럽이
설치는 것을 이제 더 이상
보아줄 수가 없다!
북아메리카
대서양

유럽은 더 이상 아메리카 대륙
문제에 간섭하지 말라!

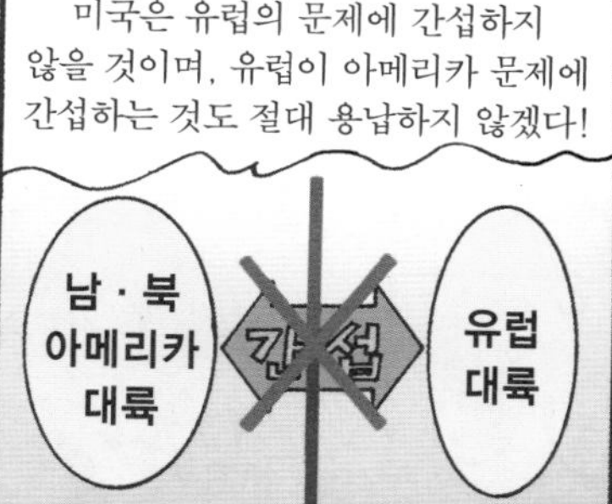
미국은 유럽의 문제에 간섭하지
않을 것이며, 유럽이 아메리카 문제에
간섭하는 것도 절대 용납하지 않겠다!
남 · 북
아메리카
대륙
간섭
유럽
대륙

이 선을 넘어 세력을 확장하려는
유럽 국가가 나타나면, 그 어떤
나라라도 우리는 싸울 것이다!!
아메리카 대륙
유럽

이것이 바로 유명한 먼로 독트린이야.
Monroe Doctrine
독트린: 정책이나 해결
방법의 원칙

유럽의 국가들은 이를 비웃었지만
별것도 아닌 것들이
거들먹거리기는…
영국에게 이겼다고
보이는 게 없나 봐…!
영국
프랑스
네덜란드

불과 50년도 지나지 않아 먼로
독트린은 미국 제국주의의 신호탄
이었음을 깨닫게
되지.
유럽은 빠져라!
먼로
독트린
USA

먼로 독트린은 미국이 원하든 원하지 않든
뭐야, 에스파냐가 남아메리카 독립국을 건드리려 한다고?

남북 아메리카 대륙 전역에서 유럽 세력을 거부하고
여긴 아메리카야.
썩 꺼져!

아메리카 주민의 자유보장을 선언한 것으로
남의 마당에 얼쩡대지 말라구!
동네 대장 노릇 하겠다 이거지?

먼로 독트린이 처음 적용된 것은 1845년으로
빵
빠방

에스파냐가 오리건 지방을 합병하려 하자
우리 땅으로 확실하게 등기부에 올리자!
우리땅
오리건 지방

미국은 먼로 독트린을 앞세워 무력으로 에스파냐를 몰아냈어.
먼로독트린
비병

먼로 독트린은 오랜 세월을 두고 국제문제에 혼란을 일으켜왔고
미국이 중국에는 왜 얼씬거리니?
중국
USA

미국의 팽창주의와도 연결되어 있지.
중국도 대서양에 그은 선 서쪽 아니냐?!
W ←
→ E
중국
미국
유럽
태평양
대서양

전세계가 그럼 대서양 서쪽이니 모두 미국 손 안에 있는 거니?
그렇다고 봐야겠지?

먼로 독트린은 미국이 사실상 세계적 강국으로 떠오른 1870년 이후
많이 컸다….

미국 제국주의의 기본원칙이 되어왔다.
아메리카의 어떤 나라도 유럽에 영토를 떼어줄 수 없으며
내가 남북 아메리카 대륙의 두목!

유럽이 아메리카 대륙에서 벌이는 어떠한 무력 행사도 먼로 독트린에 대한 도전으로 간주, 절대 용납하지 않겠다!
먼로 독트린 =미국의 아메리카 대륙 맹주 선언

그럼… 모든 남북
아메리카 대륙에서
유럽세력은 손을
떼고
미국이 큰 형님
노릇하겠다는
거 아닌가?!

저러다간 미국이
남북아메리카
대륙의 경찰에서
세계경찰까지
하겠다고 나서는
거 아냐?

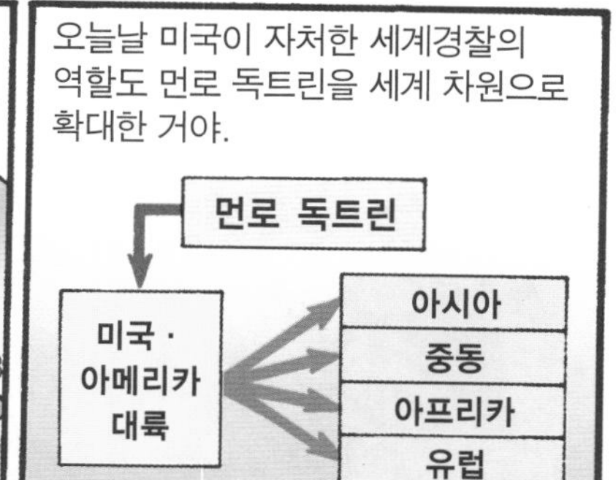
오늘날 미국이 자처한 세계경찰의
역할도 먼로 독트린을 세계 차원으로
확대한 거야.
먼로 독트린
미국 · 아메리카 대륙
아시아
중동
아프리카
유럽

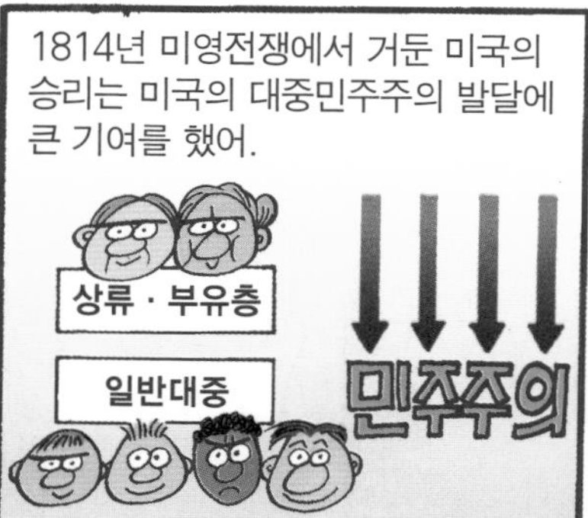
1814년 미영전쟁에서 거둔 미국의
승리는 미국의 대중민주주의 발달에
큰 기여를 했어.
상류 · 부유층
일반대중
민주주의

미국 독립선언서와 헌법은 분명히
민주주의를 기본으로 하고 있지만
민주주의
독립선언서
헌법

이를 누리는 이들은 지도층이나
부유층 등 일부로 제한되어 있었지.
우리도
끼워주…
나가 있어!

그러나 전쟁을 치르고, 또 이를
승리로 이끌도록 생명 바쳐 싸운
이들은 바로 일반 국민들로
돌격
와

그들 손으로 거둔 승리였던 만큼
그들의 권리도 더욱 커져갔던
거지.
이 나라 위해
목숨 걸고
싸웠다.
내게도
투표권을 달라!

민주주의는 점차 미국인의 삶의
방식으로 깊이 뿌리를 내려
이 나라는 백성이
주인이다!
천한 것들이
너무 설쳐….

국민들은 귀족적인 사회체계에
거칠게 반발하게 되었어.
바꿔야 해!
부유층, 상류층이
모든 권리와 혜택을
독점하고 있지
않았는가?!

지금까지의 대통령들은 모두
버지니아의 부유한 가문 출신이
독차지했고

미국의 대통령들

초대	조지 워싱턴	버지니아 농장주
2대	존 애덤스	매사추세츠 상류층
3대	토머스 제퍼슨	버지니아 농장주
4대	제임스 매디슨	버지니아 농장주
5대	제임스 먼로	버지니아 농장주
6대	존 퀸시 애덤스	존 애덤스 아들

미국 사회는 가난한 다수와 부유한
소수로 나뉘어 있었지.

서부를 개척하고 인디언과 싸우며

거친 삶을 이겨온 사람들은 자존심이 강했고 평등을 요구했어.

정작 피 흘려 이 땅을 개척한 건 우리들인데 어째서 투표권을 안 준다는 거냐?!

부유한 소수에게만 주어지던 투표권이 점차 확대되자 대중민주주의의 문이 열리게 된 거야.

끼이
민주
주의

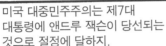

미국 대중민주주의는 제7대 대통령에 앤드루 잭슨이 당선되는 것으로 절정에 달하지.

Andrew Jackson
1767~1845

앤드루 잭슨은 버지니아의 부유한 가문이 아닌 가난한 아일랜드계 개척민의 아들로 태어난 '서민' 출신이야.

응애~
Waxhaw(왁스)
사우스캐롤라이나

13살 때 독립전쟁에 참전했고 학교 교육도 거의 받지 못했는데

가정형편상 공부할 처지가 못 된다….

독학으로 변호사 시험에 합격하여 20세에 변호사가 되었어.

꼭 대학 나와야 출세하냐?
난 대학 나온 자들이 싫어!
합격증

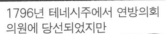

1796년 테네시주에서 연방의회 의원에 당선되었지만

소문도 많고 말썽도 많은 친구가….
A.Jackson
당선

타협할 줄 모르고 독선적인 성격 때문에 정치에는 실패하고 말았다.

날 모욕해? 결투다!
피스톨로 하자!

워낙 괴팍한 성격 탓에 그에겐 '올드 히커리(Old Hickory)' 라는 별명이 붙었을 정도였지.

히커리 나무
북아메리카에 자라는 단단한 나무 '장작개비' 처럼 뻣뻣하고 별난 성격을 빗댄 별명

1812년 영국과 전쟁이 터지자 민병대 장교로 자원입대

공격~!
공격!

큰 공을 세워 1814년엔 정규군 장군으로 승진했어.

1815년 초 잭슨은 뉴올리언스 · 전투의 신화를 창조.

구국의 영웅으로 떠올라 드디어는 1828년 대통령에 당선되었어.
민주당 잭슨후보 178표!
현직대통령 공화당 존 퀸시 애덤스 후보 83표
와
Democrat
National Republican

그는 개척민의 아들이라는 서민출신 대통령답게 대중정치를 폈다.
서민대통령 탄생!
대중, 인민의 대변자!
와
와

이제는 국민이 참여하는 정치, 참여 정부의 시대를 열 것이며

민중의 뜻을 받드는 대중인기 영합 정치, 즉 포퓰리즘 정치를 표방한다!

그러나 그의 무절제한 민주주의는 미국의 정치를 난장판으로 만들었지.
개혁, 개혁, 개혁!

* 잭슨 대통령 취임축하 파티에서 한 연설(1829년)

나는 철저한 '개코정치'를 표방한다!
'개혁코드'에 맞춘 정치…?

나만이 개혁적이고 국민을 생각하는 깨끗하고 진정한 서민의 대변자이며

의회는 특수계층의 이익만 생각하는 타락한 수구 꼴통들만 모인 집단이다!
!

그는 행정부에 자신의 취향에 맞는 사람들만 등용하여 많은 사람들의 불만을 샀고
코드인사 중단하라!
(선거)운동권 출신이 백악관에 판친다!

사사건건 의회와 맞서 헌법엔 규정 되었지만 한 번도 안 썼던 거부권을 남발,
의회와 정부는 극한 대립하에
거
부
권
의회

사회계층 분열, 헌법기관의 갈등을 가중시켜 남북전쟁의 한 원인을 제공하였어.
잭슨 민주주의
Jacksonian Democracy
잭슨을 사랑하는 모임

그 사이에도 미국은 계속 팽창하고 있었다.
USA

영국과의 전쟁이 끝난 뒤인 1820년경부터는 서부개척이 더욱 활발해져

사람들은 계속 서부로 뻗어 나갔지.

미국인의 서부 진출에는 여러가지 이유가 있었어.
WEST!

더 넓은 땅을 개척하여 차지하고자 하는 개척민들과

더욱 기름진 땅을 찾아 플랜테이션 농장을 만들려는 사람들이 있었기 때문이지.

그들은 남부에서 거대한 담배농장을 운영하였는데

한 해도 쉬지 않고 계속 담배를 심어 토질이 악화되어 쓸모가 없게 되었기 때문이야.
땅이 산성화되어 농사가 더 이상 안 돼….

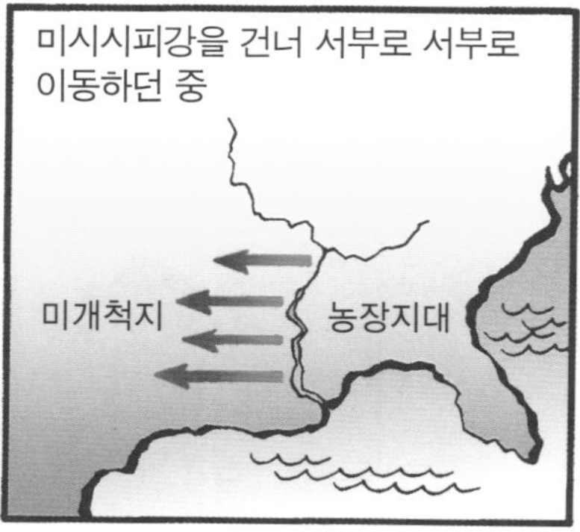
미시시피강을 건너 서부로 서부로 이동하던 중
미개척지
농장지대

그들은 자연히 원주민들과 충돌하게 되었고

탐욕에 찬 백인들과 삶의 터전을 지키려는 인디언들은
우리 땅에서 꺼져!
너희가 꺼져!

결코 '공존' 할 수가 없었어.
너희를 몰아내든가
아니면 모두 죽여 없애든가….

1820년대부터 시작된 인디언
추방은

특히 앤드루 잭슨이 앞장을 섰다.
인디언은 늑대나 다름없다!

그는 인디언들을 잔인하게 토벌하고 빼앗은 영토를 스스로 차지하여 부자가 되었어.
내땅

인디언들은 스스로를 위하여 우리가 지정해주는 지역으로 옮겨라!!

미국정부는 1830년 인디언 추방법을 제정, 반포했다.
The Removal Act

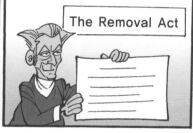

이 법에 따르면 미국 내의 특정 지역에 이른바 '인디언보호구역'을 만들고
INDIAN RESERVATION

모든 인디언들은 고향을 버리고 이 지역으로 옮겨와 살 것을 법으로 정한 것이지.
인디언거주
지정지역

이것은 한마디로 아무런 보상도 받지 않고 우리가 대대손손 살아오던 고향 땅을 백인에게 내놓고
나가!

황무지에 불과한 쓸모없는 땅으로 옮겨 가축처럼 우리 속에 갇혀 살라는 날강도나 다름없는 법이다!!

인디언 토벌대장이었던 필립 셰리던 장군은 이렇게 말했다.
내가 본 인디언 중 좋은 인디언은
오직 죽은 인디언 뿐이었다!

이처럼 백인들의 잔혹한 인종 차별과 탐욕 앞에 인디언에겐 단 두 가지 선택밖에 없었어.
자유롭게
선택할것
1
2

인디언 보호구역으로 제 발로 옮겨가든가

토벌대에게 들개처럼 죽음을 당하든가….

자유롭게
선택할것
그냥 갈래?
맞고 갈래?

인디언들은 살길을 찾아 수백 킬로
미터나 떨어진 낯선 보호구역으로
떠나든가

생명을 걸고 고향을 지키기 위해
백인들에게 저항했지.

그러나 결국에는 저항을 포기하고

다시는 돌아올 수 없는 길을 떠나야
했는데

인디언들은 이 길을 '눈물의 길'
이라고 했어.
'눈물의 길(Trail of Tears)'

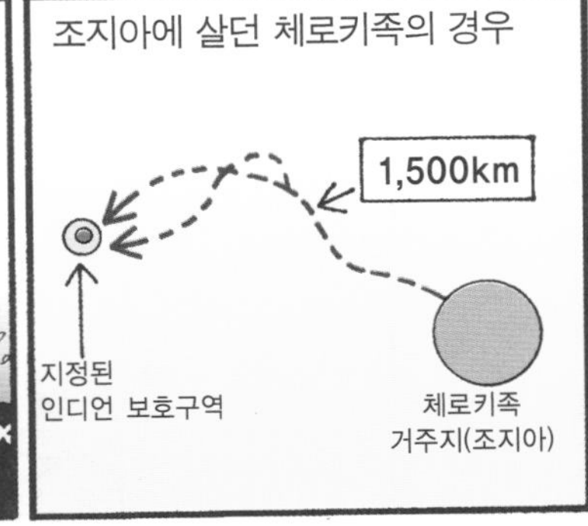
조지아에 살던 체로키족의 경우
1,500km
지정된
인디언 보호구역
체로키족
거주지(조지아)

1만 4,000여 명이 눈물의 길을
떠났으나

질병과 굶주림, 그리고 탈진으로
대부분이 생명을 잃고
왜 고향을 떠나야 해요?
안 떠나면 백인들이 우리를 다 죽인단다….

단 1,200여 명만이 살아남아
목적지에 도착하기도 했어.
시팅 불
(Sitting Bull)
미국역사에 전설적인
인디언 저항지도자
(1880년대)

모험과 도전의 정신으로 미지의
세계를 개척하는 미국인의 프런티어
정신은
GO
WEST!

드넓은 서부의 대평원 위에
힘차게 펼쳐졌지만

그들이 타고 달려간 말발굽마다
인디언들의 피눈물이 맺혀 있었던 거야!

더 넓은 땅을 찾아 서쪽으로
서쪽으로 뻗어가던 미국인들은
삶스로 삶스로
서쪽스로 서쪽스로

결국 에스파냐에서 독립한 멕시코와
충돌하게 되었어.
왜 남의 땅에 멋대로
기어들어 오니?

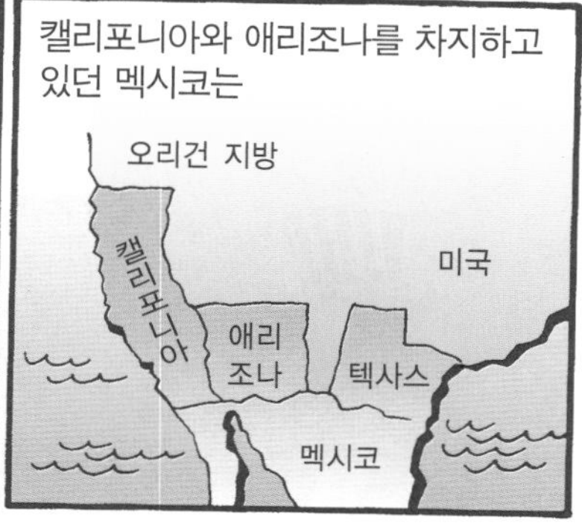
캘리포니아와 애리조나를 차지하고
있던 멕시코는
오리건 지방
미국
캘리포니아
애리조나
텍사스
멕시코

남의 나라 영토 안으로 마구 쏟아져
들어오는 미국인들에게 당장 되돌아
갈 것을 요구했고
고홈, 아미고!
(친구)

미국정부는 이 요구에 전쟁으로
대답했지.
미국은 계속하여 힘과
영토를 키워갈 것이다!

미국의 힘과 영토가 확대되는 것은
인류에게 이익이 된다. 더 멀리,
많이 확대될수록 좋다!!

이것은 스스로 명백한 미국의
운명인 것이다.
'자명(自明)의 운명' 이라고!
Manifest Destiny
자명(自明)의 운명

저… 저런 억지가 있나? 남이
하면 침략이고 제가 하면 인류의
이익? 완전히 제멋대로의
잣대로 재는군!

'자명의 운명' 이란 19세기 중반 ~
후반의 미국 팽창기에 유행한
이론으로
이게 다
신의 뜻이다!
땅
와작
와작

미합중국의 북미 전역을 정치 · 사회 ·
경제적으로 지배하고 개발할 신의
명령을 받았다는 주장이야.
신은 미국을 선택하시고
북미 지배권을
내려주셨다!

그들의 팽창주의와 영토 약탈을
합리화하기 위해 하느님까지 동원한
것으로
하느님까지 팔아
땅 강도 짓 하냐?

자신의 목적 달성을 위해서는
수단 방법을 가리지 않겠다는
의도였지.
이것도 신께서
우리에게 내리신
신성한 명령이다!

이 '자명의 운명'에 의해 캘리포니아, 애리조나 등은 당연히 미국이 차지 해야 했다.
왜냐? 미국에 붙어 있기 때문이지!

그런데 감히 멕시코가 신의 뜻에 거역하여 내놓지 않겠다니, 무기의 힘을 빌 수밖에….
빠방

1846년 5월, 미국은 멕시코에 선전포고, 이 전쟁을 2년 동안 끌었다.
* 미 - 멕시코 전쟁

멕시코군은 미국군의 4배나 되는 대군이었고, 자신의 영토에서 싸우는데도

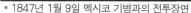

* 1847년 1월 9일 멕시코 기병과의 전투장면

미군은 승전에 승전을 거듭하여

뉴멕시코의 수도 산타페를 점령하고

산타페
뉴멕시코
멕시코

이듬해 3월에는 역사상 최초의 수륙 양용 군사작전을 수행하여 베라크루스에 상륙했어.

멕시코 사령관은 항복하였으며

미국 주력부대는 멕시코의 수도 멕시코시티로 행군해 나가면서 멕시코의 패색이 짙어졌지.
베라크루스
멕시코시티

1848년 1월 다급해진 멕시코는 평화협상을 요청,
혀.. 협상하자!

2월에 멕시코의 항복과도 비슷한 평화조약이 과달루페이달고에서 조인되어
사인해!

미국의 영토는 또다시 엄청나게 늘어났어.
영토

과달루페이달고 조약에 따르면

멕시코는 리오그란데 강을 멕시코와 텍사스의 국경으로 인정한다.
리오그란데강
=오늘의 미국 · 멕시코 국경이 됨.

또 애리조나와 북부 캘리포니아를 1,500만 달러를 받고 미국에 양도하며

아디오스 아미고!
캘리포니아 · 애리조나

멕시코인들이 미국인에게 진 빚 325만 달러는 미국이 떠맡도록 한다.

이 정도야…

이로써 미국이 또다시 300만 km²에 달하는 영토를 늘릴 수 있었지.

한반도의 15배나 되는 땅덩이가… 단돈 1,500만 달러!
새영토

멕시코와의 전쟁에서 미군은 1,800명 미만의 전사자를 냈고

멕시코전쟁(1846~1848)

미군참전병력	78,718명
미군 전사자	1,733명
멕시코 전사자	11,550명
미군 부상자	4,152명

군사비 지출은 9,800만 달러도 되지 않았다니 거저 치른 전쟁이라고 할 수 있겠지?

태평양으로 뻗어가기 위한 '자명의 운명'이라는 꿈.

저곳에 세계가 있다!
태평양

1848년 저널리스트 존 루이스 오설리번*은 어렇게 정의했었어.

우리가 말하는 '자명의 운명' 이란

* John Louise O' Sullivan

매년 증가하는 수백만의 새 인구가 자유롭게 개발할 수 있도록

나가자~ 앞으로~

신이 정해주신 축복의 대륙에 널리 멀리 퍼져나가는 것이다!!

이제 미국은 캐나다 이남의 대륙 전체를 영토로 차지하게 되었고

미국

'자명의 운명'을 실현한 영광에 비해 너무도 적은 비용을 치렀던 거야!

입 밖으로 말을 하지 않아도

미국인들의 의식 속엔 '자명의 운명' 론이 사라지지 않았다!

이라크

아프가니스탄

중동

코소보

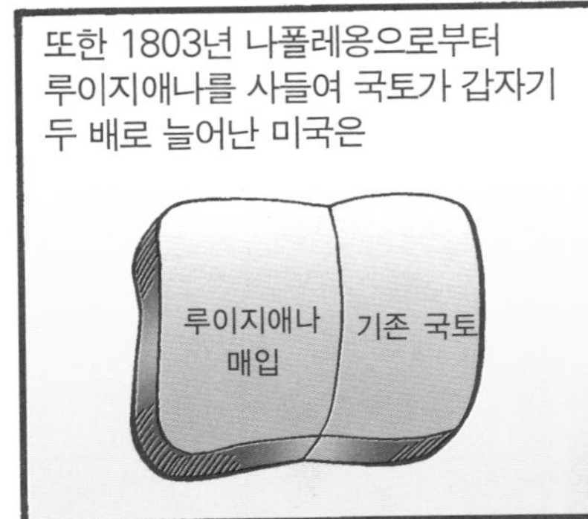
또한 1803년 나폴레옹으로부터
루이지애나를 사들여 국토가 갑자기
두 배로 늘어난 미국은
루이지애나 매입
기존 국토

멕시코와도 전쟁을 벌여 승리,

단돈 1,500만 달러의 가격으로
캘리포니아를
사들임으로써
캘리포니아
날강도….
$

미국은 대서양에서 태평양에 이르는
거대한 영토를 차지한 대국이
되었어.
태평양
USA
대서양

또 모르몬교들은 종교의 자유를 찾아
방황하다가
예수님이 죽은 뒤
부활하기 까지 3일간
미국 다녀가셨다!
나가놀아!
이단자들….
모르몬
정치

솔트레이크에 '약속의 땅'을 찾아
유타주를 건설했지.
와이오밍
유타
네바다
콜로라도
Salt Lake City
솔트레이크 시티
애리조나

1848년 캘리포니아의 시에라네바다
산맥에서 금이 발견되었다.
금, 금이다!
사금이다!

이 소식은 삽시간에 전 미국에
퍼졌고
금이 지천으로
깔렸대.
서부에서 금을
발견했대!!
금 캐러
가자!

전국에서 금을 찾는 사람들이
구름떼같이 몰려들기 시작했어.
와글 와글

새로운 땅을 찾아서

금광의 행운을 찾아서

* 사금을 채취하는 모습: 1850년 사진

미국의 서부에는 끝없는 포장마차의
행렬이 꼬리를 물고 이어지고
있었다….

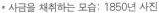

4

분열, 그리고 전쟁

남북전쟁

"분열된 집안은 살아남을 수 없다!"

A. 링컨

미국은 1820년대부터 대서부
진출을 본격화하면서

1830년대, 1840년대에 많은 전쟁을
통하여 영토를 대대적으로 늘려갔는데
미시시피강

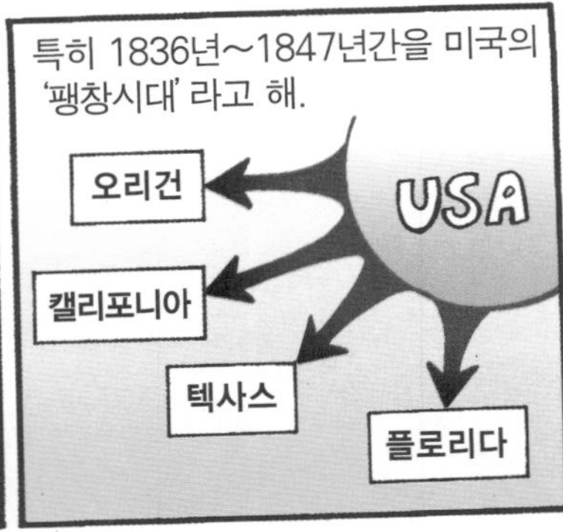
특히 1836년~1847년간을 미국의
'팽창시대' 라고 해.
USA
오리건
캘리포니아
텍사스
플로리다

또한 미국은 대서부 진출과 동시에
산업혁명기에 접어들면서

본격적으로 공업이 발달하고 원료와
상품수송을 위한 도로, 운하 건설이
가속화되었으며

늘어나는 일자리를 메우기 위해
엄청난 수의 이민자가 쏟아져
들어왔어.
TO
AMERICA

이렇게 산업과 사회가 급격히
변화하자

결국 농업을 중심으로 하는 귀족적인
남부세력과

공업, 상업을 중심으로 하는 신흥부유
북부세력의 충돌이 불가피했고
$

전통적인 농경사회의 질서를
유지하기 원했던
남부와
오, 저 천박한
양키들… 돈밖에
모르는 돼지들….

산업화사회로 넘어가는 시대적
대세를 이끌던 북부는
오, 저 거만한
남부 촌닭들….
노예를 부리는
비기독교적
속물들

결국 미국의 주도권을 놓고 생사를 건
승부를 치러야 했는데, 이것이 바로
남북전쟁이었지.
면화
옷감
남부
농업
쾅
북부
공업

남부의 '농업혁명'은 한 젊은이의 발명으로 크게 번져나가게 되었지.
농업혁명
펑

18세기 말, 미국은 주로 담배를 수출했는데
잎담배
USA

땅을 쉬게 하지 않고 계속 담배를 심어 양분이 메말라 척박해지자

새 땅을 찾아 계속 서부로 진출, 그곳 인디언들과 충돌을 빚었지.
우리 농사짓게 꺼져!
서부

이때 새롭게 인기를 끈 것이 면화 농사였는데

면화는 방적산업이 발달한 영국 등에 얼마든지 수출할 수 있는 '노다지' 상품이었어.

* 윌리엄 헨리 브라운의 그림

그러나 면화농사는 씨 빼는 작업이 너무 복잡해서

솜씨 좋은 일꾼이 하루종일 일해야 겨우 500g밖에 면화 씨를 뺄 수 없다는 문제가 있었지.
핵
핵
핵
핵

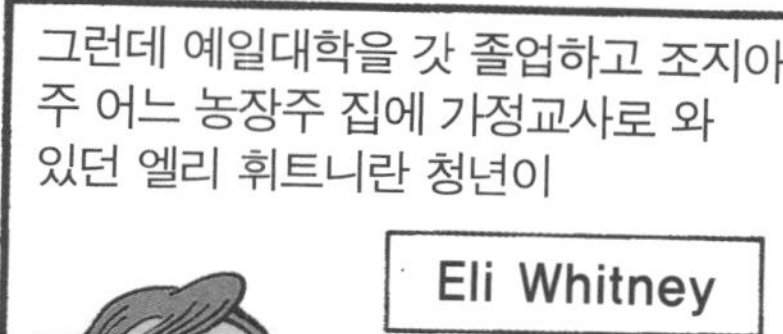
그런데 예일대학을 갓 졸업하고 조지아 주 어느 농장주 집에 가정교사로 와 있던 엘리 휘트니란 청년이
Eli Whitney
1765~1825
매사추세츠주
웨스트버러 출생

간단한 조면기, 즉 씨 빼는 기계를 고안해냈어.

이 기계는 사람 손보다 무려 50배나 빠른 속도로 씨를 빼낼 수 있었고
코튼 진
Cotton Engine
Cotton gin

이를 계기로 미국 남부의 면화농사는 폭발적으로 성장하기 시작했어.
면화다!
면화농사로 바꾸자!
남부

1800년대 면화는 미국 남부에서 최고로 수지맞는 장사가 되었다.
황금알을 낳는 거위는 바로 이걸 두고 한 말!!

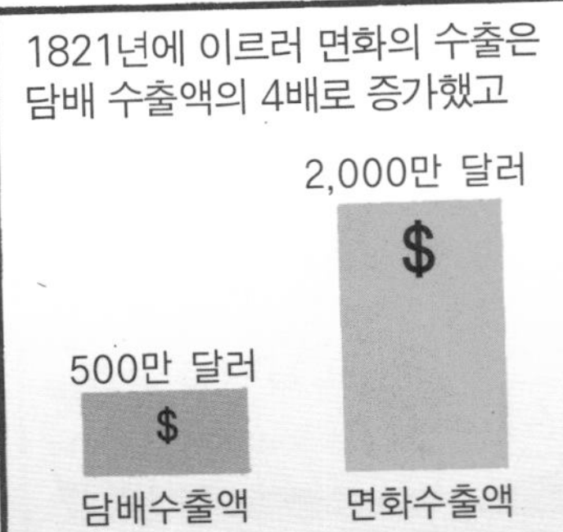
1821년에 이르러 면화의 수출은 담배 수출액의 4배로 증가했고
2,000만 달러
$
500만 달러
$
담배수출액
면화수출액

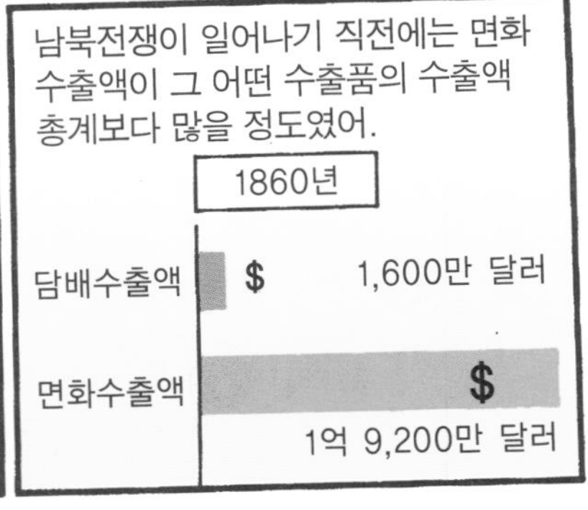
남북전쟁이 일어나기 직전에는 면화 수출액이 그 어떤 수출품의 수출액 총계보다 많을 정도였어.
1860년
담배수출액
$
1,600만 달러
면화수출액
$
1억 9,200만 달러

자, 이렇게 되자 면화농사를 하는 남부에는 두 가지가 절실하게 필요해졌지.

첫째, 면화를 심을 수 있는 새롭고 거대한 농경지
넓을수록 좋다!

이는 계속되는 새 영토 개척에 더욱 박차를 가하는 계기가 되었어.
WEST

둘째는, 대형 면화농사에서 일할 엄청난 노동력, 그것도 값싼 노동력으로

바로 노예의 수요가 폭증하게 되었던 거야.

노예!

* 1862년경의 노예가족 사진

흥미 있는 사실은, 남북전쟁이 노예제를 주장하는 남부와 폐지를 주장하는 북부의 전쟁이었지만
노예제 사수
노예제 철폐
남부
북부

면화농사가 시작되기 전에는 남부가 오히려 더 적극적으로 노예제 폐지를 주장했다는 것이지.
노예제도는 기독교 정신에 어긋난다!
노예제 철폐
남부

흑인 노예는 먹이고, 입히고, 재워야 하니 백인노동자를 고용하는 것보다 훨씬 비경제적이거든.
백인노동자
노예
임금
의 · 식 주

그러나 면화농사 붐이 일면서 노예야말로 남부경제를 죽이고 살릴 수 있는 결정적으로 중요한 존재가 되어

노예제 폐지란 말 그대로 남부경제를 완전히 파탄시키는 지름길이었던 거야.

노예제 없애자!
우리더러 죽으라고?
북부
남부

노예 가격은 하늘 높은 줄 모르고 치솟기 시작했고

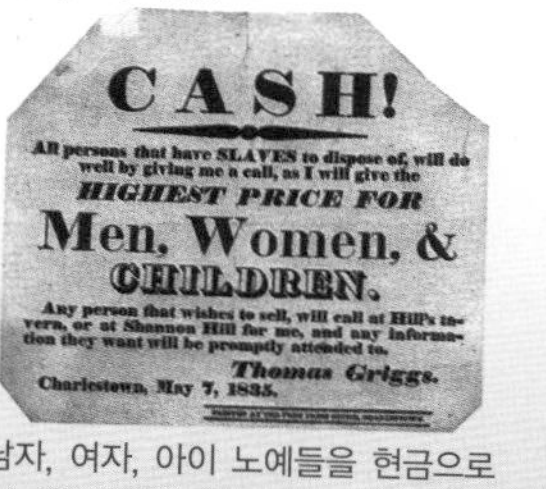

CASH!

All persons that have SLAVES to dispose of, will do well by giving me a call, as I will give the HIGHEST PRICE FOR Men, Women, & CHILDREN.

Any person that wishes to sell, will call at Hill's tavern, or at Shannon Hill for me, and any information they want will be promptly attended to.

Thomas Griggs.

Charlestown, May 7, 1835.

남자, 여자, 아이 노예들을 현금으로 높은 가격에 사겠다는 당시 광고

1790년에 노예 한 명의 몸값이 300달러였던 것이 1850년엔 2,000달러로 뛰었으며

1,600달러
1,500!
1,800!
2,000달러!

이 시기에 미국의 노예는 70만 명에서 400만 명으로 늘어났어.

나이지리아산
고품질 노예 대량입하
진짜 아프리카산 브랜드
건강·품질보증!!
고객사은 특별판매!

이는 미국의 노예상인들이 얼마나 많은 아프리카 주민들을 노예로 끌어 왔는가를 보여주는 수치이지.

북부는 북부대로 산업혁명이 활발히 진행되어

공업이 크게 발달하고 있었어.

1831년에 버지니아 농부 맥코믹이 발명한 곡물수확기는 사람 손보다 10배 이상의 생산성을 발휘했고 존 디어*의 쇠쟁기 대량생산 등 대규모 공장이 늘어나고

Cyrus McCormick
⇒인터내셔널 하비스터**
회사로 발전(1848)

남부에서는 면화농업이, 북부에서는 섬유산업이 크게 발달했지.

Cotton 면화

남부 **농업**

Cloth 옷감

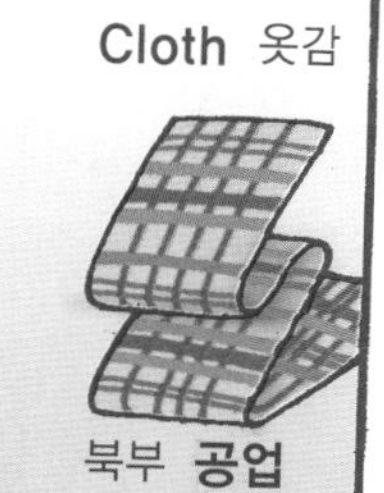

북부 **공업**

* John Deer

** International Harvester

이러한 산업의 혁명은 북부사회를 크게 변화시켜
산업혁명

1810년까지만 해도 230만 명의 노동력 가운데 200만 명이 농업에 종사하고 1만 명만 섬유산업에 종사하였지만

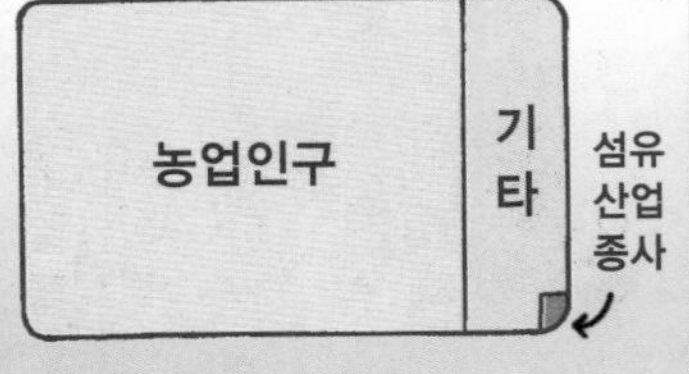

농업인구
기타
섬유 산업 종사

1812년 영국과의 전쟁 이후 미국의 섬유산업은 눈부신 발전을 거듭했어.

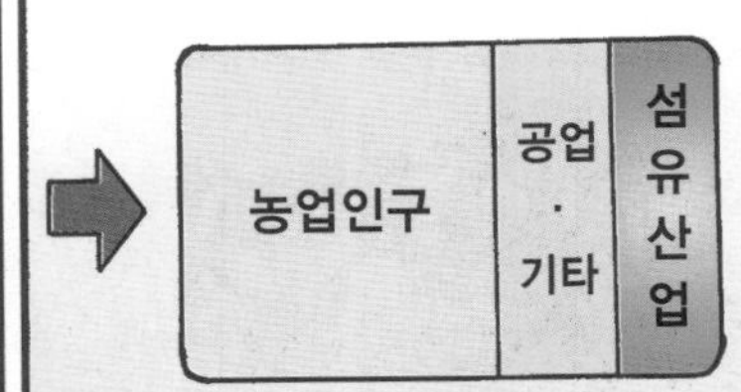

농업인구
공업 · 기타
섬유산업

이와 같은 미국의 팽창을 내다본 토머스 제퍼슨은
미국인은 훨씬 더 많은 영토가 필요하니 계속 영토를 확대해 나갈 것이다.

루이스 대령과 클라크 중위를 시켜
Meriwether Lewis
William Clark

미시시피강 너머에 무엇이 있는지 보고 오라고 지시하였지.
그곳에 무엇이 있는지 아무도 모르네.
앞으로 미국인들이 진출하는 데 도움이 되도록 하게.
Yes, Sir!

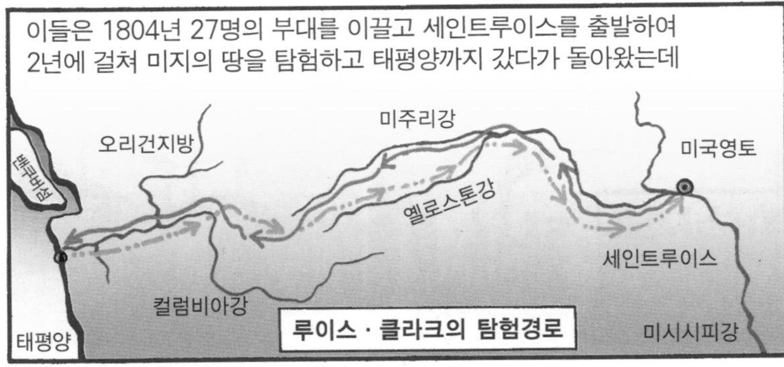

이들은 1804년 27명의 부대를 이끌고 세인트루이스를 출발하여 2년에 걸쳐 미지의 땅을 탐험하고 태평양까지 갔다가 돌아왔는데
오리건지방
미주리강
미국영토
옐로스톤강
세인트루이스
컬럼비아강
루이스 · 클라크의 탐험경로
미시시피강
태평양

* 클랫섭요새(Ft. Clatsop)

이들의 보고는 그 이후 미국인들의 서부 진출에 중요한 정보를 제공했지.

* 클라크가 사용한 나침반과 지갑

미국의 인구는 1790년에는 400만 명에 지나지 않았지만
영국
미국
인구 400만 명

1850년에는 이미 2300만 명으로 늘어났고 이 중에는 유럽에서 건너온 이민이 많아서

흠

1820년~1860년의 40년 동안에만 무려 500만 명이 이주해 와 1790년 최초의 인구조사 때보다 많았어.

500만 명

1790년

400만 명

이민

농업과 공업이 대규모로 발달했다는 것은
농산품
공산품

그만큼 물자운송량이 늘어났음을 의미하지.

로버트 풀턴*이 개발한 증기선으로 물자운송 능력이 몇 배씩 늘어났으며

* Robert Fulton(1765~1815)

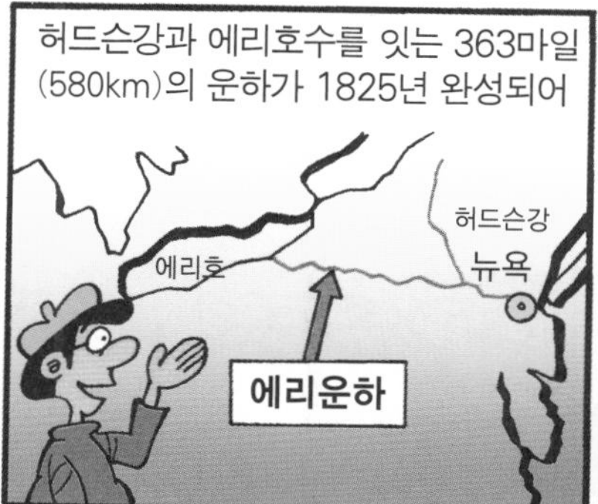
허드슨강과 에리호수를 잇는 363마일(580km)의 운하가 1825년 완성되어
허드슨강
에리호
뉴욕
에리운하

버팔로-뉴욕 간 1톤 물자 운송료가 1818년 100달러였던 것이

단돈 15달러로 떨어져 운송량이 천문학적으로 늘었어.

아울러 대량운송 수단으로 철도가 이용되기 시작하여

* 1850년대의 철도 사진

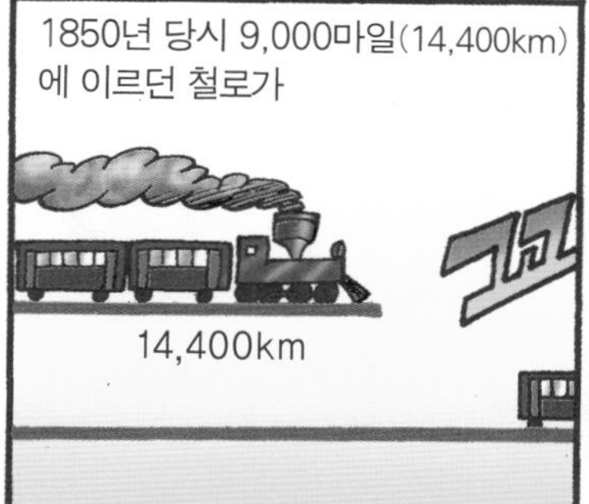
1850년 당시 9,000마일(14,400km)에 이르던 철로가
14,400km

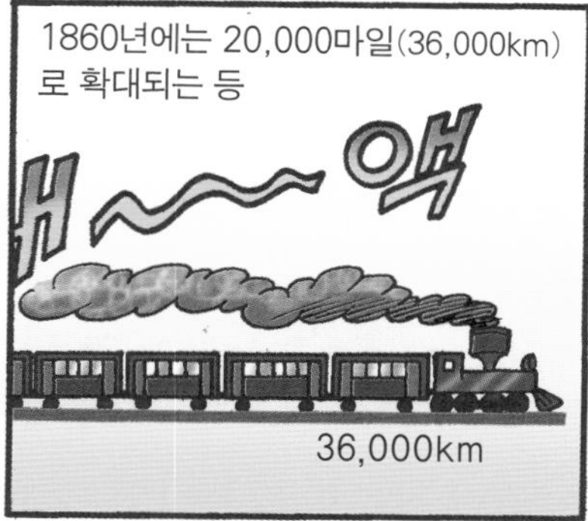
1860년에는 20,000마일(36,000km)로 확대되는 등
36,000km

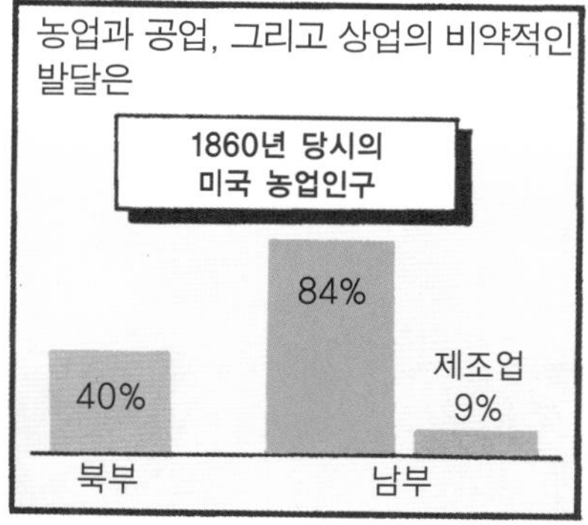
농업과 공업, 그리고 상업의 비약적인 발달은
1860년 당시의
미국 농업인구
40%
84%
제조업
9%
북부
남부

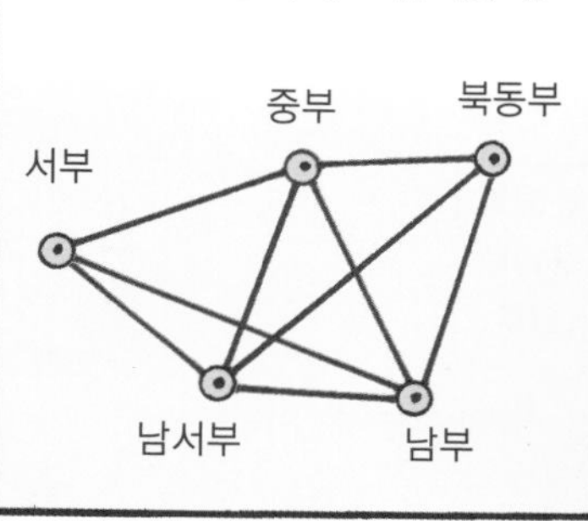
드넓은 미국을 하나로 묶어갔어.
중부
북동부
서부
남서부
남부

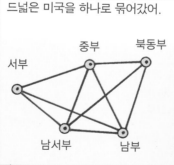

그러나 남, 북부의 지역 이해가 맞부딪쳐 나라는 급속히 두 개로 쪼개지고 있었던 거야.
미
국
남
북

의회정치란 무엇이지?

각 지역이 자신들의 대표를 의원으로 뽑아 중앙에 보내
우리 뜻을 대변해줘!
국회

나랏일을 의논하게 하는 것이지만
철도를 어디에 놓을 것인지
의견을 말씀해 주시오.

의원들의 가장 중요한 임무란 뭐겠어?
나라 전체의 일도 중요하지만
그보다 나를 뽑아준 지역의 이익이 더욱 중요하다!

따라서 이들은 나라 전체의 정책과 제도를 자신의 지역에 유리하도록
남부를 위해 만들어야 하오!
아니오, 북부를 위해 만들어야 합니다!

이해를 같이하는 사람들과 정당을 만들어 반대파에 맞서는 거야.
농산물 수송이 더 시급하지!
공산물 수송이 더 중요해!

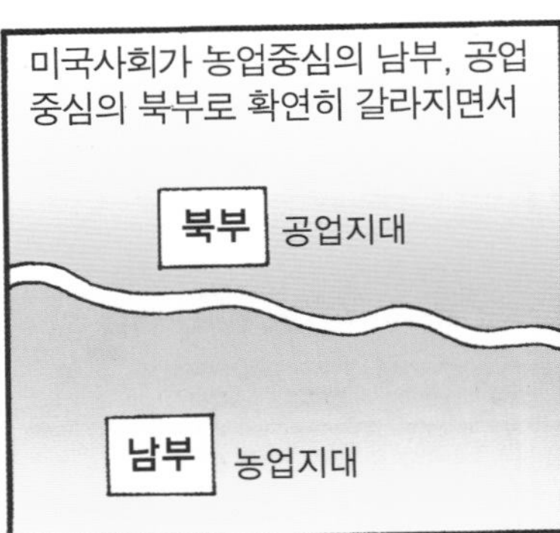
미국사회가 농업중심의 남부, 공업중심의 북부로 확연히 갈라지면서
북부 공업지대
남부 농업지대

미국의 정치도 남북으로 완전히 갈라져버렸고
남부
농장주/노예제 지지
북부
상공인/노예제 폐지

남북대결의 가장 큰 쟁점으로는 '눈에 드러나는' 노예제가 떠오를 수밖에 없었지.
비기독교적이다!
남부의 생존이 노예제에 걸렸다!
북부
남부

그럼에도 미국정치가 나름대로 안정을 유지할 수 있었던 것은

노예주가 11개, 자유주(노예제도를 인정하지 않는 주) 11개로
노예주 11개 (남부)
자유주 11개 (북부)

1대 1의 균형을 유지하고 있었기 때문이었어.
한번 밀리면 끝장이다….

그런데 1819년 새로 미국의 영토가 된 미주리주가 노예주로 연방가입을 신청하면서
우리는 노예제도를 인정하겠소이다!
연방가입 신청서
미주리주

노예주, 자유주 간의 균형이 깨질 형편이 되자
노예주 12 : 자유주 11!
안 돼!
절대 안 돼!
북부

미국 정계는 소란해졌고, 남북간 감정대립이 날카로워졌어.
왜 안 된다는 거야?
몰라서 묻냐?
남부
북부

이 소란은 때마침 우연한 계기로 해결의 실마리가 잡혔다.
잠깐, 잠깐!
지금 매사추세츠주의 일부가 메인주로 떨어져 나오려고 하니
와글 와글

이를 인정하여 메인주를 연방에 받아들이되 자유주로 하는 대신
메인주
미주리주
미시시피강

미주리주는 신청한 대로 노예주로 받아들이면 12대 12로 다시 균형이 잡히는 게 아니오?

그건 그럴듯해….
균형이 유지 된다면야….
끄덕
끄덕

하지만 문제는 영토가 계속 늘어 새로 가입하는 주가 생길 때마다 이 난리를 거듭해야 한다는 거요.

그럼 이렇게 합시다.
제시 토머스 의원 말씀하시오.

앞으로 늘어날 새 주의 경우, 36도 30분을 경계로 하여
36° 30′

그 이남에서는 노예제도를 인정하되, 그 이북에는 절대로 인정하지 않기로 합시다!
36도 30분
노예

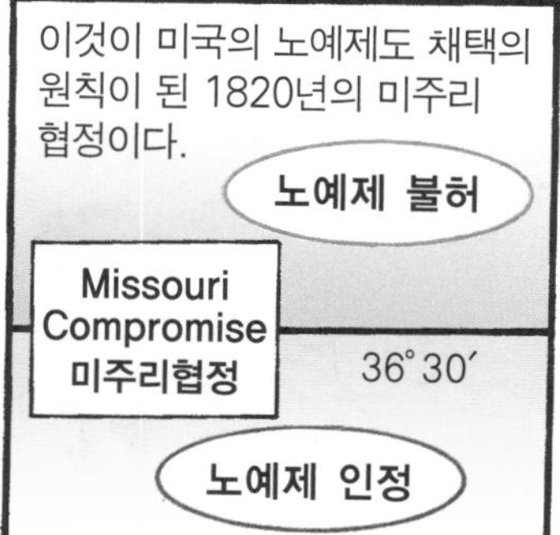
이것이 미국의 노예제도 채택의 원칙이 된 1820년의 미주리 협정이다.
노예제 불허
Missouri Compromise 미주리협정
36° 30′
노예제 인정

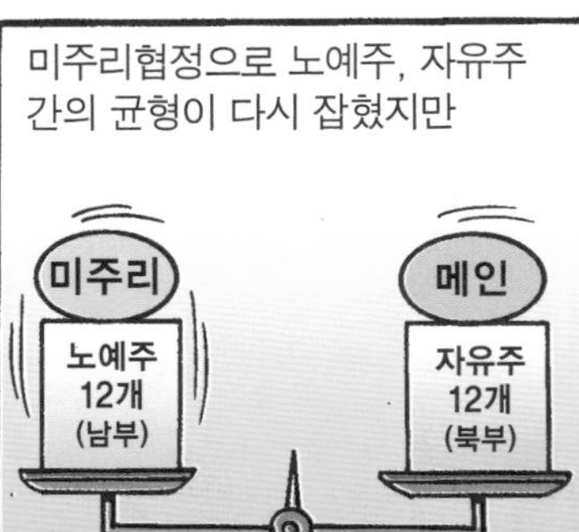
미주리협정으로 노예주, 자유주 간의 균형이 다시 잡혔지만
미주리
노예주
12개
(남부)
메인
자유주
12개
(북부)

그것은 단지 임시방편이었지, 언제든지 다시 타오를 불씨가 꺼진 것은 아니었어.
미주리 타협
남북갈등
노예제

이런 와중에도 남부에서는 비인간적 노예제도가 날로 확산되었고

* 노예 고문 기구들

흑인노예들의 삶이란 개, 돼지만도 못한 비참하기 그지없는 것이었지.

1831년, 견디다 못해 내트 터너* 란 흑인이

* Nat Turner(1800~1831)

70여 명의 동료 흑인들과 버지니아주 사우스햄프턴에서 폭동을 일으켜
우리도 사람이다!
우리도 생명을 가진 존재라고!!

백인들을 닥치는 대로 살해,

길거리에 50여 명의 백인 시체가 뒹구는 등 백인들을 공포의 도가니로 몰아넣었어.

그는 다른 흑인들도 봉기하여 그에게 합류하기를 바랐지만
인간이라면 이렇게 살 수는 없는 거야.
모두들 무기 들고 내게로 오겠지!

그의 예상과는 달리 흑인들은 폭동에 가담하지 않았고
어떻게 우리 힘으로 백인과 싸워?

그는 결국 백인토벌대에 붙잡혀 공개 교수형에 처해졌지.

백인들은 그 보복으로 100여 명의 흑인들을 무차별 살해하는 등, 사상 최대의 흑인 폭동사건이었다고.

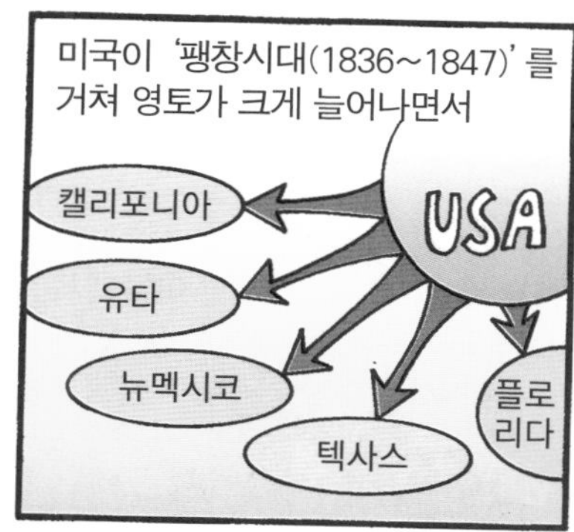
미국이 '팽창시대(1836~1847)'를
거쳐 영토가 크게 늘어나면서
USA
캘리포니아
유타
뉴멕시코
텍사스
플로리다

미주리협정 이후 잠잠하던 노예주-자유주, 즉 남 · 북부는 또다시 충돌하게 되었어.
노예제 유지
노예제 철폐
쾅

계속 늘어가는 영토에 노예제도를 허용해야 하는가, 아니면 금지하는가가 문제였지.
신주
노예주?
자유주?

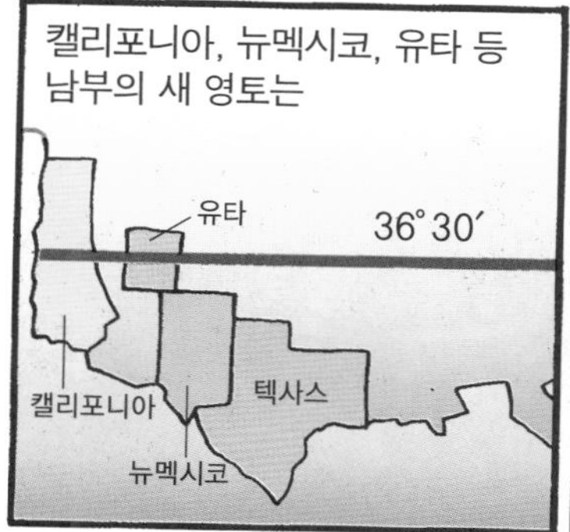
캘리포니아, 뉴멕시코, 유타 등 남부의 새 영토는
유타
36° 30′
캘리포니아
텍사스
뉴멕시코

미주리협정에 따라 36° 30′ 이남의 땅이라고는 하지만
이 선 아래에서는 합법적으로 노예제 허용된다!

이곳에 몰려온 이주민들이 대부분 북부출신이어서

자유주로 가입할 것이 확실하기 때문에 남부의 입장에서는 균형이 깨질 것을 우려하지 않을 수 없었어.
어···
엇···
남부
이러다가 큰일나겠다!

1849년 캘리포니아가 연방가입을 하여, 주민투표 결과 압도적으로 노예제를 불허키로 하자
노예제는 허용 안 함!
캘리포니아

남부는 격렬하게 반발하기 시작했지.
이렇게는 안 된다!
이런 식으로 나가면 우리는 연방을 탈퇴하겠다!
남부

이에 대해 당시 대통령 테일러는 무력동원까지 내세우는 등
연방탈퇴는 절대 안 된다!
연방군을 출동시켜서라도 막겠다!

미국 정계는 일촉즉발의 위기에 몰리게 되었는데
연방탈퇴
남부
무력동원
정부

이때 헨리 클레이* 의원이 타협안을 제시하였다.
자, 자, 그렇게 예민해하지 말고
조금씩 양보하여 해결책을 찾읍시다.

* Henry Clay(1777~1852)

이제 새로 가입하는 주의 노예제 허용 여부는 주민들의 의사에 맡깁시다.

그건 안 돼. 미주리협정에 정면으로 어긋나게 될지도 몰라!
미주리 협정
36° 30′ 이북에선
노예제를 불허한다!

그럴 위험성은 노예주, 자유주 모두에게 있는 거 아니오?
36° 30′ 이북에서 자유주 선택
36° 30′ 이남에서 노예주 선택

그러니 노예제 허용문제는 주민들 의사에 맡기는 대신, 지금의 노예법을 더욱 강화하여 남부 노예 소유주들의 이익을 보호하자 이겁니다.

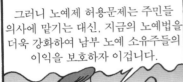

탈출노예를 도와주면 형사 처벌할 수 있다는 조항
도망간 노예는 주인이 영장 없이도 붙잡아 도로 끌고 올 수 있도록 합시다!

그러나 클레이의 타협안은 남 · 북부 모두에게 불만을 샀지.

이건 균형이 깨지는 대신
사탕 하나 주겠다는 거군.
그렇지 않아도 비기독교적, 비인간적인
노예제를 더욱 잔혹하게 만드는 거다!

이에 일리노이 출신 스티븐 더글러스* 의원이 나서 의원들을 설득했어.

불만스럽더라도 클레이 의원의 제안을 받아들입시다.
그러지 아니하면 미국 연방은 남북으로 갈라질 수밖에 없소!

* Stephen A. Douglas(1813~1861)

스티븐 더글러스는 뒷날 링컨과 대통령선거에서 맞붙게 되는 미국 정치의 거물이지.

1860년 대통령선거

공화당 후보
A.링컨 1,865,908표 **당선**

민주당 후보
S. 더글러스 1,380,202표

클레이의 제안은 마지못해 받아들여졌고 이를 '1850년의 타협'이라고 해.

Compromise
1850

(1850년의 타협)

그러나 이 타협도 갈라지는 미국을 잠시 결합하는 접착제 같은 임시 방편에 불과했음이 금세 증명된다.

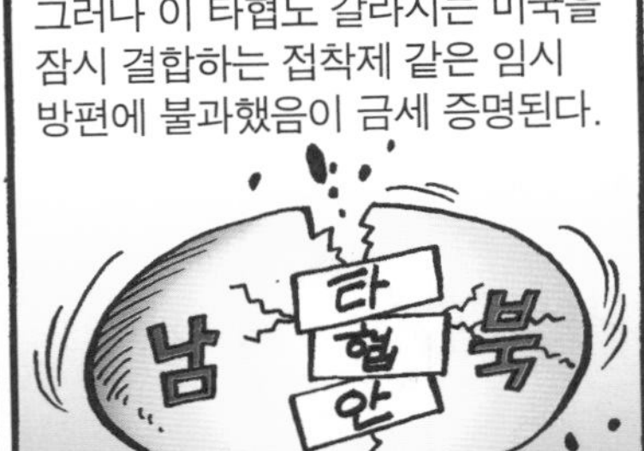
남
타
협
안
북

노예주, 자유주의 충돌은 1854년
다시 한번 벌어졌다.
노예주
자유주

오하이오 서부지역이 연방가입 신청을
낸 것이 그 계기였지.
노예제도 허용하라!
금지하라!
주민들의 의사도 묻기 전인데…
오하이오 서부

문제가 커지자 다시 스티븐 더글러스
의원이 나섰어.
타협, 타협합시다!
모두가 이기는 윈윈(Win - Win) 작전을 쓰자구!

이 지역을 우선 캔자스 - 네브래스카
두 지역으로 나누고
네브래스카
캔자스
오하이오 서부지역

노예제 여부는 주민의 투표로
결정하게 합시다!
아이디어 죽여주지?

그건 절대 안돼!
이 지역은 36°30′ 이북에 있으니 미주리협정에 의해 노예제를 금지 시켜야 한다!!
북부

미주리협정이 체결된 1820년과 지금은 시대가 다르지.
암, 30년이나 지났는데…
남부

그래도 협정은 지켜야 할 것 아닌가?
더글러스의 제안은 미주리협정을 백지로 만드는 것이다!
북부

내 순수한 맘을 몰라주냐?
내 욕심이 당신 욕심의 10분의 1만 돼도 당장 사퇴하겠다!

스티븐 더글러스의 제안은 '손해
볼 것 없었던' 남부 출신 의원들의
강력한 지지로 통과되는데
노예주가 되면 다행이고
아니면 말고….
통과!
남부

이것이 바로 '캔자스- 네브래스카 법'
으로 1820년에 체결된 미주리협정은
이제 휴지조각으로 변했어.

Kansas-Nebraska Act
(1854)

캔자스-네브래스카 법

~~미주리협정(1820)~~

자, 이제 남은 것은 이 지역이 노예주가
될 것인가, 자유주가 될 것인가…
양쪽의 실력대결이겠지?
찬성
반대

노예제의 허용, 금지를 결정하는 주민투표를 앞두고
네브래스카는 조용한데
캔자스에서는 난리가 났군!
조~용
와글 와글
네브래스카
캔자스

승리를 위한 남, 북부의 치열한 경쟁이 시작되었어.
투표에서 이기면 되지!
노예제반대 투표자가 많으면 이긴다!

북부에서는 이를 위해 북부인들을 대거 이주시키고
원래 이곳 주민 아닌 자들이…?
미국인 중에 원래 이곳 주민은 인디언뿐 아냐?
남부

남부에서도 맞불작전으로 나와
흥, 이쯤 되면 막해보자 이거지? 우리도 앉아서 당하고 있진 않을껴!

이웃 주의 주민들을 대거 주민투표에 동원하는 등
투표하고 다시 돌아가세요.
교통편, 사은품 제공합니다!
캔자스의 노예제를 사수하자!
투표하러 갑시다!

남북부의 대립은 되돌릴 수 없는 감정싸움으로 번졌다.
남부의 쓴맛 좀 볼래?
북부의 매운맛이 그립냐?

주민투표 결과 이 지역은 노예제도를 공식 채택하게 되었는데
아~싸
노예제
찬성
반대

이 지역 반노예주의자들은 격렬하게 반발하여
이것은 명백한 부정투표다!
우리는 결과에 승복할 수 없다!

토피카에 별도의 정부를 세움으로써 캔자스는 두 개로 나뉘어졌어.
캔자스 노예주
캔자스 자유주
Topeka

한 개의 주가 두 개의 주로 나뉘어 연방가입을 신청하는 희극이 벌어지고
연방 가입신청서 캔자스주
연방 가입신청서 캔자스주

이 문제로 정부는 아수라장이 되고 말았다.
노예제 채택한 정부가 주민투표로 정통성을 지닌다!
조작, 부정선거 인정 못한다. 토피카 정부가 진짜다!
와글 와글
워싱턴

이제 미국 정치는 적대심으로 가득 찬 남북부가 격돌하는 전쟁터가 되어버린 거야.
우린 노예제 사수하는 모임!
우린 노예제 사절하는 모임!
우# 탕 탕
미국

캔자스가 둘로 쪼개지는 사태가 생기자 북부의 찰스 섬너* 의원이 남부를 비난하는 연설을 했는데
이게 모두 남부가 뒤에서 조종한 일이다!

* Charles Sumner(1811~1874)

남부 출신 프레스턴 브룩스* 의원이 섬너를 지팡이로 마구 두들겨패 평생 불구자로 지내게 된 사건이 벌어졌을 정도야.
이런 못된 인간! 감히 남부를 헐뜯어!

* Preston Brooks(1819~1857)

브룩스는 대번에 남부의 영웅으로 떠올랐고
잘했어!!
브룩스 짱!
속이 시원하다!

우쭐한 그는 대중 앞에서 이렇게 얘기했지.
미친개에게는 오직 몽둥이가 약이야.
으쓱
으쓱

더 때려주고 싶었지만 금으로 된 손잡이가 망가질까 봐 그만두었지.
음하하하

이처럼 떠들썩했던 캔자스엔 노예는 정작 300명도 안 되었다.
노예주
자유주

노예제란 표면에 나타난 구실일 뿐, 그동안 쌓인 지역감정, 경제적 이해관계, 문화의 차이가
천박한 양키들.
거만한 농삿꾼 주제에….

노예제로 포장되어 나타났을 뿐이었어.
비켜!
네가 비켜!
노예제

캔자스 문제는 지루하게 몇 년을 더 끌다가
노예제 지지자 죽여라!
캔자스
우당탕
폐지론자 죽여라!

1858년 재투표에서는 압도적으로 노예제도 금지를 결정하였고
봐, 이게 주민들의 참뜻이야.
노예제
찬성
금지

남부는 다시 한번 더욱 깊은 위기 의식에 빠져들게 되었지.
안 되겠다! 뭔가 특별한 방법을 써야지….

캔자스 문제로 노예제를 둘러싼 남북 대립이 치열해지면서
아그르릉릉…

폭력과 테러로 노예해방을 추진하려는 과격분자와
말로 안 되면 힘으로 꺾어야지!

비밀리에 남부 노예들의 탈출을 도와주는 지하조직이 활약하여

남부인들에겐 격렬한 분노와 증오를 북돋우는 한편
북부놈들이 인도주의를 앞세워
남부재산을 빼돌려 물 먹이고 있다!
으드득

북부인들에게는 정의의 사자로 칭송과 찬양의 대상이 되었어.
진정한 기독교인들이다!
신의 명령을 충실히 따르는구나!

남부노예들을 자유주로 도망치도록 돕는 '지하철도' 라는 조직은
지하철도
Underground Railroad

노예를 '화물', 접선지역을 '역' 등의 암호를 사용해 붙은 이름으로
이번 화물은 몇 개지?
세인트루이스역에서 다섯 개!

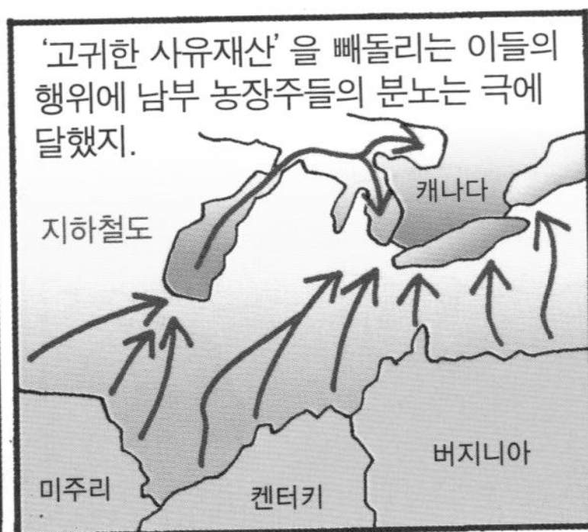
'고귀한 사유재산' 을 빼돌리는 이들의 행위에 남부 농장주들의 분노는 극에 달했지.
지하철도
캐나다
미주리
켄터키
버지니아
노예주

아무리 캔자스가 시끄럽고 유혈 충돌이 계속되고
노예제 지지파 죽여라!
노예제 폐지파 박살내라!
캔자스
우당탕

정치인들의 남북간 세력 싸움이 계속되었지만
뭐든지 싸움거리가 되는 시대….
노예제 유지!
반대!
와글와글
워싱턴 D.C.

정작 대부분의 북부인들은 핵심쟁점인 노예문제에 대해 거의 관심이 없었어.
재들 왜 저리 시끄럽게 싸워?
우리 북부엔 노예도 없는데….
우지끈

적어도 존 브라운이라는 사나이와 해리엣 스토라는 여성이 나타나기 전까지는….

해리엣 비처 스토 부인이 쓴
《톰 아저씨의 오두막집》*이란 소설은
Harriet Beecher Stowe
1811~1896

* Uncle Tom's Cabin

1853년 출판되자마자 엄청난
화제가 되었는데

135,000 SETS, 270,000 VOLUMES SOLD.
UNCLE TOM'S CABIN
FOR SALE HERE.
The Greatest Book of the Age.

*《톰 아저씨의 오두막집》 당시 서점의 광고 포스터

비참한 흑인 노예들의 삶을 읽고
북부인들은 뜨거운 눈물을 쏟았으며

노예제가
이토록 혹독한
것이었던가!

흑인을 개돼지만도 못한 노예로
부리는 남부에 대한 분노가 폭발하여
인간의 탈을 쓰고 어찌 이럴 수가…
이것은 기독교도의 수치라고요!

노예를 해방해야 한다는 북부인들의
여론에 불을 질렀어.
노예제를 폐지하라!
노예들을 해방시켜라!
와
와

이 책은 영국에서도 1년 만에 150만
부나 팔려 초대형 베스트셀러가 되었고
음, 미국인은 이렇게 야비한 노예제를 버리지 않는단 말이지!
역시 우리를 몰아낸 미국인은 천박해.
험
험
UNCLE TOM'S CABIN

스토 부인은 인세를 노예제 철폐 운동에
기탁하여 노예해방운동에 큰 역할을
하였지.
이 전쟁에서 우리를 승리하게 한 분이 바로 당신이군요!

* 남북전쟁 뒤 스토 부인을 만난 링컨 대통령이 한 말.

반대로 남부 입장에서는 정말로
가증스럽기 짝이 없는 책이었다.
삼류저질 선동작가!
왜곡과 증오, 편견에 찬 휴지조각 모음이다!
남부

존 브라운은 코네티컷주 토링턴에서
태어났어.
John Brown
1800~1859

가난한 집안에 태어나 교육도 제대로
받지 못하였지만

엄격한 청교도인 아버지의 영향을
받아 열렬한 노예해방론자가 되었고
핍박받는 자들을 위해 기도하자.

그의 집은 비밀결사인 '지하철도'의
주요한 거점이 되었지.

* 존 브라운의 켄터키 집

존 브라운은 현실적인 노예해방은 오직 폭력으로 이룰 수 있다고 생각했다.
신, 사랑, 형제애, 인권, 자비, 긍휼

이런 것 다 소용없습니다!

이에는 이, 눈에는 눈… 오로지 폭력만이 탐욕스럽고 사악한 백인들의 세계에서 힘없고 가엾은 흑인노예들을 구출해내는 길이다!

폭력과 폭동, 집단봉기로 노예들을 해방시켜 그들만의 나라, 흑인 공화국을 건설하자!
일어나라!

그는 유혈사태로 난장판이 된 캔자스로 이주하여
캔자스

자신의 아들들과 도망친 노예들을 모아 폭력비밀 결사대를 결성하였어.
신의 뜻을 따른다!

그들은 열렬한 노예주의자 백인 다섯 명을 포타와토미에서 무참히 살해하고
이것이 신의 심판이다!
노예주의자의 최후를 만천하에 보여라!
Pottwatomie Creek
으아악

정부군의 무기고를 점령한 다음, 흑인들의 봉기를 선동하였지.
일어서라, 무기를 잡으라!
노예의 사슬을 끊고 자유의 나라를 건설하라!!

그러나 흑인들의 봉기는 뒤따르지 않았고 그는 정부토벌군과 맞서게 되었는데
JOHN BROWN'S FORT
* 브라운이 점령했던 하퍼스 페리의 무기고

이때 토벌군의 지휘관이 뒷날 남북 전쟁 당시 남부군을 총지휘했던 명장 로버트 리* 대령이었어.
* Robert Edward Lee(1807~1870)

존 브라운은 거세게 저항했지. 그는 결국 체포되었지만

The Weekly Tribune.

INSURRECTION IN VIRGINIA.

OLD JOHN BROWN SHOT.

TERROR THROUGH THE SOUTH.

QUIET RESTORED.

* 존 브라운의 체포를 알리는 신문기사

끝까지 그의 '범죄'를 인정하지 않았다.
나는 티끌만큼의 잘못도 없다!
신의 뜻에 따라 이 땅에 정의를 실현하려 한 것 뿐이다.

남부인에게는 공포의 살인마요,
폭동 반란의 괴수이자
노예제

북부인에게는 정의의 용사요,
신의 대리인이었던 존 브라운은

전미국의 찬반여론이 들끓는 가운데 사형을 언도받고 1859년 12월 2일 교수형으로 세상을 떠났다.
와
와
사형!
무죄!

모든 남부는 형장에 선 그에게 욕설과 야유, 저주를 퍼부었고
와
악마는 지옥으로!
신의 저주를 받으라!
와
피에 굶주린 살인마!
와

모든 북부는 눈물과 한숨을 섞어 그를 찬양하고 축복하였다.
주여!
순교자의 거룩한 죽음!
오!
백인의 죄를 죽음으로 갚다!
위대한 기독교도!

존 브라운에 대한 평가는 지금까지도 극과 극으로 갈라지고 있어.
살인마
순교자

미국역사상 가장 위대한 흑인 해방 운동가라는 극찬이 있는가 하면
존 브라운

거대한 조직사회에서 몇몇이 폭력에 의존하여 사회문제를 해결하려 한 광신적인 정신병자라는 혹평도 있지.
존 브라운

그러나 존 브라운 사건은 남북간의 감정대립이 얼마나 심각했는가를 생생하게 보여준 계기가 되었고
미국인은 노예를 부리기만 한 게 아니라
이런 인물도 있다는 것을 은근히 강조 하네….
미국역사

남북 사이에 파인 골이 이미 너무 깊다는 사실을 깨닫게 해주기도 했지.
남
북

때를 같이하여 터지기 직전까지 부풀 대로 부푼 풍선에 바늘을 갖다 댄 것과 같이
남북 갈등

흑인노예를 둘러싼 사건이 또 터졌으니, 이게 바로 드레드 스콧* 사건이었다.

* Dred Scott(1795?~1858)

드레드 스콧은 미주리주 군의관인
존 에머슨의 노예인 흑인이었다.

주인의 직업상 스콧은 주인을 따라 이곳
저곳으로 옮겨다녔는데
주인님,
또 이사 갑니까?
일리노이주로
특명받았네.

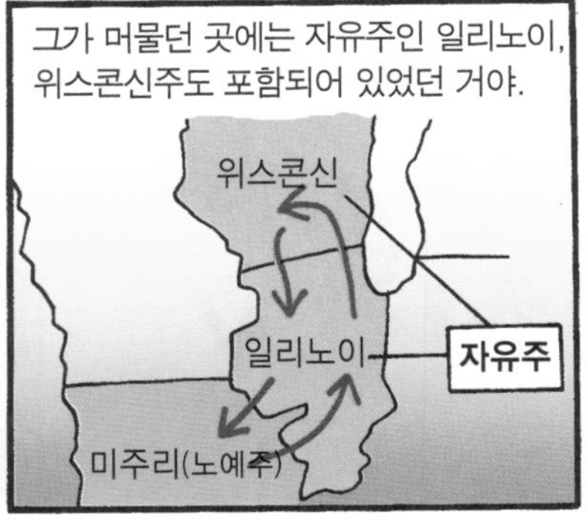
그가 머물던 곳에는 자유주인 일리노이,
위스콘신주도 포함되어 있었던 거야.
위스콘신
일리노이
자유주
미주리(노예주)

자유주에 살 때는 아무 소리 없던
스콧은 정작 고향인 노예주 미주리에
돌아오자
미주리주
이곳은 노예주임

연방대법원에 자신이 더 이상 노예가
아님을 인정해달라는 소송을 낸 게
발단이
되어
자유주에 살았을 때 이미
노예신분이 무효가
되었기에 나는 이제
자유의 몸이오!
자유 신분
인정 신청

자유주에 살 땐
왜 아무 말도
않다가 이제
와서…
이곳의 노예
해방론자들이 소송
하라고 꼬드겼겠지요.
무식한 스콧이 어찌
소송을 감히….

이 문제는 미묘한 정치문제로 비화
북부가 드레드
스콧을 꼬드겨
남부를 물먹이려
한다!
당연한 법정소송을
북부와 연관시키는
음모다!
남부
북부

미국 전체가 달라붙어 양측으로
나뉘어 법정싸움에 매달리게 되었다.
드레드 스콧은
엄연한 노예다!
그는 이제 분명한
자유인이다!
와글
미국
와글

이 판결에 따라 남부, 북부 어느 쪽이
승리하느냐가 판가름나는 듯했어
하여튼 남북은
뭐든지 앙숙이군.
마치 스콧사건이
대리전쟁 같아!

그런데 연방대법원장 로저 토니*는
원고 패소 판결을 내렸어.
드레드 스콧은 아직도 주인
존 에머슨의 사유재산이며
자유의 몸이 아님을 선고한다!

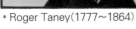

개인이 다른 주에서 노예신분을
벗어났다 하여 자동적으로 그 주의
시민이 되는 것은 아니다.

또한 연방정부는 그러한 개인을 연방
시민으로 인정할 의무가 없는 것이다.
자유주라고 해도
노예출신은 시민으로
인정할 수 없다는
얘기!

* Roger Taney(1777~1864)

노예제가 인정되는 주에서 노예는 소유주의 재산이며, 신성한 사유 재산은 헌법으로 철저하게 보호된다!

US 헌법

따라서 사유재산을 침해할 소지가 있는 미주리협정을 비롯한 모든 노예에 관한 법률은

노예제

아무리 연방의회에서 통과되었다 하더라도 위헌이다!
쿵
위헌

이러한 대법원의 판결은 노예문제를 둘러싸고 뜨겁게 불타오르던 남북관계에 기름을 부은 꼴이었어.

노예제보호에 관한 법

헌법

미주리 타협
1820
무효

캔자스-네브래스카 타협
1854
무효

당연한 판결이며 훌륭한 논리이다. 한 번 노예는 영원한 노예이며, 노예는 주인의 신성한 사유재산이다!

짝짝짝짝짝

남

반기독교적인 노예제도로도 모자라 노예를 신성한 사유재산이라니, 그러고도 그대들이 기독교도인가?!

북

미국 전국은 이 드레드 스콧 판결 문제로 온통 들끓었다.

정당한 판결이다!

말도 안 되는 판결이다!

와글

로저 토니 판사 자신이 노예 소유주라서 그렇다!

한번 노예는 영원한 노예다!

와글

입 가진 사람이면 누구나 이 문제로 열을 올리며 토론했고

미국정계는 완전히 터지기 직전의 풍선처럼 팽팽한 긴장에 휩싸였어.

네트 터너 폭동사건

드레드 스콧 사건

엉클 톰의 오두막집

존 브라운 반란 사건

이때 당대의 거물정치인이자 대통령 후보로까지 거론되던 스티븐 더글러스 의원에게

캔자스-네브래스카 타협안을 제안, 통과시킨 나다!

Kansas-Nebraska Compromise

공개토론을 요구하며 노예문제는 타협으로 해결할 수 없다고 주장한 무명의 시골 정치인
태도를 분명히 해야지, 적당히 넘어가선 안 될 문제요!

그가 바로 일리노이주에서 상원의원 선거에 공화당 후보로 나선 에이브러햄 링컨이었지!

Abraham Lincoln
1809~1865

정계에서 '애송이'에 불과한 링컨에게 공개토론 요구를 받은 더글러스는 당황했지.
아니, 차기 대통령을 노리는 내게 감히….

그러나 일리노이 상원 의원에 함께 출마한 경쟁자요.
애송이지만 토론을 피하면 겁먹고 도망친다 선전해댈 테고….

그렇다면 하는 수 없지. 그 링컨이란 자를 대중 앞에서 큰 망신을 주어 찍소리 못하게 만들어버리자구.

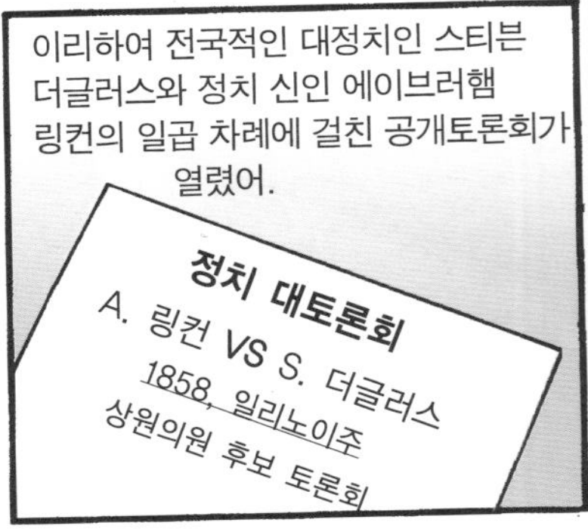
이리하여 전국적인 대정치인 스티븐 더글러스와 정치 신인 에이브러햄 링컨의 일곱 차례에 걸친 공개토론회가 열렸어.
정치 대토론회
A. 링컨 VS S. 더글러스
1858, 일리노이주
상원의원 후보 토론회

일리노이주 상원의원 후보끼리 벌어진 지역행사였지만 이 공개토론회는 곧 전국적인 관심이 총집중되는 엄청난 행사가 되었지.

* 링컨 - 더글러스 토론회

링컨은 더글러스의 노예문제에 대한 임시방편식 타협안을 매섭게 비판하고 나섰어.
캔자스 - 네브래스카식 타협은 안 된다!
우리는 더 이상 노예제로 분열되어선 안 된다!

A divided house cannot stand!
(분열된 집안은 살아남을 수가 없습니다!!)

1858년 일리노이주 상원의원 선거에서 스티븐 더글러스가 당선되고 링컨은 낙선했다.
링컨이 누구야?
거물 더글러스와 맞서 그 정도 싸우다니!!

그러나 이 선거의 진정한 승자는 링컨이었어. 왜냐하면 이름 없는 시골변호사에 지나지 않았던 링컨이
켄터키주 호젠빌 출생
1809. 2. 12.
• 7세 때 인디애나주로
• 22세 때 일리노이주로
후에 메리 토드와 결혼

전체 북부의 주목을 받게 되었고
링컨 같은 인물이 있었다니!
남부를 누를 수 있는 우리의 대변자가 링컨이다!

1860년에는 공화당의 대통령 후보로 지명되어, 민주당의 스티븐 더글러스 후보와 또다시 격돌하게 되었기 때문이지.

1860년 대통령선거에서 북부의 반노예주의자들은 일치단결하여
링컨!
노예제 폐지!
정직한 에이브!
링컨!
북부

* 에이브: 링컨의 애칭

노예제를 열렬하게 옹호하지 못해 남부의 전폭적인 지원을 얻지 못한 더글러스 후보를 밀어내고

* 긴 다리로 더글러스를 따돌리는 링컨을 그린 만화

에이브러햄 링컨을 미국 제16대 대통령에 당선시켰어.

링컨은 국부 워싱턴과 아울러 오늘날 미국인에게 가장 존경받는 대통령이며

노예를 해방시킨 위대한 인권주의자이자 성자(聖者)로 추앙되지만,

사실상 그는 노예문제에는 그다지 큰 관심이 없었고
노예제도… 그것은 폐지되어야겠지.

최대 관심사이자 정치적 목적은 연방의 분열을 막는 것에 있었어.
노예제 폐지보다 더 중요한 문제는 얼마든지 있다!

그리고 오늘날까지 링컨 대통령이 남긴 가장 위대한 업적은 전쟁까지 치러가며 미국의 분열을 막은 것으로
강력접착제
남
북

만약 미국이 분열되어 여러 개의 나라로 쪼개졌다면 오늘날의 초대강국 미국은 어림도 없었을 거야.
50개의 크고 작은 나라…?

링컨은 노예해방문제에 별로 적극적이지 않았어.
노예제의 허용이나 금지는 그다지 중요하지 않다.
나의 가장 중요한 신념은 연방을 분열시키지 않고 유지하는 것이다.

심지어 더글러스와의 토론에서 남부를 다독이려는 발언까지 했는데
검둥이들을 유권자나 배심원, 관리로 만들거나
백인과 결혼에 찬성한 적이 없습니다!

이 발언은 위대한 해방자로서의 그의 명성을 두고두고 해치게 되지.
그의 노예해방은 오로지 정치적인 목적 때문이었다!

노예제에 대한 링컨의 견해는 그의 다음 발언에서 잘 나타나고 있어.
연방을 지키기 위해 노예제가 필요하다면 그렇게 하겠다.
통합

연방을 지키기 위해 노예제를 폐지해야 한다면 그렇게 하겠다.

연방을 지키기 위해 두 가지 방법이 다 필요하다면 그 역시 그렇게 하겠다!

1860년, 링컨의 대통령 당선은 남부에겐 치명타였지.
쾅
링컨 당선

그렇지 않아도 남부의 위기감이 극도로 팽배해가고 있던 터였거든.
북부

전원적이고 귀족적인 남부는 농업을 기반으로 하고 있었고

도시적이고 계산적인 북부는 공업이 주력 산업이었어.

초반의 남북균형은 공업의 발달과 함께 북쪽으로 기울어져가는 데다
남부
북부

연방의회는 북부가 다수를 차지하고 법도 북부에게만 유리하게 만들기 일쑤였지.
공산품 세금 인하 찬성
북부
남부

철도도 북쪽에만 건설되었고
남부엔 왜 철도 안 놓냐?
면화쪼가리는 배로 날라도 돼.

노예들은 계속 북부로 도망치는가 하면
자유주

해외에서 몰려드는 이민은 일자리가 많은 북부로 집중되었어.
이민
북부
남부
노예 있는 곳엔 일자리가 없다.

이렇게 어려운 판에 북부는 노예제 폐지를 외치며
노예제 철폐!!
남부 죽이기다!

남부를 몰락의 길로 밀어붙이고 있었지.
H·E·L·P!

남부의 마지막 희망은 남부에 동정적인 대통령을 뽑는 것이었고
대통령

그랬기에 1860년 선거는 남부의 사활을 건 운명적인 선거였던 거야.
대통령마저 북부 출신이면 우린 끝장이다!
투표소

그런데 그들이 가장 증오하는 반노예주의자 링컨이 대통령이 되다니
링컨
쾅

이제 남부에 남은 마지막 선택은 연방 탈퇴뿐이었지.
딴살림 차리는 수밖에….
연방

링컨의 대통령 취임 직전인 1861년 사우스 캐롤라이나주가 연방 탈퇴를 선언하고
이제 연방은 해체되었고… 우리 주는… 독립적 국가임을 엄숙히 선언하노라!
연방탈퇴 · 독립선언

그 뒤를 6개의 남부 주들이 따랐는데
사우스 캐롤라이나
미시시피
루이지애나
앨라배마
조지아
플로리다
텍사스

이들 7개 주는 스스로 독립국가임을 선언한 뒤
Confederate National Flag 남부동맹 국기
남부군 국기

독자헌법을 제정, 제퍼슨 데이비스* 를 대통령으로 선정함으로써

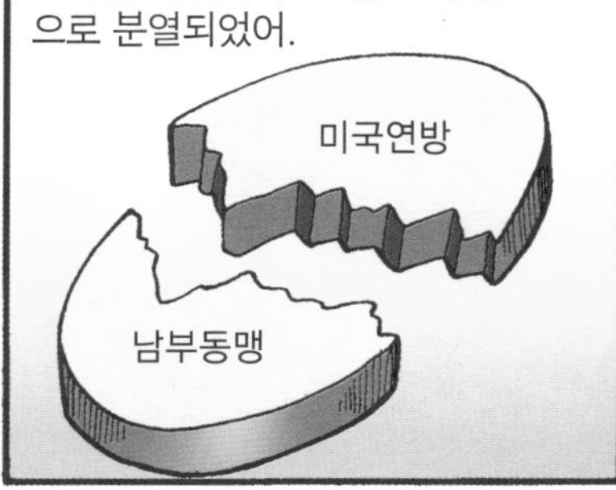
미국연방은 건국 84년 만에 공식적으로 분열되었어.
미국연방
남부동맹

타협의 여지는 완전히 사라졌다. 연방을 유지하는 방법은 오직 전쟁뿐이었다!

* Jefferson Davis(1808~1889)

1861년 3월 4일, 링컨은 미국 제16대 대통령에 공식취임하였다.
와
와

그의 취임은 곧 4년간에 걸친 남북전쟁의 서막이었지.
남부가 연방을 탈퇴한 것은
분명한 내란 행위이며, 무력을 써서라도 분쇄할 것이다!

* 링컨은 대통령이 된 후에 턱수염을 길렀음

남북전쟁의 첫 포성은 섬터 요새*에서 울렸다.

* Fort Sumter

남부는 연방을 탈퇴한 뒤, 남부연맹 영토 안에 있는 모든 연방정부 군대의 철수를 요청하고
이곳은 더 이상 연방 영토가 아니니 당장 떠나시오!

강제로 연방정부군 기지를 차례로 점거했는데

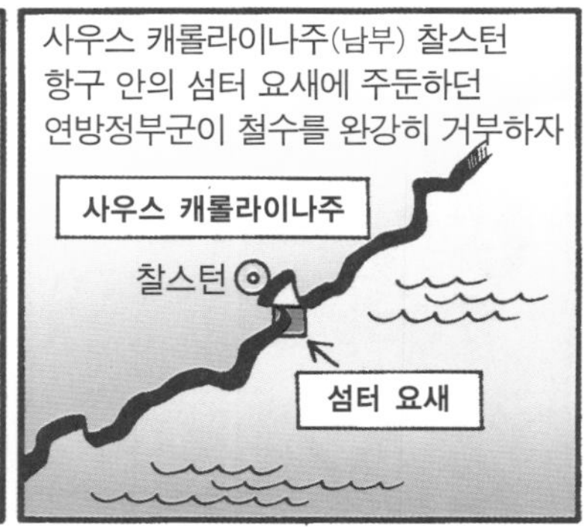
사우스 캐롤라이나주(남부) 찰스턴 항구 안의 섬터 요새에 주둔하던 연방정부군이 철수를 완강히 거부하자
사우스 캐롤라이나주
찰스턴
섬터 요새

1861년 4월 12일 새벽, 남부연맹군이 이곳에 포격을 가함으로써 남북전쟁이 시작되었어.

그 뒤 불런 강가에서 남북부군이 첫 전투를 시작하여 북부군이 패배, 이른바 불런 전투*라고 불리는 첫 교전은 남부군의 승리로 돌아갔지.

* Battle of Bull Run

남부군은 지금도 존경받는 최고의 명장 로버트 리 장군을 사령관으로 공격을 강화,

남북전쟁은 전혀 결과를 예측할 수 없는 밀고 밀리는 전투를 거듭했지.

그 사이 노예해방론자들은 링컨에게 노예해방선언을 거세게 요구했어.
대체 무얼 머뭇거립니까?
노예해방이 이 전쟁의 가장 큰 명분 아닙니까?

그러나 남부를 도로 끌어들여 연방을 유지하려는 링컨의 태도는 전쟁중에도 애매했어.
굳이 노예해방선언을 해서 남부를 더욱 자극할 필요가 있는가?

남부는 노예제를 이미 합법적으로 실시하고 있으니 연방으로 돌아만 온다면 더 이상 노예제를 문제삼지 않으려 하네만….

이러한 링컨의 태도는 북부 내에서도 많은 적을 만들었지.
끝까지 노예제를 옹호하려 드는 건가?
링컨은 노예엔 관심없고 오로지 연방 통합만 관심 있다!!

1862년 8월에 접어들면서 남부는 대대적인 총공세를 펼쳤고 북부는 최대의 위기에 봉착했다.

미국의 전쟁을 관심 있게 지켜보던 유럽의 국가들이 점점 태도가 바뀐 것은 당연했지.
저러다가 남부가 이기겠다….
드디어 우리 희망대로 미국이 쪼개지는가?!

우리는 멕시코와 깊은 관계가 있으니 남부와 더욱 친해두어야 할 필요가 있거든.
프랑스

남부동맹을 국가로 인정하고 지원을 해주어 우리의 이익을 챙겨야겠다!

우리도 남부동맹을 인정해야겠다. 남부의 면화가 없으면 우리나라 방적산업이 치명타를 입거든!!
영국

영국 · 프랑스가 남부동맹을 인정하고 지원하려는 최대의 위기 순간에
아… 안 돼!

1862년 9월 17일 중요한 앤티텀 전투* 에서 북군이 승리했다는 승전보가 날아왔다.

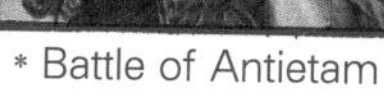
* Battle of Antietam

지금이야말로 노예해방을 선언할 절호의 찬스다. 전쟁에 지면서 노예해방선언하면 전세계가 비웃지 않겠는가!

1862년 9월 22일, 링컨은 각료회의에서 역사적인 노예해방선언을 했다.
1863년 3월 1일을 기하여

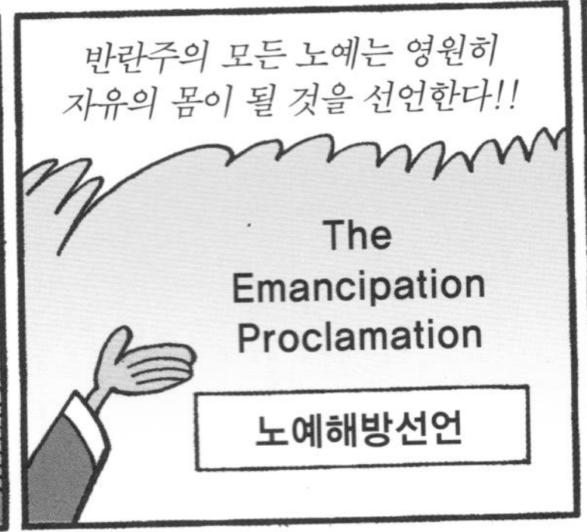
반란주의 모든 노예는 영원히 자유의 몸이 될 것을 선언한다!!
The Emancipation Proclamation
노예해방선언

그로부터 3년 뒤인 1865년 1월 수정헌법 13조에 의해 노예제는 공식적인 종말을 고하였다.
땡그렁
땡그렁
땡그렁
땡그렁

이제 남북간의 갈등으로 시작된 전쟁은
경제적 이익
남북간의 주도권분쟁
남북분열 · 대결
전쟁

인류역사에 숭고한 인권전쟁, 인도주의를 위한 전쟁, 위대한 인간애의 전쟁으로 격상되었다.
숭고한 인간애를 위한 전쟁

그러나 현실적으로 링컨은 단 한 명의 노예도 해방시키지 못했어.
말로만 해방됐다.

왜냐하면 그의 권한이 미치는 북부에는 노예제 자체가 없어서 해방시킬 노예가 없었고
해당사항 없음!
북부

남부는 북부와 전쟁중인 적국이어서 링컨의 해방선언이 전혀 효력을 발휘하지 못했기 때문이지.
북부의 법은 여기선 무효!
아, 아, 아 노예를 해방시키거나 말거나
남부

언젠가는 하게 될 노예해방선언을 앤티텀 전투 승리 직후에 한 이유는

노예제도를 비기독교적이며 야만적인 것으로 비난하던 영국과 프랑스 등 유럽국가들을 겨냥한 것으로
보아라, 정의가 이기지 않느냐? 이것은 신의 뜻이다!
유럽

이들이 남부를 인정하고 지원하지 못하도록 '윤리적으로' 못을 박자는 의도였어.
그런데도 부도덕한 남부를 돕겠느냐?
그건 안 되지….

노예해방선언으로 유럽의 국가들은 사실상 남부에 대한 지지를 거두어 들였어.
그래. 북부가 도덕적으로 옳다!
노예제 남부를 지지할 수는 없다.

1863년 7월, 남북전쟁의 대세를 북부의 승리 쪽으로 결정지은 게티즈버그 전투는 수만의 고귀한 목숨을 앗아갔어. 이곳을 국립묘지로 지정하여 찾아온 링컨이 연설한 '국민의, 국민에 의한, 국민을 위한 정부'는 오늘날에도 민주주의의 고귀한 모범이 되었지.

* 게티즈버그 전투를 그린 그림(1870년대 작품)

1864년 11월 8일, 미국역사에서는 처음으로 전쟁 중에 대통령선거가 실시되었어.
전쟁이 지루하게 계속되어 여론도 나빠졌고
링컨 인기도 떨어져 낙선 가능성이 높다며?

전쟁과 같은 비상시에는 선거를 하지 않을 수도 있었지만
선거판이 불리하게 돌아갑니다.
차라리 선거 대신 전시 비상사태 선포하시고…

이런 때일수록 민주주의의 원칙을 지켜야 한다는 링컨의 주장으로 치러졌지.
국민에게 재신임을 묻겠다!
그러지 않으면 국민의 뜻을 하나로 모을 수 없다!

링컨은 민주당 후보 조지 맥클리런을 220만 표 대 180만 표로 누르고 재선되었다. 이는 분열된 국가를 재통합하겠다는 링컨의 의지를 국민들이 지지한 것이며
국민의, 국민에 의한, 국민을 위한 정부!

* 1863. 11. 19. 게티즈버그에서 연설하는 링컨 대통령

최후까지 싸워 전쟁에 승리, 연방 통일을 이룩하라는 국민들의 격려이기도 했지.
미국은 하나다!
미국민이 흘린 피를 헛되이 하지 말라!

1865년 3월, 링컨은 두 번째
대통령 임기를 시작했고

그 직후인 4월 남부는 북부에 공식 항복했지. 남부군 총사령관 로버트 리
장군이 북부군 총사령관 율리시스 그랜트 장군에게 항복함으로써

* 그랜트 장군(왼쪽)에 항복하는 리 장군(오른쪽): 루이 기욤의 유화

4년에 걸친 남북전쟁은 막을 내리고

둘로 갈라졌던 미국은 다시 하나가
되었어.
The United States
of America

그러나 4월 14일 금요일, 링컨
대통령은 포드극장에서 암살되었어.

존 부스라는 열렬한 남부 지지자인 배우가 쏜 총에 맞은 거야.
이날은 바로 예수가 십자가에 못 박혀 죽은 수난절이기도 해.

* 뉴욕에서 거행된 링컨의 장례식

그래서 미국인들은 링컨에게서 워싱턴과
예수를 함께 느낀다고 말하지.
INRI

시골 오두막집에서 태어나
대통령이 된 에이브러햄 링컨은
Honest
Abe
정직한 에이브

미국인들이 동경하는 모든 요소를 지닌 신화가
되었지만
자수성가
미인 아내
노예해방
전쟁
대통령
승전
애국
링컨전기
비운의
죽음

역시 그가 남긴 최대의 업적은
'통일된 조국' 이었어.
분열된 집안은
살아남을 수 없다!

5

세계 최강으로 떠오르다

그러나 극심해지는 빈부의 차이

미국 대륙횡단 철도가 완성되는 순간 1869년 5월 10일 유타주 프로몬터리 포인트(Promontory Point)에서 동부의 유니언퍼시픽선과 서부의 센트럴퍼시픽선이 만나 미국 대륙횡단 철도가 완성되는 순간이다. 미국 경제의 비약적인 발전을 알리는 신호탄이 되었다.

역사란 무엇일까?
HISTORY
歷史

인간의 모듬살이는 서로 다른 이해와 관심을 가진 사람들로 이루어져 있고
이쪽이다!
아니다!

이들은 같은 편끼리 무리를 이루어 세력을 형성하는데
이쪽이다!
저쪽이다!

이러한 세력들은 끊임없이 충돌하고 갈등하며
우지끈

결국 강자에 의해 약자는 밀려난다.

그러나 승리한 강자 안에는 이미 또 다른 갈등이 자라고 있고

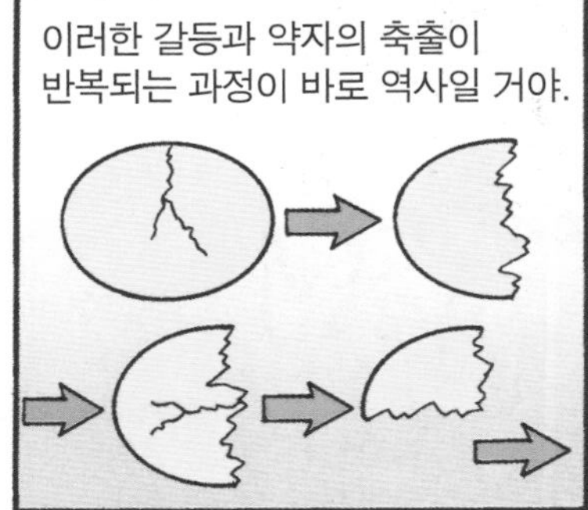
이러한 갈등과 약자의 축출이 반복되는 과정이 바로 역사일 거야.

미국의 역사도 마찬가지야.
HISTORY OF THE USA

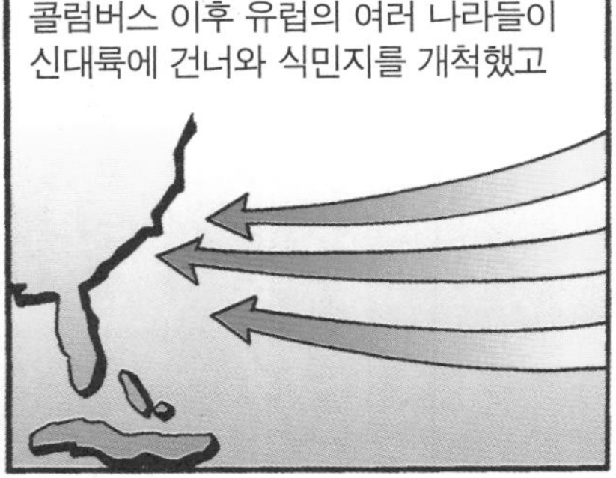
콜럼버스 이후 유럽의 여러 나라들이 신대륙에 건너와 식민지를 개척했고

미국 땅에서 가장 적극적으로 식민지 활동을 벌인 나라가 영국, 프랑스, 네덜란드였지.

이 세 세력은 더 넓은 영토와 주도권을 놓고 충돌하였으며
네덜란드
내 꺼!
내 꺼야!
프랑스
영국

네덜란드가 영국과의 전쟁*으로 가장 먼저 축출되었어.

* 영란전쟁(1652~1653)

이제 프랑스와 영국이 미국의 주도권을 놓고 격돌하여 7년전쟁, 이른바 프렌치-인디언전쟁이 터졌고*

* 1756~1763년

프랑스가 져 물러남으로써 미국은 영국의 독점적 지배를 받게 되었다.

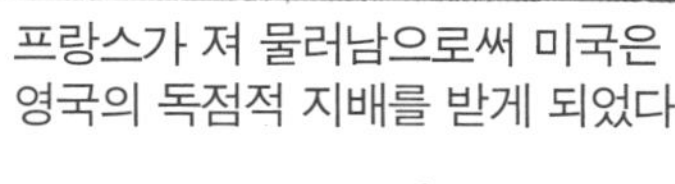

독점 지배!

미국

그러나 영국의 세력은 곧 미국인들의 도전을 받았으며

독립선언!

* 1776년 7월 4일

7년간의 독립전쟁을 승리로 이끈 미국인들은 외국의 간섭 없는 '미국인의 나라'를 건설하였지.

그러나 산업혁명과 더불어 미국은 분열하였고

공업중심 북부
농업중심 남부
우지직

남북대결은 끝내 4년여에 걸친 처참한 전쟁으로 번지고야 말았어.

* 1862년 9월 17일 앤티텀 전투 전사자 사진

전쟁은 북부의 승리로 끝났으며, 북부의 승리는 곧 미국이 농업국에서 공업국으로 바뀌는 데 누구도 거부할 수 없는 흐름의 물꼬였고

미국은 농업국가

미국은 공업국가

미국의 산업화는 새로운 부유층을 탄생시킨 반면

이들 '산업귀족'들의 착취에 신음하는 가난한 노동자계급을 무더기로 만들어내

끄르륵

이제 미국의 갈등은 남북대립에서 빈부대립으로

즉 자본가와 노동자의 대립으로 이어지게 된다.

VS
자본가
노동자

무섭게 뻗어가는 국력의 그늘 아래, 있는 자와 없는 자의 대립과 갈등 – 이것이 바로 19세기 후반 미국의 모습이었어.

Attention Workingmen!

GREAT

MASS-MEETING

TO-NIGHT, at 7.30 o'clock,

AT THE

HAYMARKET, Randolph St, Bet. Desplaines and Halsted.

* 노동자들의 집회를 선전하는 포스터(1886년)

그리 오래 가리라고는 아무도 생각지 않았던 남북전쟁은
언제 돌아와요?
몇 달이면 끝날 거야 이 전쟁은….

참담한 피해를 남기고 4년이나 끌었어.

* 전투가 끝난 뒤의 남부(1865년 사진)

사망자는 북부에서 37만여 명, 남부에서 26만여 명이 나왔고

상이군인 및 민간인 부상자가 북부에 27만여 명, 남부에 10만여 명에 이르렀으며
북부가 이기긴 했어도
인명피해는 남부보다 훨씬 컸구나….
The Civil War
남북전쟁

북부에서 쓴 전쟁 비용만 해도 32억 달러나 되어

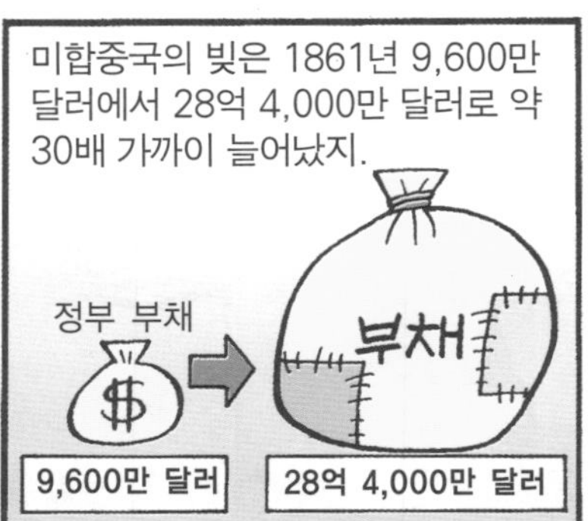
미합중국의 빚은 1861년 9,600만 달러에서 28억 4,000만 달러로 약 30배 가까이 늘어났지.
정부 부채
부채
9,600만 달러
28억 4,000만 달러

18만 명이나 되는 흑인들이 그들을 위한 '해방전쟁'에 참여했지만
남부에서는 주인을 위해…
북부에서는 해방전쟁 승리를 위해….

그들이 '미국시민'이 되기 위해서는 그로부터 또다시 100년을 기다려야 했다.
저리 꺼져!
검둥이 주제에….
백인전용

남북전쟁 결과 노예해방 및 시민의 권리를 위한 수정헌법이 연이어 의회를 통과하였는데
땅 땅 땅
수정헌법 제13조
수정헌법 제14조
수정헌법 제15조

수정헌법 제13조는 노예제도의 영원한 폐지를
수정 제13조
노예 또는 강제적 노역은 당사자가 정당하게 유죄 판결을 받은 범죄에 대한 처벌이 아니면 합중국 또는 그 관할에 속하는 어떠한 장소에도 존재할 수 없다.

제14조는 시민의 생명, 재산, 자유의 보호를
내놔!
NO!
수정 제 14조

제15조는 흑백인 성인 남자 모두에게 투표권을 준다는 조항이야.
여자는 투표권이 없다!
흑인 투표권은 헌법에만 있는 거지….
NO!

암살된 링컨의 뒤를 이은 앤드루 존슨* 대통령은

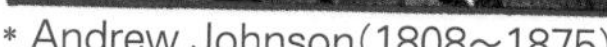
* Andrew Johnson(1808~1875)

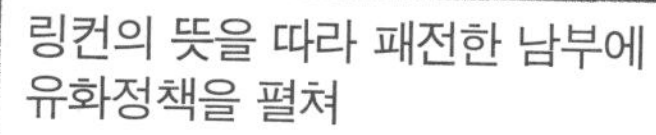
링컨의 뜻을 따라 패전한 남부에 유화정책을 펼쳐

돌아와

연방을 탈퇴했던 남부의 주들이 속속 연방으로 되돌아오기 시작했어.

남북전쟁은 씻을 수 없는 상처를 미국민 모두의 가슴에 남겼지만

비 온 뒤 땅이 굳어지듯, 이 전쟁을 계기로 미국은 하나임을 증명,

더 이상의 분열은 없다!
USA

미국민들은 전쟁 전의 지방색에서 벗어나

나는 조지아인.
나는 텍사스인.
나는 뉴요커!

모두가 '미국인' 이라는 동질성을 확인하였고

우리는 미국인!
(We are Americans)

이는 미국이 강대국, 초강대국, 나아가 세계 유일 초강대국으로 발전을 거듭하는 귀중한 정신적 자산이자

에이브러햄 링컨 대통령이 남겨 놓은 고귀한 업적이었던 거야.

분열된 집안은 살아남을 수 없다!

또한 전쟁까지 가게 된 남북간의 감정 대립과 반목이 해소되고 하나의 미국으로 다시 뭉치게 된 결정적인 이유는

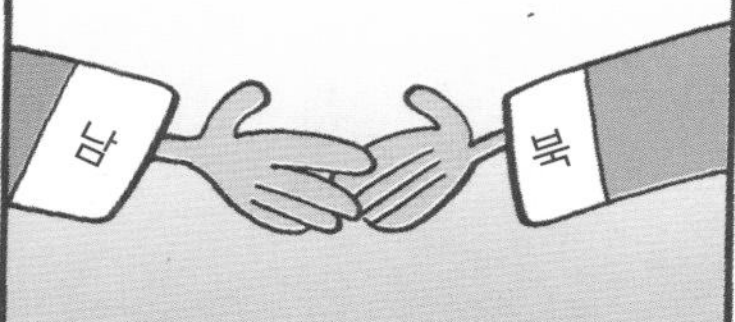
남
북

무한히 뻗어나갈 수 있는 미개척의 서부가 있었고

산업발달로 인한 눈부신 경제성장 때문이었어.

경제
싸울 시간 없다!

이유야 어떠했든 링컨의 노예해방 선언으로 미국의 노예제도는 사라졌다.
노예제
Slavery
1619년 최초의 노예
1862년 노예해방선언

그리고 흑인 성인 남자에게도 투표권을 주는 수정헌법 제15조가 발효됨으로써
투표권

적어도 법적으로는 흑인들에게도 정치에 참여할 수 있는 길이 열렸어.
투표소

그러나 이 사실은 흑인을 노예로 부리던 남부의 백인들에게는 참을 수 없는 모욕이었지.
노예들이 우리와 같이 투표장으로 가게 되었다고?

그건 안 돼! 어째서 흑인이 백인과 같을 수 있단 말인가? 이것은 백인에 대한 모욕이다!!

맞다. 검둥이들이 투표장에 오거나 백인과 맞먹으려 들면 잔혹하게 본보기를 보여 영원히 백인의 발 아래에 꿇도록 하자!!

인종차별 의식에서 흑인들의 정치 참여를 방해하고 권익을 빼앗으려는 의도에서 생겨난 것이

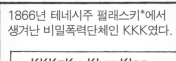

1866년 테네시주 펄래스키*에서 생겨난 비밀폭력단체인 KKK였다.
KKK=Ku Klux Klan

그리스 말인 키클로스(Kyklos= '비밀결사' 라는 뜻)에서 유래된 이 단체는

* Pulaski

흑인, 특히 투표장에 나온 흑인들을 무자비하게 폭행하고

흑인에게 동조하거나 동정적인 백인들에게도 가혹한 테러를 자행

흑인들의 법적 권리를 폭력으로 박탈하는 단체였어.
검둥이가 투표를 하겠다고?

이들은 연방정부의 강력한
조치로 지하에 숨어들었지만
* 1870년에 촬영한 뉴욕의 KKK단원들

외국이민이 쏟아져 들어오던 절정기인
1914년에 다시 활동을 시작하였는데
미국이 오염되고 있다!
이제는 유대인, 구교도에 중국인들까지!!

이제는 흑인문제뿐 아니라 미국을
순수한 '백인사회'로 지키겠다는
기치를 내세웠지.
기독교보호!

반유태인!
반가톨릭!

백인은 우월하다! 인종, 종교, 정치,
모든 면에서 백인의 우위를 지키자!!

1960년대 흑인민권운동이 거세지자
KKK는 또다시 준동하여
-탕
-탕탕

지금까지도 사라지지 않는 미국
사회의 인종차별주의의 상징이
되고 있어.
RACISM
KKK
* Racism : 인종차별주의

남북전쟁이 끝난 뒤 미국 경제는
놀라운 성장을 거듭했다.

이는 미국의 산업이 엄청나게
발전했다는 이야기이기도 해.

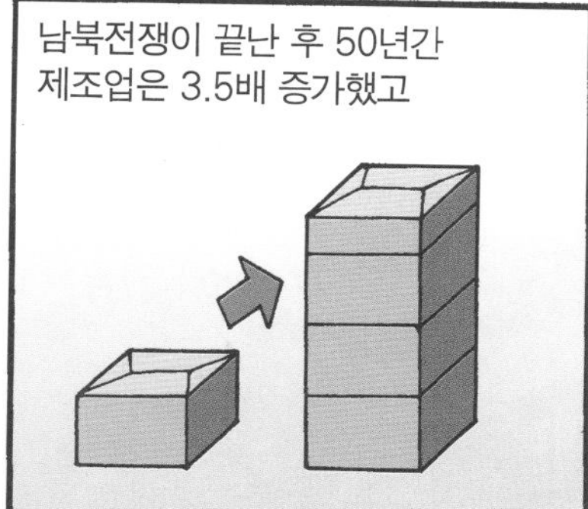
남북전쟁이 끝난 후 50년간
제조업은 3.5배 증가했고

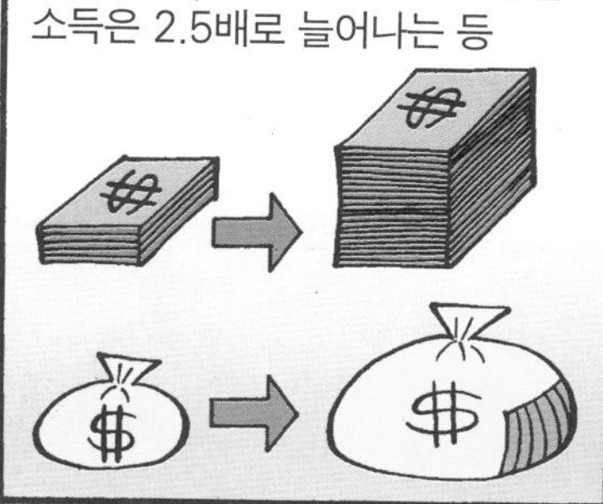
국민총생산은 4배로, 1인당 평균
소득은 2.5배로 늘어나는 등

19세기 말 미국은 건국 120년 만에
이미 최대 강국 수준으로 발전하고
있었어.

산업이 발전하면서 운반해야 할 물자가 폭증하고

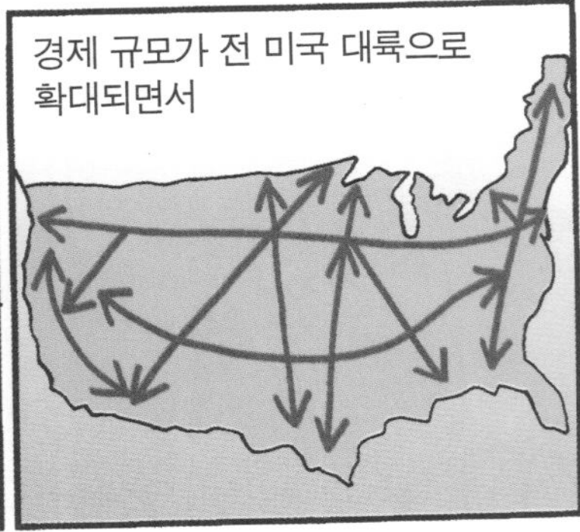
경제 규모가 전 미국 대륙으로 확대되면서

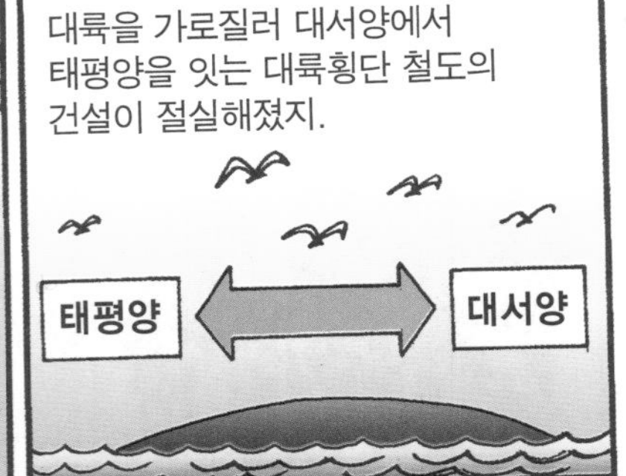
대륙을 가로질러 대서양에서 태평양을 잇는 대륙횡단 철도의 건설이 절실해졌지.
태평양
대서양

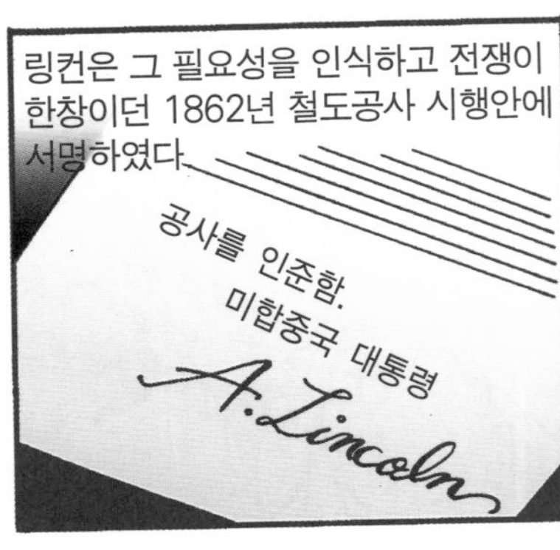
링컨은 그 필요성을 인식하고 전쟁이 한창이던 1862년 철도공사 시행안에 서명하였다.
공사를 인준함.
미합중국 대통령
A. Lincoln

그러나 본격적인 공사는 전쟁이 끝난 1865년부터 시작되어

3,000km나 되는 난공사를 별다른 장비 없이 오로지 사람의 힘으로 진행해나갔어.

어마어마한 돈과 사람이 필요한 이 사업에 뛰어드는 투자자가 없어
돈이 너무 많이 들어서 어디 엄두가 나야지.
투자해서 이익이 날지 안 날지 모르지.

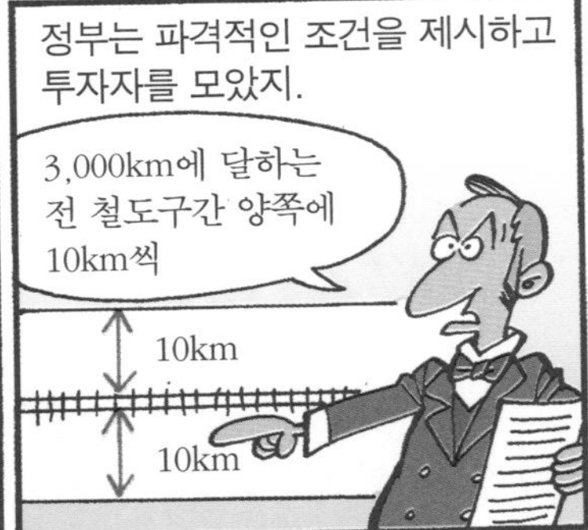
정부는 파격적인 조건을 제시하고 투자자를 모았지.
3,000km에 달하는 전 철도구간 양쪽에 10km씩
10km
10km

도합 20km씩의 땅을 공사를 맡는 회사에 무료로 주고
20km×3,000km =60,000km
한반도의 3분의 1 크기 땅을 줍니다!

철도 1마일(1.6km)당 수만 달러씩 정부가 공사비를 지원해준다는 조건 아래
억단위
억!!
공사비 지원금 $100,000,000

센트럴퍼시픽사는 서쪽에서 동쪽으로
Central Pacific Co.
새크라멘토*
(캘리포니아주)
유니언퍼시픽사는 동쪽에서 서쪽으로 공사를 맡아 진행해나갔어.
Union Pacific Co.
카운슬 블리프스*
(아이오와주)

* Sacramento

* Council Bluffs

이 공사를 위해 값싼 임금으로
중국인들이 대거 건너와
샌프란시스코를 통해 입국
쏼라
쏼라
SAN FRANCISCO

대륙횡단 철도 건설에 피땀을 흘렸고
쿨리
(苦力): 힘든 일을 하는 중국인 노동자

이를 계기로 중국인들은 대거
샌프란시스코를 중심으로 정착하여,
미국 최대의 화교 중심도시가 되었지.
金山 SAN FRANCISCO

1869년 5월 10일, 유타주의 프로몬터리
포인트에서 동 · 서 철도가 만나 황금 못을
박으면서 미대륙횡단 철도가 완성되었어.
와
와

이 철도는 대번에 엄청난
돈을 벌어들이기 시작,
투자가들은 무더기로
철도 사업에 뛰어들어
불과 15년 만에
대륙횡단 철도가
3개나 더 건설되었을
정도였지.
시애틀
노던퍼시픽 철도Northern Pacific
덜루스
두 철도가 만나는 곳
센트럴퍼시픽 Central Pacific
유니언퍼시픽Union Pacific
오마하
애치슨
샌타페이 철도Santa Fe Railroad
로스앤젤레스
뉴올리언스
서던퍼시픽 철도Southern Pacific
태평양

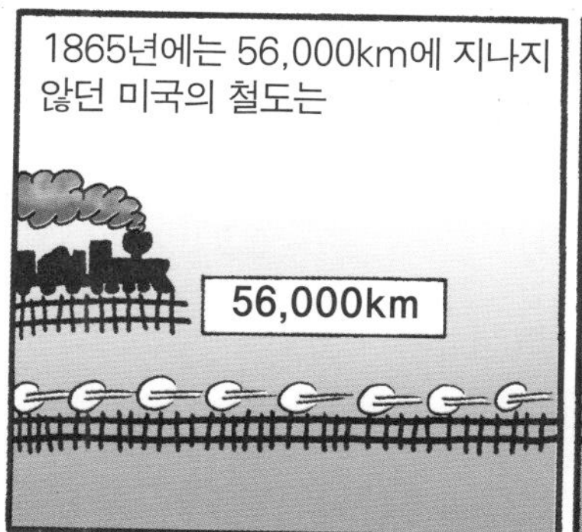
1865년에는 56,000km에 지나지
않던 미국의 철도는
56,000km

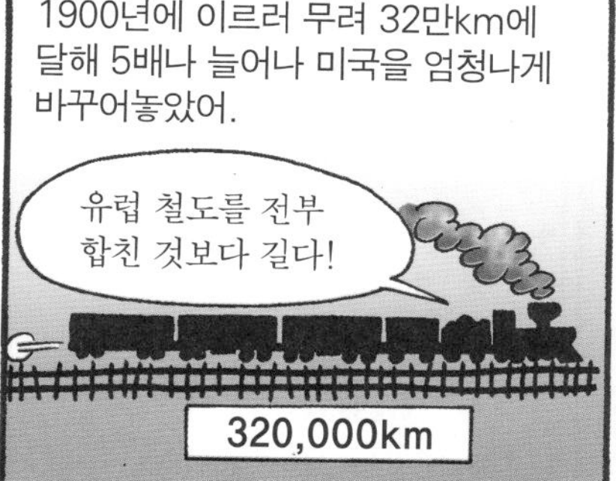
1900년에 이르러 무려 32만km에
달해 5배나 늘어나 미국을 엄청나게
바꾸어놓았어.
유럽 철도를 전부
합친 것보다 길다!
320,000km

운송료가 낮아져 물가가 싸졌으며
동서남북 미 전국이 어디로나
연결되어
운송료
1/10

철도회사가 정부로부터 분양받은
땅을 비싸게 되팔아 엄청난 이득을
챙긴 반면
골라!
철도옆 토지
비싸게 판매!
교통 끝내주는
역세권
무한발전가능성
골라

이를 통해 서부의 개척속도가
더욱 빨라졌고
GO WEST!

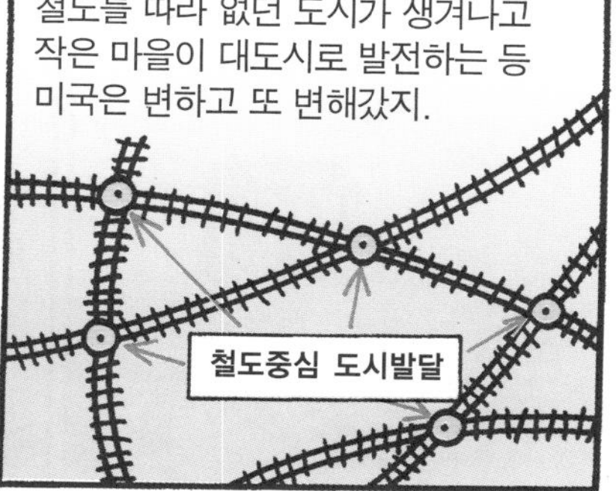
철도를 따라 없던 도시가 생겨나고
작은 마을이 대도시로 발전하는 등
미국은 변하고 또 변해갔지.
철도중심 도시발달

미국경제 발전에 결정적인 역할을 한 철도 건설 붐은

이곳에 철도를 놓자.
인디언 거주지역
대평원

인디언들에게는 생존을 위협하는 치명적인 타격이었어. 그들의 주식은 들소였고, 모든 생활이 들소와 연결되어 생존기반 그 자체였는데

* N. H. 트로터의 그림(1880년경)

철도건설에 방해가 된다며 백인들은 들소떼를 무자비하게 사냥해 죽이고

탕 타탕탕
탕타탕

거주권리를 가진 인디언들을 멋대로 딴 지역으로 강제 이주시켰지.

여기서 살라 하고 또 어디로…?
잔소리 말고 가라면 가!!

생존의 위협을 느낀 인디언들은 죽음을 각오하고 봉기하였고

어차피 죽을 목숨이다!
생명을 걸고 우리의 땅을 지키자!

인디언들 최후의 항전을 이끈 것은 수족의 족장이었던 '웅크린 황소(Sitting Bull)' 였는데

미국정부의 무력에 맞서 용감하게 싸우다가

결국 1881년 항복, 처형을 당해.

그러나 웅크린 황소는 오늘날 사라지지 않는 인디언의 혼을 일깨우는 신화로 남아 있고

SITTING BULL

자신들의 이익을 위해 원주민들을 철저하게 탄압하고 내쫓은 백인들에 대한

인디언에게 한 짓은 입이 열 개라도 백인들은 할 말이 없다!

'숭고한 저항정신' 의 상징으로 살아 있어.

남북전쟁을 계기로 미국의 각 주들은 정신적으로 하나로 묶였고
우리는 미국인!
남부
북부

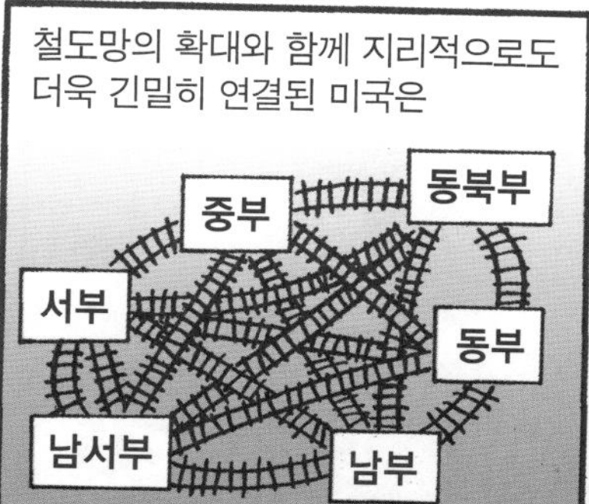
철도망의 확대와 함께 지리적으로도 더욱 긴밀히 연결된 미국은
중부
동북부
서부
동부
남서부
남부

광대한 영토와 풍부한 자원을 바탕으로

행복과 부(富)를 추구하는 개개인의 능력을 최대로 발휘하게 함으로써
$

국가의 모든 에너지를 경제 발전에 집중시킬 수 있었던 거야.

여기에 과학과 자본주의의 발달로
지식 = 힘 = 돈

새로운 발견과 발명은 곧장 대량생산 체제를 갖춘 산업으로 연결되어
신발명!
특허국

엄청난 부를 가져다 주었는데
$

1860년부터 20세기 초까지 반세기 동안 무려 60만 개에 달하는 특허가 미국에서 출원되었어.

특허

600,000

대표적으로 '발명왕' 이라는 에디슨은 전구, 축음기 등을 발명하였고

'에디슨 전광회사' 를 설립하였는데
Edison
General Electric
Light Company
New York
너희가 전기를
아느냐?

이 회사가 지금도 미국의 대표적인 회사의 하나인 '제너럴 일렉트릭' 의 전신이야.

General Electric

조지 이스트먼*은 코닥 카메라를
개발했고

* George Eastman(1854~1932)

스코틀랜드 이민 출신의 A. 벨*은
1876년 전화기를 발명,

* Alexander Graham Bell(1847~1922)

오늘날 최대 정보통신회사인
AT&T를 설립해.
AT&T
American
Telephone
And
Telegraph
Company
AT&T

크리스토퍼 숄스*가 1874년 개발한
타자기는 사무실과 가정의 기록
문화에 혁명을 일으켰고

* Christopher Latham Sholes(1819~1890)

1903년 라이트 형제가 비행기를
만들어냄으로써

세계는 바야흐로 항공시대의 문을
열었던 거야.

모든 공산품은 점차 기계를 활용한
대량생산 체제로 만들어졌고

미국의 산업은 하루가 다르게
놀라운 성장을 거듭하여
USA

20세기로 넘어갈 즈음에는 이미
세계 최강국의 하나로 발돋움했지.
건국 120년 만에
세계 최강의 하나로!

그러나 산업이 대형화되면서 이를 소유한 자본가 역시 거대한 부를 축적하여
미국의 경제는 물론 정치, 사회에까지 커다란 힘을 휘두르면서

이에 맥없이 희생되던 가난한
노동자들의 반항도 거세졌어.

강력한 국가권력이 없었던 신대륙에 세워진 나라 미국은
USA
이곳은 자유의 나라!

기업에 대한 규제나 억압이 없는 철저한 자유방임주의 경제 국가였어.

더구나 미국을 건설한 초기의 권력층이나
규제
컹컥

계속 미국정치의 주도권을 잡아온 사람들 스스로가 기업인이나 기업에 관련된 계층이었기 때문에
권력
빈민·노동자 계급 접근금지

미국의 기업들은 말 그대로 자유를 마음껏 누리며 돈을 벌어들일 수 있었지.
나 막으면 다쳐!

20세기 초까지만 해도 소득세는 부과되지 않았고
자유의 나라에서 돈 버는 것도 자유인데
번 돈에 세금 물리는 것은 잘못이다!

정부나 의회, 법원은 철저하게 기업과 기업가를 보호했으며
기업이 잘돼야 나라가 부강해지지 않습니까?
맞아, 맞아! 기업이 잘돼야 우리도 돈 많이…

노동자의 권익에는 아무런 관심도 가지지 않았어.
이거면 됐지?

대량생산, 분업화로 생산이 크게 늘고
분업화
대량생산
애덤 스미스
國富論
국부론
자유방임
보이지 않는 손이 시장을 조정한다.

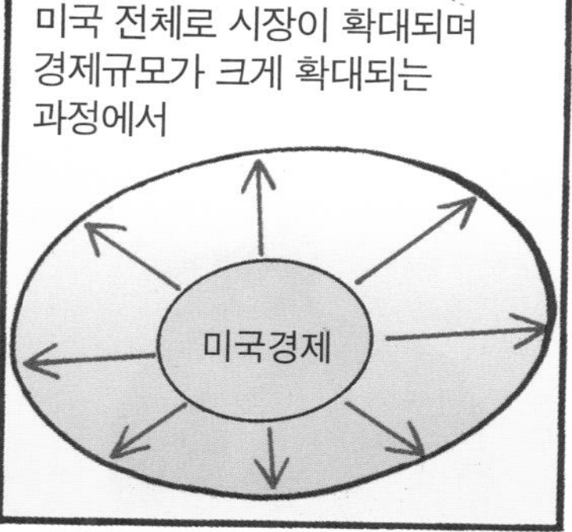
미국 전체로 시장이 확대되며 경제규모가 크게 확대되는 과정에서
미국경제

노동인구도 크게 늘고 실질 임금도 오르기는 했지만
쥐꼬리

19세기 미국 노동자의 삶은 비참하기 그지없었다고.
당시엔 유럽도 마찬가지 였지만…
꼬르르륵

혹독한 노동에 비해 형편없는
임금

기업끼리 서로 짜고 가격을 매기는
바람에 턱도 없이 높아지는 물가
한꺼번에 값이
오르다니…
비싸면 사지
말라고!
$\$$ 7$

어린이들까지 노동을 하지 않으면
먹고살 수도 없었던 현실에

고용주는 마음대로 노동자를 쫓아낼
권리를 지니고 있었고
뻐
일할 사람은
얼마든지 있어!

하루에 15시간 이상의 노동도
보통이었으며

병이 들어도 회사에서는 치료비
대신 해고 통지서만 날아왔을
뿐이었지.
해고

요즘과 같은 휴가라는 것은 상상도
못하던 때였고

아무리 부당하고 억울한 일을
당해도
일하다가 다쳤는데
치료는커녕
쫓겨나기만
했습니다.

노동자들에겐 어느 한 곳 호소할
데조차 없었던 고통의 시대였어.
그건 회사 안에서
해결할 일이지
우리가 관여할
일이 아니오.

반면에 대 자본가들은 자신의
기업을 키우는 것으로도 모자라
타
타
타
자본
$

거대한 자본을 동원하여 차례로
경쟁자들을 쓰러뜨리고
타 타 타

점차 경쟁이 없는 거대 독점체제를
만들어갔는데, 그 대표적인 인물이
'강철왕' 이라는 앤드루 카네기*였지.

* Andrew Carnegie(1835~1919)

스코틀랜드에서 태어난 카네기는 12살이 되던 1848년에 미국으로 건너와
가난은 정말 싫어!

방직공, 전신기사 등을 전전하다가 철도관계 일을 하면서 철강에 관심을 갖게 되었다.
철도를 많이 놓으니 반드시 철강 수요가 크게 늘어날 것이다!

1872년 J. 에드가 톰슨 제철소를 설립하여 본격적으로 사업에 뛰어들었어.
J. E. Thomson Steel Co.

그는 자신의 돈을 쓰지 않고 돈 많은 투자자들의 돈을 끌어들여 사업을 크게 키우면서
11%씩 8명의 주주가 회사 주식의 88%를 갖지만

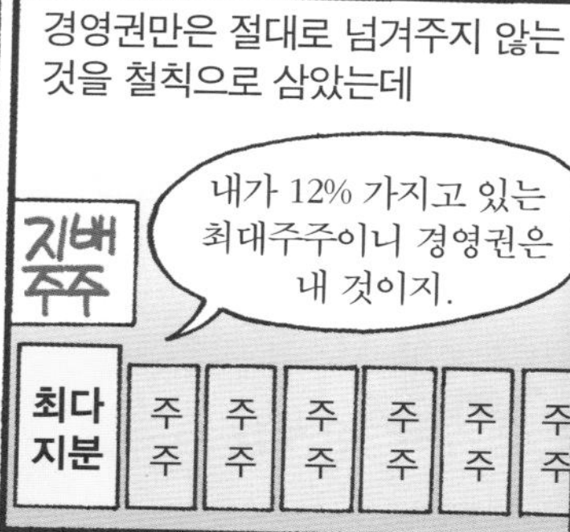
경영권만은 절대로 넘겨주지 않는 것을 철칙으로 삼았는데
지배주주
내가 12% 가지고 있는 최대주주이니 경영권은 내 것이지.
최다 지분
주주
주주
주주
주주
주주

그는 이런 식으로 계속 경쟁 회사들의 경영권을 사들여

1890년경의 미국 강철업계는 사실상 카네기가 지배하는 독점 상태가 되었다.

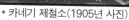

* 카네기 제철소(1905년 사진)

그는 돈을 벌고 독점을 위해서라면 양심 따위는 절대 아랑곳하지 않았어.
돈 버는데 무슨 양심!
양심

외국인이 미국 제철업에 뛰어드는 걸 막기 위해 정치인을 매수하기도 했고
세금을 외국인에게 크게 물려서…
알았쩌!
$

임금은 무자비하게 깎아버리고 이에 항의하는 노동단체는 수단방법을 가리지 않고 없애버리는가 하면
쾅
노동 단체

동업자들끼리 밀실에서 모의하여 가격을 멋대로 올리게 하는 등 천문학적인 재산을 모을 수 있었지.
$

반면에 그는 일생 동안 수억 달러에 이르는 기부금을 내 신교도 국가 미국의 재산가 면모를 보이기도 했어.
착취와 자선!
그것이 신교도의 윤리인가?!
카네기 재단

카네기 못지않게 독점으로 거부가 된 사람이 바로 록펠러야.*

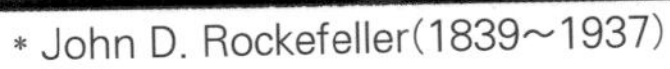
* John D. Rockefeller(1839~1937)

1859년 조그만 회사를 세운 록펠러는 남북전쟁 중이던 1863년에 부업으로 정유소를 설립하고
석유만 퍼내면 뭘 해?
석유를 걸러야 쓸모가 있지!

뛰어난 사업 솜씨를 발휘하여 다른 회사를 흡수, 합병해나가

미국 내 모든 정유소의 95%를 지배하는 스탠더드 정유사의 주인이 되었어.
STANDARD
OIL COMAPNY

스탠더드 정유사는 트러스트의 대명사처럼 되어 거대기업들 횡포의 상징이기도 했지.

트러스트(TRUST)란 게 뭐냐고?
트러스트
"믿는다": Trust
자신의 주식을 특정인에게 믿고 맡김. 맡은 사람이 그 권리를 행사하는 것.

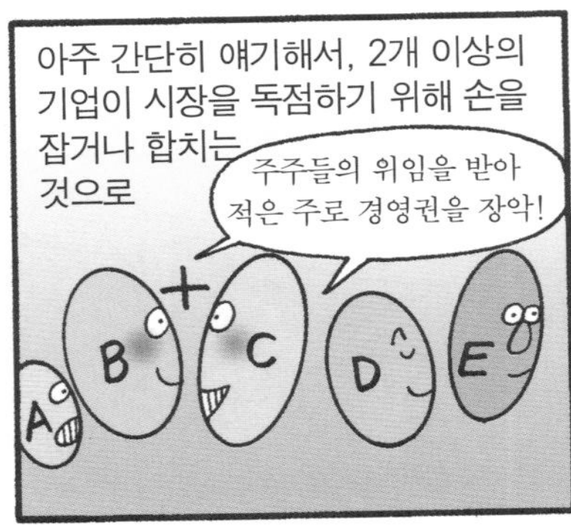
아주 간단히 얘기해서, 2개 이상의 기업이 시장을 독점하기 위해 손을 잡거나 합치는 것으로
주주들의 위임을 받아 적은 주로 경영권을 장악!
A
B
C
D
E

'기업합동' 이라고 해.
B+C
A
D
E

이들은 합쳐져 커진 몸통을 무기로 다른 경쟁자들을 시장에서 몰아내고
B+C
E
D
A
텅
텅

시장을 독점하여 멋대로 가격을 올리고 내리는 등
원가의 반도 안 되는 값인데?!
네가 얼마나 버티나 보자!
20 $
20$ 8$

자본주의의 가장 중요한 전제조건인 공정한 경쟁을 파괴해버리는 공룡 같은 존재여서
20$ 8$
20$ 8$ 2$

미국경제를 빈익빈 부익부로 양극화 시켜 결국에는 파탄인 대공황으로 이끈 장본인이기도 하지.
꽈
당
2$
40$

많은 기업들이 생겨나고 미국
경제가 눈부신 성장을 하면서
미국 경제
기업
기업
기업
기업

금융거래가 왕성해졌고, 뉴욕의
월 스트리트* 중심으로 금융업이
융성하자
Wall
Street
* Wall Street

J. P. 모건,* 오거스트 벨몬트 등의
거대 금융업자들이 등장하여
* John Pierpont Morgan(1837~1913)

금융기관간에도 트러스트가
횡행하여 흡수, 합병이 성행하는 등
은행
금융회사

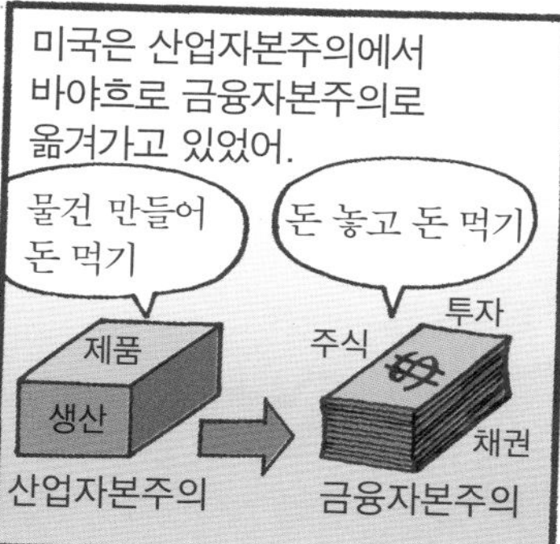
미국은 산업자본주의에서
바야흐로 금융자본주의로
옮겨가고 있었어.
물건 만들어
돈 먹기
돈 놓고 돈 먹기
제품
생산
주식
투자
채권
산업자본주의
금융자본주의

이때의 미국 연방정부의 방침은
완전한 자유방임주의로
물밑에서 뭐가
벌어지든…
세금
정부

'약육강식'의 원칙인 경제의 정글이
바로 미국이었지.
내 알 바 아냐.
세금

몇몇 주들은 트러스트를 금하기도
했지만
작은 고기의 씨를
말리겠다!

대부분의 주들은 오히려 세금을 더
거두기 위해 장려하는 형편이었다고.
트러스트
대기업
역시 큰 기업은
스케일이 달라!
세금

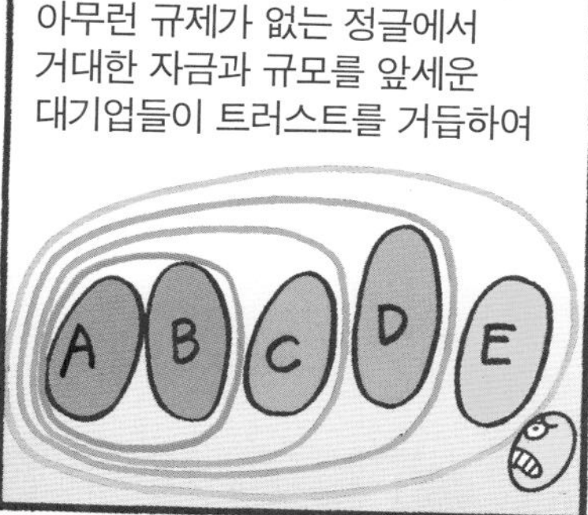
아무런 규제가 없는 정글에서
거대한 자금과 규모를 앞세운
대기업들이 트러스트를 거듭하여
A
B
C
D
E

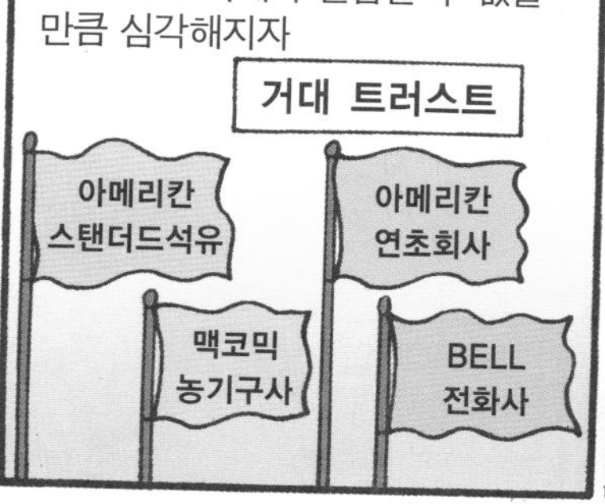
결국은 그 피해가 걷잡을 수 없을
만큼 심각해지자
거대 트러스트
아메리칸
스탠더드석유
아메리칸
연초회사
맥코믹
농기구사
BELL
전화사

연방정부는 독점을 금지해야 한다는
사실을 깨닫게 되었어.
이러다가는
거대 기업 몇몇
개만 남고
중소기업은
모조리 잡아
먹히겠다!

대기업의 시장 독점이 얼마나 심했는지 1912년 푸조위원회*가 낸 통계를 보면 알 수 있어.

J-P 모건사, 록펠러 산하 시티뱅크, 그리고 내셔널뱅크의 3개 그룹에서만 차지한 자리요!

3개 그룹 이사들이 차지한 자리

- 34개 은행 및 신탁회사의 118개 이사직
- 10개 보험회사 30개 이사직
- 24개 생산, 무역회사 63개 이사직
- 12개 공익사업체 25개 이사직

합계 222억 4,500만 달러 가치의 112개 회사의 341개 이사직

이러한 대기업의 횡포와 시장 독점을 막기 위해 드디어 1890년 셔먼 독점 금지법이 제정되었다.

셔먼 독점 금지법

Sherman Anti-Trust Act

* Pujo Committee

그러나 대기업들은 교묘하게 법망을 피해 시장독점을 계속했고

법

셔먼 독점 금지법 이래 정부와 기업 간의 고양이와 쥐의 게임이 끊임없이 거듭되었지만

1930년대 대공황이 닥치기 전까지 미국은 늑대가 우글대는 밀림 속과 다름없었지.

고양이가 잡을 의욕이 별로 없는데 쥐가 잡히겠나?

기업들은 자신들의 이익을 지키고 노동자들을 억누르기 위해 헌법까지 교묘하게 유리하게 이용했는데

헌법

그들이 가장 즐겨 내세운 헌법조항이 바로 수정헌법 제14조였어.

수정헌법 14조

제14조에는 이런 구절이 나와. 원문으로 한번 보자.

No State shall make any law which shall abridge …(생략)…… ;nor Shall any State deprive **any person** of life, liberty or property without due of law;

* 수정헌법: 원래의 헌법에 추가나 폐지, 수정 조항을 덧붙인 것.

이것을 우리말로 옮기면…

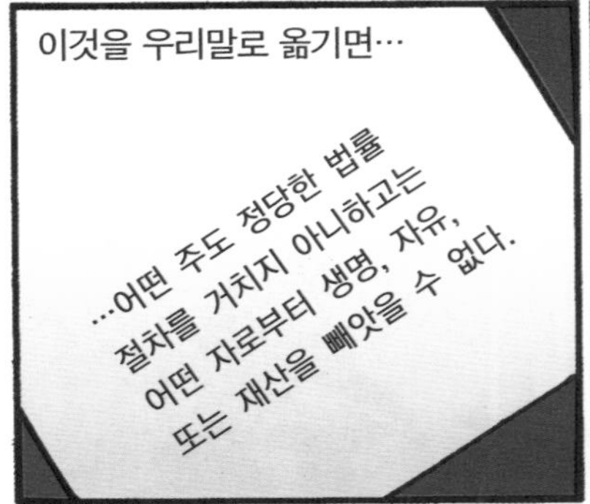

…어떤 주도 정당한 법률 절차를 거치지 아니하고는 어떤 자로부터 생명, 자유, 또는 재산을 빼앗을 수 없다.

이 구절의 '어떤 자'를 '어떤 기업'으로 바꾼다면?

어떤 자로부터

어떤 기업으로부터

자본가, 기업가들은 바로 이 수정헌법 제14조를 내세워 노동자를 억누르고 기업의 권익을 보호했어.

어떤 주도…
어떤 기업으로부터…
…**재산을 빼앗을 수 없다!**

가령 최저임금을 정하는 법
적어도 하루에 2달러는 줘야 한다.
우리 재산을 빼앗는 법이다!
정부
No!
14조

주민, 근로자의 건강과 인권을 보호하는 법
사고 막기 위해 시설을 고쳐라.
돈이 드니, 우리 재산을 빼앗는 법!
정부
No!
14조

그 밖에 기업에 불리한 230가지가 넘는 법들이 수정헌법 14조를 근거로 무효화될 만큼
이 법은 헌법에 어긋나므로 폐기한다!
땅 땅 땅
법원

미국은 고용주, 자본가의 천국이었고
USA

노동자들에겐 지옥과도 같은 사회였지.
HELP
USA

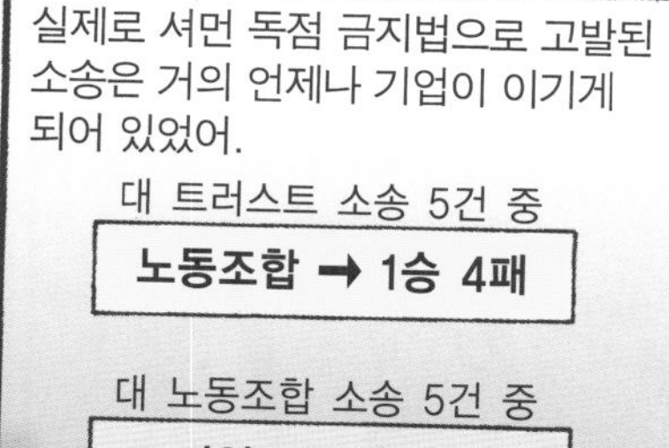
실제로 셔먼 독점 금지법으로 고발된 소송은 거의 언제나 기업이 이기게 되어 있었어.
대 트러스트 소송 5건 중
노동조합 ➜ 1승 4패
대 노동조합 소송 5건 중
기업 ➜ 4승 1패

정부는 기업가와 기업과 관련된 사람들이 요직을 차지한 기구였고
대기업 가문 대주주
공장소유 기업가
대기업 주주 동생이 기업가
A장관
B의원
C판사

그러다 보니 노동자의 편이 아니라 기업가, 자본가들 편이었지.
가재는 게 편!
기업이 흥해야 국가가…

힘없는 노동자들은 불리한 여건 속에 낮은 임금에 허덕였고
저임금
중노동

유일한 무기로 파업을 택했지만
와
임금인상
STRIKE
와
와

정부는 즉각 군대와 경찰을 출동시켜 폭력으로 강제진압 하는가 하면

기업들은 '핑커튼 요원' * 같은 전문 폭력배들을 동원하여 노동자들을 탄압했어.

* Pinkerton Detective Agency

이러한 와중에 힘없는 노동자들은 단결의 필요성을 뼈저리게 느꼈고
이렇게 당하고 있을 수만은 없다!
우리도 힘을 합쳐 투쟁하자!

드디어 노동자연합단체가 생겨나기 시작했지.
전국노동연합 (1866년 창립)

그 중 가장 큰 단체가 '고귀한 노동 기사단(1869~1890)' 으로
줄여서
노동기사단
Noble Order of the Knights of Labor
The Knights of Labor

필라델피아의 재단사들이 우리아 스티븐스*를 중심으로 만든 단체였어.

* Uriah S. Stephens

이 단체에는 자본가나 은행가를 제외하고 모든 노동자가 가입할 수 있었는데
NO!

술을 만들거나 파는 사람은 가입을 받아주지 않았다고.
인간을 사악하게 만드는 술을 다루는 사람들!

노동기사단의 목적은 기술에 관계없이 모든 노동에 같은 임금을 요구하고
기술에 귀천 없다!
노동은 모두 신성하다!
와
모든 노동에 동일임금
와

노동자와 기업가의 대립을 거부하고 협력을 강조하는
우리는 공동운명체!
협력
노동자
기업가
산업

이상주의적인 성격이 아주 강했어.
노동의 존엄함을 지키는 것이야 말로
우리들의 신성한 의무이다!
신성한 노동 = 기독교 정신

우리는 파업이 아닌 선전과 교육을 통해 우리의 이상을 실현해야 한다!
이크~ 귀여운 것들…

이 단체는 한때 회원이 70만 명에 이를 정도로 거대한 조직이 되었지만
노동 기사단
회원
700,000

1886년 시카고 헤이마켓 폭동 사건으로 큰 타격을 입고 1890년에 사실상 자취를 감추고 말았어.
Haymarket place
쾅

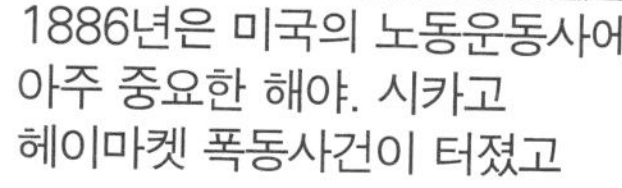
1886년은 미국의 노동운동사에
아주 중요한 해야. 시카고
헤이마켓 폭동사건이 터졌고

1886
미국노동운동
역사

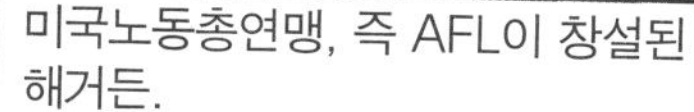
미국노동총연맹, 즉 AFL이 창설된
해거든.

AFL
American
Federation
of Labor
미국 노동
총연맹
(1886)

헤이마켓 사건이란 시카고의 헤이마켓 광장에서 1일 8시간 노동을 요구하며 노동자들이 시위를 벌이자

와 와 와
노동
기사단
1일
8시간
노동

이를 해산시키려던 경찰이 시위군중에
발포하여 여러 명이 죽었는데
타 타타 타 타탕

다음날 괴한들이 경찰에게 폭탄을 던져 7명의 경관이 죽고 60여 명이 다친 큰 사건이었어.

쾅

이 사건으로 시위를 주도한 노동기사단은 전국적인 여론의 비난에 밀려서 끝내 사라지고 말았지.

정부를 뒤엎으려는
폭력적 반국가
집단이다!

경관
사망
노동기사단 회원
시위중 폭탄

미국노동총연맹, 즉 AFL은 새무얼 곰퍼스*가 결성한 미국 최초이자 최대인 공식 노동조합이야.

* Samuel Gompers

처음에는 숙련공에게만 가입을 허용했고

노동에도
질이 있다.
견습공이나 일반
노동자는 자격 없다.
NO!

흑인과 여성에게도 문을 닫았지만
흑인 · 여성
금지

노동기사단처럼 이상을 좇는 것이
아니라 현실적인 문제 개선을 당면
과제로 삼는 실리추구
단체였어.
이상이 빵
먹여주냐?
이상
현실

이들의 목표는 단 세 가지뿐으로
임금
인상
근로시간
단축
근로조건
개선
이 세 가지 외엔
관심없다!

그 방법도 유럽의 노동운동처럼
과격하지 않고 온건했지.
고용주를 힘으로
굴복시키는 게
아니라
여론의 지지를 이끌어
어쩔 수 없이 개선
하도록 유도한다!
보수·온건

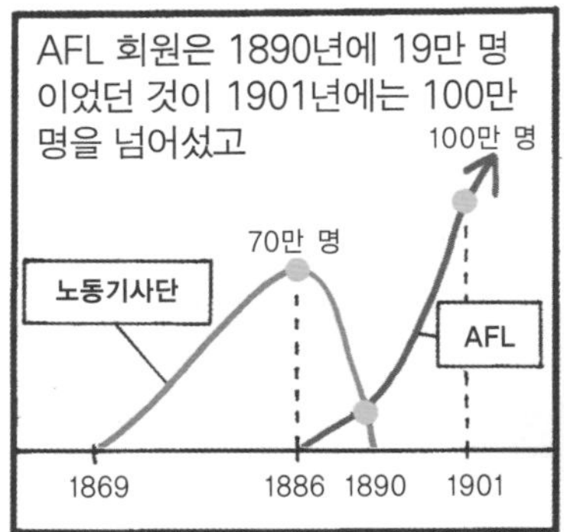
AFL 회원은 1890년에 19만 명 이었던 것이 1901년에는 100만 명을 넘어섰고
100만 명
70만 명
노동기사단
AFL
1869
1886
1890
1901

1914년에는 200만 명을 넘어서 오늘날까지 미국의 가장 강력한 노동조합으로 활약하고 있어.
AFL
AFL
AFL
AFL

19세기 말의 노동운동은 마르크스의 공산당선언 등 사회주의 성격이 강하여
자본가를 타도하고 노동자 계급이 독재하는 그날까지
세계의 노동자여, 단결하라!

전유럽이 폭력적인 시위와 유혈충돌로 전쟁터와 같은 소란에 휩쓸렸지만
부르주아 타도!
지주·자본가 축출하자!
와
와

AFL의 보수적인 노동운동은 미국의 노동운동이 급진적으로 흐르는 것을 막고
왜들 저런대?
우지끈
유럽

합리적이고 평화적이지만, 강력한 노동자들의 이익단체로 확고히 자리잡을 수 있었지.
때려 부수지 않고도 방법은 많은데….
AFL
쿵작쿵작

노동운동과 함께 19세기 말에 미국이 겪어야 했던 사회문제 중의 또 하나가 바로 '이민문제' 였어.

끊임없이 쏟아져 들어오는 이민들…

* 이민수속을 기다리는 이주자들(1902년 사진)

다양한 성분의 이민들은 미국을 신교도들의 나라에서 가톨릭교도와 유대인이 공존하는 사회로 바꾸어나갔다.
성모 마리아
이스라엘… 야훼….
알라~

이민붐은 19세기 말에 그 절정을 이루어 매년 100만 명 단위로 몰려 들어왔는데

낮은 임금도 마다 않는 이민들에게 일자리를 빼앗길까 두려운 노동자들은 이민에 반대했지만
이민반대!
이민 받지 마라!

고용주들은 대대적으로 환영했지.
WELCOME!
그래도 고국보단 높은 임금 이거든….

넘쳐나는 이민들과 가난한 노동자 가구들로 도시는 난민촌처럼 슬럼화되었고

부자들은 더러운 도심을 떠나 교외로 빠져나갔지.
도시는 더럽고 복잡하고….

도시는 점차 빈민굴로 변해가는 등 사회문제가 심각해졌어.

또 이민해 온 사람들은 같은 민족끼리 커뮤니티(공동체)를 만들어 모여 살아서
Little Italy
Jewish Town
China Town 中國人村

서로간에 상대를 멸시하는 풍조도 생겨났다.
WAB(웹) = 이탈리아계 이민
KIKE(카이크) = 유대인 이민

왜 유대인들을 카이크(KIKE) 라고 하지?
그들 이름이 대부분 키(Ki)로 끝나거든. 칸딘스키, 슈바로프스키.

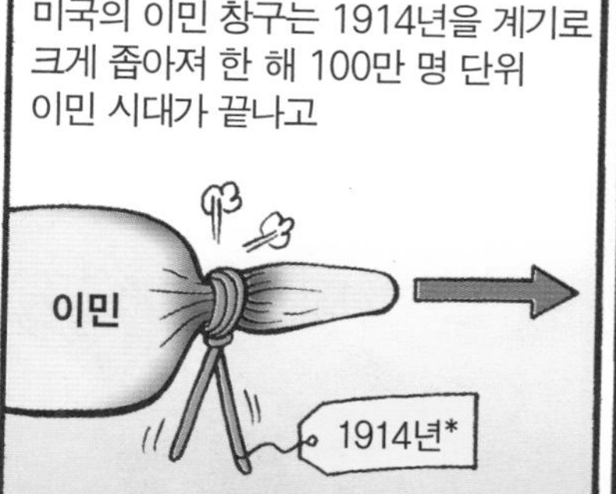
미국의 이민 창구는 1914년을 계기로 크게 좁아져 한 해 100만 명 단위 이민 시대가 끝나고
이민
1914년*

* 제1차 세계대전이 일어난 해

그 뒤로는 30만 명 이하로 크게 줄어들었지.
앗, 미국의 문턱이 갑자기 높아졌네.
이민국

신교도가 아닌 구교, 유대인, 심지어 이슬람교를 믿는 다양한 이민들이 몰려들어
잽스 Japs = 일본인
칭칭 Chinese =중국인들
곤니치와
니하오마?

미국을 다원화 사회로 변모시켜 나가자
1903년 첫 미국이민
= 하와이 사탕수수밭 노동자
한국인 이민
하와이

한동안 잠잠했던 KKK단이 다시 극성을 부리기 시작하는 등
백인의 순수성을 보호하고
미국을 이방 문화로부터 지키자!

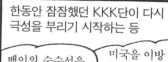

미국사회의 인종과 계급갈등은 더욱 복잡 미묘해지고, 차별도 노골화 되어갔어.
계급갈등
빈부갈등
인종갈등
종교갈등
문화갈등

1890년까지 미국은 결코 제국주의 국가가 아니었어.
IMPERIALISM
帝國主義

제국주의란 자신의 나라를 종주국으로 하여 해외의 여러 다른 나라를 정치, 경제, 군사, 문화적으로 굴복시켜
종속시키고

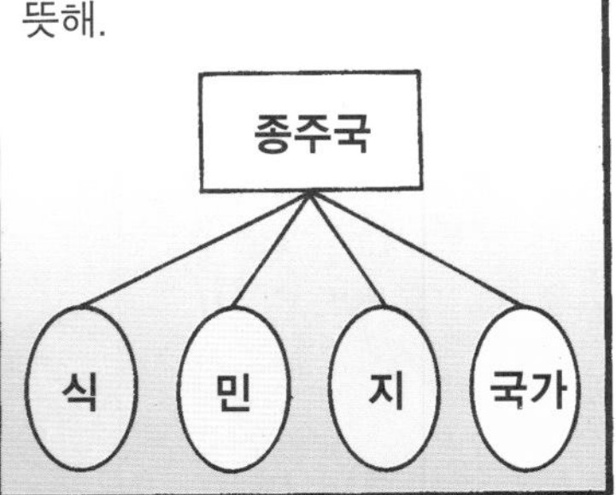
그 위에 군림하여 지배하는 것을 뜻해.
종주국
식
민
지
국가

19세기 말의 유럽 열강들은 한결같이 제국주의 정책으로
영국
프랑스
도이칠란트
러시아
이탈리아
네덜란드
벨기에

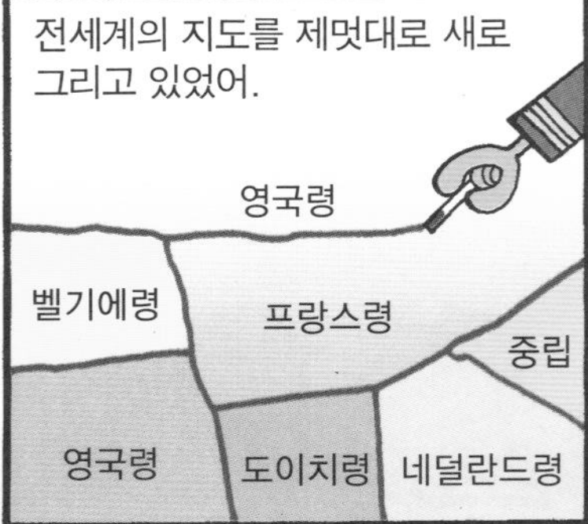
전세계의 지도를 제멋대로 새로 그리고 있었어.
영국령
벨기에령
프랑스령
중립
영국령
도이치령
네덜란드령

남북전쟁이 끝난 뒤의 미국은 북미대륙 내에 영토를 넓히는 문제에 집중하느라
우리땅

해외영토로 아직 눈을 돌리지는 않고 있었지.
휴우~ 이제 겨우 북미 대륙땅 다 먹어가네….
와삭 와삭 와삭
우리땅

그러나 유럽 열강들의 제국주의 정책과 해외로 영토를 팽창시켜 가는 현실은
와삭
식민지
와삭

미국으로 하여금 해외로 눈을 돌리지 않으면 안 되게끔 불안감을 돋우었지.
우리만 가만히 있다가는
유럽이 세계를 몽땅 들어먹겠네.

팽창하는 유럽의 세력으로부터 미국의 안전을 지키기 위해서라도 영토를 넓힐 데까지는 넓혀야 해!
유럽세력
아시아
태평양
미국

이런 의도에서 미국정부는 1853년 페리 제독을 파견하여

일본을 개국시키는 데 성공했던 거야.
어차피 중국 진출은 너무 늦었으니…
일본이라도 미리 건드려두자!
히 히 히

1861년에 남북전쟁이 터지자 프랑스는 멕시코를 보호령으로 만들었어.
딴 나라 집적거리지 못하게 도와줄게.
우지끈!
나폴레옹 3세
멕시코

전쟁이 끝나자 미국은 먼로독트린을 내세워 프랑스의 철수를 요구했고
아메리카 대륙에 얼씬거리지 말랬지?
그냥 나갈래, 맞고 나갈래?
먼로 독트린

이미 강대국으로 성장하는 미국을 상대로 전쟁을 치르기가 두려워진 프랑스는 1867년 멕시코를 떠났지.
아… 알았쪄!
가… 간다니까….
멕시코

같은 해 미국의 국무장관 슈어드*는 러시아로부터 720만 달러에 알래스카를 사들였어.
ALASKA
$

이 매매는 의회의 격렬한 반대와 조롱을 받았지만
슈어드의 냉장고!
슈어드의 바보짓!
그 따위 얼음덩이를 왜 사들여?

슈어드는 알래스카의 중요성을 설명, 승인을 받았다.
첫째, 북아메리카 대륙에서 러시아의 세력을 완전히 제거하는 것이고,
러시아
북아메리카

* William Henry Seward(1801~1872)

둘째, 알래스카와 미국 영토 사이에 캐나다를 끼워넣음으로써 북아메리카 대륙을 장악하려는 의도입니다!
알래스카
캐나다
미국
딴 맘 먹지 마!

1890년대로 들어서자 미국은 해외 영토, 즉 제국주의로 눈을 돌렸어.
자, 이젠 슬슬 밖으로 나가볼까?

이 흐름은 1893년 시카고 미국 역사회 모임에서 위스콘신 대학의 32세 교수 터너*의 연설에 잘 나타나 있지.
뉴프런티어!
New Frontier

* Frederick Jackson Turner

북아메리카, 미국의 모든 지역은 이미 탐사되고 개발되었습니다! 이제 서부가 프런티어(전방, 전선)였던 시대는 지났습니다.

우리에겐 새로운 목표물, 즉 '뉴프런티어'가 필요한 것입니다.

'뉴프런티어', 뒷날 미국의 35대 대통령 존 F. 케네디가 주창한 뉴프런티어 정신은 여기에서 유래된다.
NEW FRONTIER!

유럽의 강대국들뿐 아니라 미국도 해외로 눈을 돌리지 않을 수 없었던 것은

식민지
USA

대량생산 체제가 되어 국내 수요보다 훨씬 많은 상품이 쏟아져나오다 보니

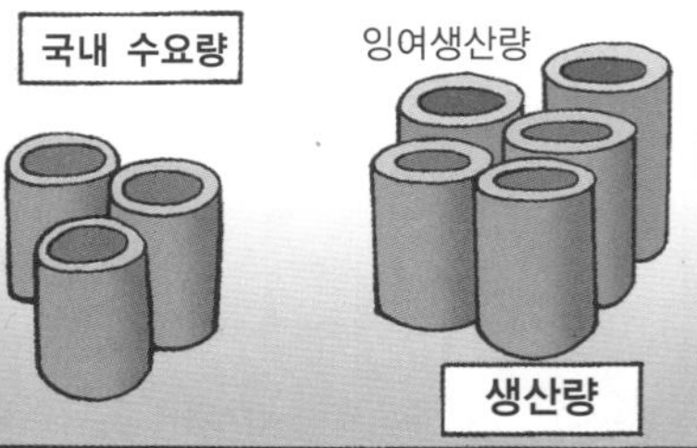
국내 수요량
잉여생산량
생산량

이를 팔 수 있는 해외시장을 확보하는 것이 절실해졌고

비싸게 사라!
사기 싫어도 사라!
USA

상품을 만들 수 있는 값싼 원료를 공급해줄 해외 영토가 필요했으며

싸게 팔아줘서 고마워!

강제로 빼앗아 가는 주제에….

원료

USA

엄청나게 쌓여 있는 잉여자본, 즉 노는 돈을 투자할 곳이 필요했기 때문이야.

식민지에 철도를 놓는 데 투자하자.
그 나라 운송권을 독점하면….

여기에 경제적인 부강을 바탕으로 강대국으로 성장한 미국의 자존심이 더해져

땅 따먹기 굿판에 우리가 빠질 수야 없지!

미국은 세계무대에서 서서히 오만한 모습을 보이기 시작했고

미국의 국경을 넘어 세계로 손을 뻗는 제국주의 대열에 동참하였던 거지.

USA

미국이 가장 먼저 '집어삼킨' 해외 영토가 바로 하와이.

아시아로 진출하는 데 가장 중요한 태평양 거점.
하와이 왕국

미국은 이미 1840년에 먼로독트린의 서쪽 한계를 하와이로 선포해놓았어.

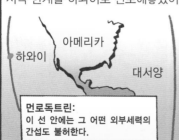

아메리카

하와이

대서양

먼로독트린:
이 선 안에는 그 어떤 외부세력의 간섭도 불허한다.

그 후 미국인과 미국자본이 대거 하와이에 진출하여 사탕수수 농장들을 소유하였고

미국정부는 1875년 하와이협정으로 하와이 설탕 수입에 특혜를 주었지.

미국 자본이 대거 진출해 있으니
하와이 설탕에는 관세를 면제해준다.
면세

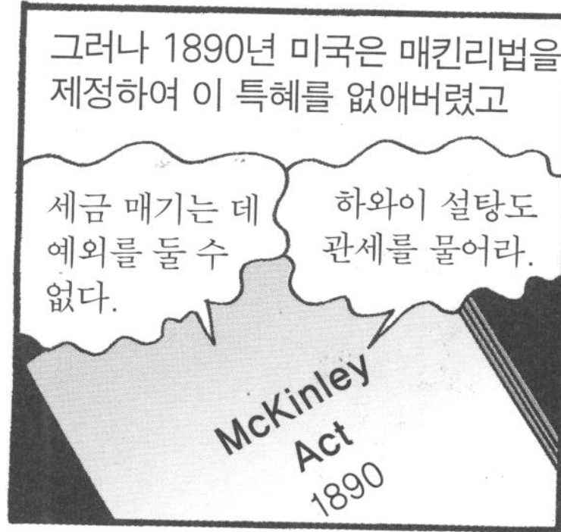
그러나 1890년 미국은 매킨리법을 제정하여 이 특혜를 없애버렸고
세금 매기는 데 예외를 둘 수 없다.
하와이 설탕도 관세를 물어라.
McKinley Act 1890

격분한 하와이 왕국의 여왕 릴리우오칼라니는 미국인의 권리를 박탈했지.
미국 자본을 몰수하고 사탕수수 농장을 국유화한다!

위기에 처한 미국인들은 하와이에 정박중인 미국 해군 함대에 도움을 요청,
HELP
USA Navy

미국 해군은 수병 150명으로 간단히 여왕을 몰아내고 하와이를 합병했어.
알로하오에

미국의 대표적인 침략 전쟁의 성격을 띤 것이 바로 1898년에 일어난 에스파냐와의 전쟁이었다.

1895년 쿠바가 에스파냐로부터 독립을 요구하며 전쟁이 터졌어.
독립만세
에스파냐 꺼져라!!
탕
쿠바

당시 쿠바는 종주국 에스파냐보다 미국과 더 많은 교역을 하고 있었는데
미국은 가까운 이웃, 본국보다 더 중요한 파트너!
쿠바

쿠바 독립전쟁이 3년 이상 계속되자 미국은 미국인과 미국시설을 보호한다는 명목으로
전쟁이 오래가니 우리 재산과 시민을 보호해야겠다.
U.S.S. Maine

1898년 초 메인호를 쿠바로 파견했지.
U.S.S. Maine

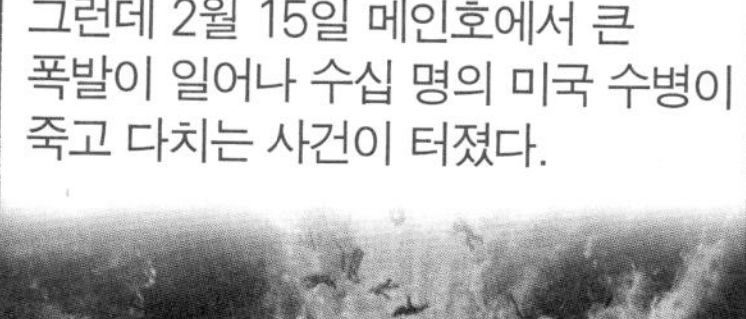
그런데 2월 15일 메인호에서 큰 폭발이 일어나 수십 명의 미국 수병이 죽고 다치는 사건이 터졌다.

미국은 이것을 에스파냐가 저지른 짓으로 단정하고 전쟁을 시작했어.
와
메인호를 잊지 말자!
와
MAINE EXPLS

그러나 1976년 조사에서 이 폭발은 에스파냐가 저지른 게 아니라 보일러실이 폭발한 것으로 밝혀졌지.
메인호 폭발사고는 미국의 자작극.

6개월간의 에스파냐와의 전쟁을 미국인들은 역사에 '소풍과도 같은 전쟁' 이었다고 기록하고 있어.

War Like a Picnic
1898

그만큼 애초부터 게임이 되지 않은 경기였고 미국의 승리가 너무도 당연한 전쟁이었던 거지.

본국이 너무 멀다~

전쟁은 간단히 끝났지만 미국이 거두어들인 전리품은 대단한 것이었어.

전리품

미군이 쿠바를 장악함으로써 사실상 쿠바를 챙긴 것과 다름없었고

쿠바

미국은 푸에르토리코를 점령했는데

미국 땅!
푸에르토리코

괌, 사모아를 차지할 수 있게 된 거야.

1898년에 미국이 집어먹은 섬
GUAM
괌
4박5일
$825,000
SAMOA
사모아
3박4일
$579,000

에스파냐와의 전쟁에서 이긴 승리의 대가로 미국이 얻은 최고의 전리품은 바로 필리핀이었지.

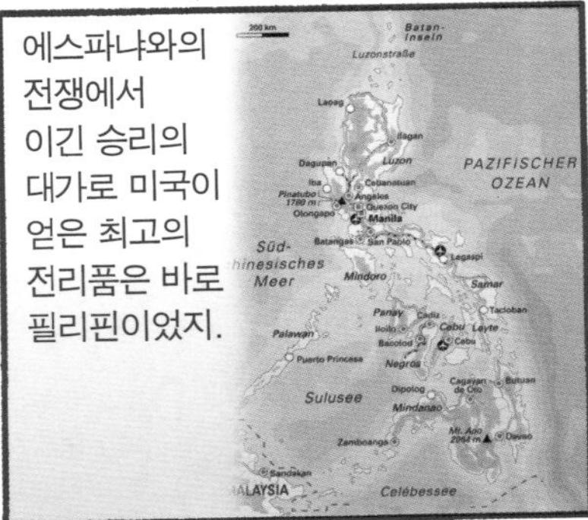
PAZIFISCHER OZEAN
Luzon
Manila
Mindoro
Samar
Panay
Negros
Palawan
Mindanao
Sulusee
Celebessee

1898년 12월 파리조약에서 미국은 2,000만 달러에 필리핀을 에스파냐로부터 할양받았어.

싸게 주는 거야.
이 금액이나마 고마워하라구!
필리핀

그러나 아시아에 자리잡은 필리핀에 미국이 진출하는 것을 강대국으로 발돋움한 일본이 그냥 둘 리 없었고

미국이 너무 뻗어간다!

1905년 일본의 가쓰라 수상과 미국의 태프트 국무장관은 밀약을 맺고(가쓰라 - 태프트 밀약)

이 밀약으로 한반도가 일본에게 넘겨졌는데

일본은 만주에 욕심내지 말고 조선으로 만족하라. 눈감아주겠다.
대신에 일본은 미국의 필리핀 합병을 묵인하겠다.
비밀 합의서

1920년에 이 밀약문서가 공개되지 않았더라면 영원한 비밀에 묻힐 뻔했어.

강자들의 더러운 밀실거래!

미국이 세계를 무대로 활약하기 위해서 꼭 필요한 것이 하나 있었어.

그것은 바로 파나마운하였다!

* 파나마운하 공사 장면

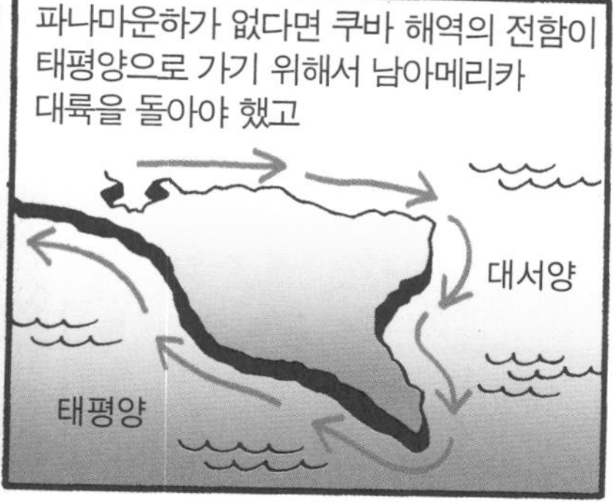
파나마운하가 없다면 쿠바 해역의 전함이 태평양으로 가기 위해서 남아메리카 대륙을 돌아야 했고
대서양
태평양

그 돌아가는 거리가 4만km에 달하였으니
함대 지원이 필요하다!
3개월만 기다려라!
미국
태평양
대서양

그 엄청난 시간과 물자의 낭비란 이루 말할 수 없는 것이었고
함대가 도착하였는가?
도착해보니 이미 두 달 전에 상황 끝이었습니다.

이 문제가 해결되지 않으면 미국의 군사력이 대서양과 태평양으로 분산될 수밖에 없었지.
군사력

1901년, 루스벨트 대통령은 파나마 지역을 소유한 컬럼비아와 협상을 했으나
운하 양쪽 10km씩만 할양해주면
매년 25만 달러와 보상금 1000만 달러를 주겠소.
10km
10km

컬럼비아 측의 요구가 너무 커 별 진전이 없었어.
그걸로는 택도 없지.
우린 아쉬울 거 없으니 액수를 더 높여 제시해보시오.

때맞춰 파나마 지역에서 반란이 일어났다.

미국은 즉각 개입하여 컬럼비아군의 접근을 막고는
STOP!

파나마를 독립국으로 인정해주는 대가로 운하 개발권을 얻어내었고 1914년 8월 15일 파나마운하가 개통됨으로써 태평양과 대서양이 이어지게 된 거야.

* 1903년에 완성된 파나마운하 계획표

1911년, 멕시코에 쿠데타가 일어나 국내정치가 어수선해지고 독재 정권이 등장하자

28대 우드로 윌슨 대통령은 정의와 인권을 내세워 멕시코 독재정권 승인을 거부하였다.
인권!

이는 토머스 제퍼슨 이래 미국외교의 원칙이었던 실리외교를 벗어난 것을 의미하며
갑자기 웬 인권?
미국은 이제 억압받는 세계를 해방시킬 의무가 있다!

어떤 적도 더 이상 두려워할 것 없다는 미국의 자부심을 드러낸 거야.
많이 컸네….

멕시코 정치가 점점 어지러워져

1914년 멕시코 정부가 미국 선원들을 체포하는 등 '반미' 성격을 분명히 하자

미국은 멕시코 국경을 넘어 군대를 파견했지.

* 당시의 풍자만화

이것은 선전포고나 다름없고 분명한 영토침범이자 멕시코 주권 침해였지만
얘네들 좀 보래요!

미국과의 전쟁까지 각오하며 도와줄 나라는 아무도 없었어.
HELP!
조용~
유럽

미국의 멕시코 내정간섭은 아메리카 대륙에서 미국이 맹주임을 과시한 것이었고
우두둑
US
아메리카 대륙

중남미에서 미국에 적대적인 정권은 용납하지 않겠다는 미국의 정책을 처음으로 분명히 한 사건이었으며

인권을 앞세웠으나 미국의 분명한 제국주의, 패권주의는 중남미에 반미 감정을 심는 계기가 되었어.
미국은 싫다!
그러나 미국을 당해낼 힘이 없다….

6

세계 최강의 부자나라가 빈털털이 나라로

제1차 세계대전과 대공황

1914
Zeichnet die Sechste
Kriegsanleihe

1

BRITAIN·NEEDS
YOU·AT·ONCE

2

I WANT YOU
FOR U.S. ARMY
NEAREST RECRUITING STATION

3

1차 대전 당시 각국의 모병 포스터들

1. 도이칠란트/오스트리아 · 2. 영국 기독교 국가의 전쟁 수호 성자인 성 조지가 기사가 되어 악의 화신인 용과 싸우고 있다.
3. 미국 1812년 영국과의 전쟁 때부터 유래된 미국의 상징 엉클 샘(Uncle Sam)이 군에 입대할 것을 권유하고 있다. 제임스 몽고메리 플랙의 작품으로 군 역사상 가장 유명한 모병 포스터 중의 하나로 뽑힌다.

1914년 6월 28일, 세르비아의 수도 사라예보에 두 발의 총성이 울렸다.

탕
이탈리아
사라예보
아드리아해
탕

이 총성은 인류 최대 비극의 하나인 제1차 세계대전의 개막을 알리는 것이었어.
WORLD WAR I

오스트리아 - 헝가리 제국의 황태자 프란츠 페르디난트 대공 부부가

세르비아 독립운동에 가담한 어느 대학생이 쏜 총탄에 맞아 그 자리에서 목숨을 잃은 사건이었지.

한 달 뒤 오스트리아 - 헝가리는 세르비아에 선전포고했고,
전쟁이다!
오스트리아-헝가리

그 뒤를 이어 도이칠란트가 전쟁에 뛰어들었으며
우리도!

이에 대항해 프랑스, 영국, 러시아 등도 선전포고하여

영국
프랑스
오스트리아
도이칠란트
이탈리아
러시아

전 유럽 대륙이 전쟁의 포연으로 휩싸이게 되었으니
쾅
쾅
쾅

이것이 바로 제1차 세계대전이었어.
1914-1919
THE GREAT WAR

1천만 명에 이르는 전사자를 낸 이 참혹한 전쟁은 왜 일어난 것일까?

세계를 무대로 식민지를 넓혀가던 제국주의 열강 유럽국가들이

늙고 허약해진 과거 대제국의 영토에 진출하기 위한 제국주의 국가들간의 충돌이었지.
오스트리아 제국
오스만 투르크 제국
영토

1900년 초 세계정세는 영국, 프랑스 등 서구 강대국들이 아프리카, 아시아 대륙에 진출하여

자기들 멋대로 식민지로 삼고 나서 더 이상 진출할 곳이 마땅치 않자

동유럽, 중동을 차지하고 있던 오스트리아 제국과 오스만 투르크 제국의 영토를 넘보기 시작했어.
오스트리아 제국
흑해
이탈리아
발칸
반도
오스만
투르크 제국

이에 비해 1871년에야 통일을 이룩한 도이치 제국이나 1870년에 통일된 이탈리아 왕국은 새로운 제국주의 대열에 합류했지만

* 베르사유 궁전 거울의 방에서 도이치 제2제국을 선포하는 장면(1871년 1월 18일)

이미 영국, 프랑스가 다 차지해버려 그들이 침략할 곳이 거의 남아 있지 않았던 거야.
몽땅 깃발 꽂아놨구나…!

또 러시아는 러시아대로 발칸반도의 슬라브 민족들을 규합하여
범슬라브 주의
슬라브 민족 이리 모여라!
발칸반도

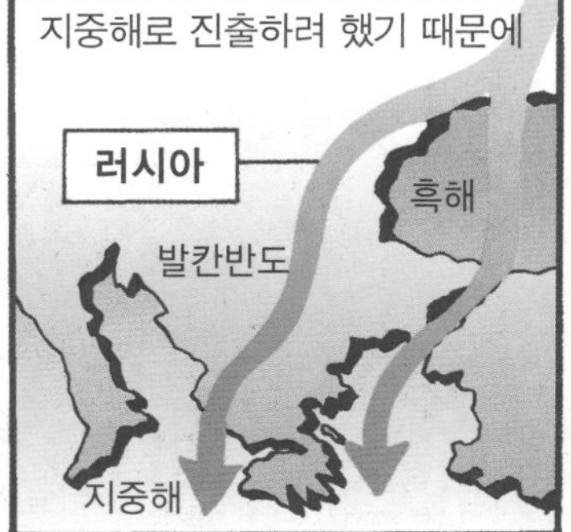
지중해로 진출하려 했기 때문에
러시아
흑해
발칸반도
지중해

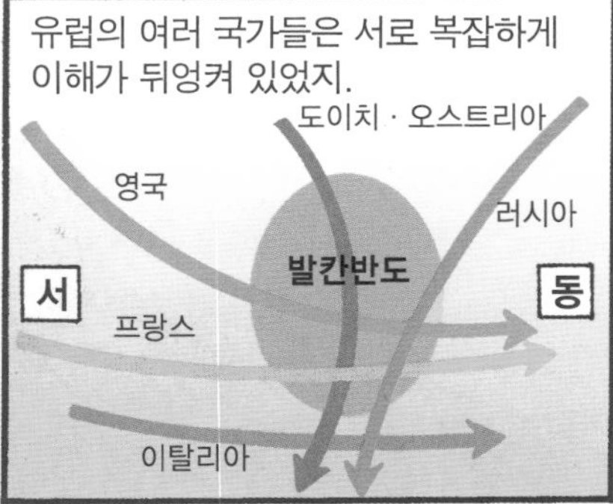
유럽의 여러 국가들은 서로 복잡하게 이해가 뒤엉켜 있었지.
도이치 · 오스트리아
영국
러시아
서
발칸반도
동
프랑스
이탈리아

결국 영국, 프랑스, 러시아는 3국 협상*을 맺어 동맹관계가 되었고
오스트리아, 투르크 제국의
영토를 뺏어 먹자!

도이칠란트, 이탈리아, 오스트리아는 '3국동맹'을 맺어
영국, 프랑스의 세계독점을 부수고
러시아 진출을 막자!
三國同盟
DREIBUND

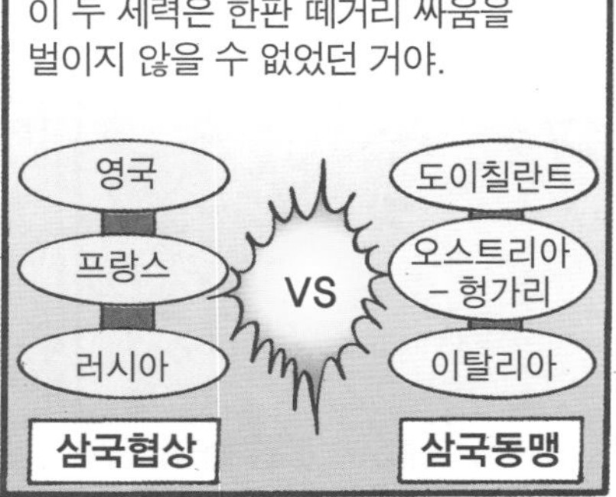
이 두 세력은 한판 떼거리 싸움을 벌이지 않을 수 없었던 거야.
영국
프랑스
러시아
VS
도이칠란트
오스트리아 – 헝가리
이탈리아
삼국협상
삼국동맹

* Triple Entente

제1차 세계대전이 무려 5년이나 갈 것이라곤 아무도 생각 못했지.
남북전쟁이 4년 갈 것이라고 생각지 않았듯…

3국협상 측이나, 3국동맹 측이나
약소민족을 착취하는 오스트리아와 오스만 투르크 제국을 응징하자!
와
와

서로 정당방위라는 선전에 각 나라 젊은이들은 앞을 다투어 전장으로 달려갔어.
우리 영토를 넘보는 침략자들
영국, 프랑스, 러시아를 막아내자!!
와
와

비행기, 탱크 등 첨단 신병기와 대량 살상무기가 등장한 이 전쟁은 과거와 다른 대량학살 전쟁이었다.
또 독가스 등 화학무기까지 투입되어 전쟁의 양상은 잔인하고 참혹하기 그지없었지.
마른(Marne), 솜(Somme), 베르됭(Verdun) 전투 등은 쌍방이 수십만의 전사자를 낸 비참한 현대 전쟁의 현실을 인류에게 일깨워준 싸움이었어.
특히 솜 전투에서는 영국군에서 단 하루에 1만 9,000명의 전사자와 4만 1,000명의 부상자가 나기도 했으니 얼마나 처참한 전쟁이었는지 짐작이 가겠지?

전쟁이 일어날 당시 미국의 상황은 어떠했는가?
재들 또 싸워?
쾅
쾅
미국

1912년 대통령 선거에서 공화당이 분열되는 바람에
윌리엄 H. 태프트 후보
T. 루스벨트 후보
공 화
당(진보당)

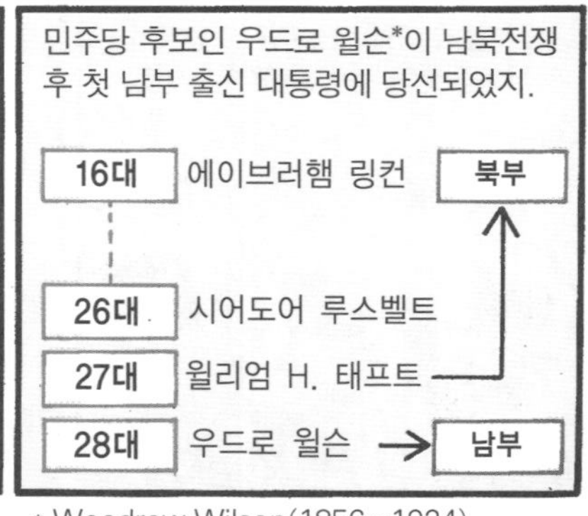
민주당 후보인 우드로 윌슨*이 남북전쟁 후 첫 남부 출신 대통령에 당선되었지.
16대 에이브러햄 링컨 북부
26대 시어도어 루스벨트
27대 윌리엄 H. 태프트
28대 우드로 윌슨 남부

* Woodrow Wilson(1856~1924)

공화당의 분열로 의회까지도
민주당이 과반수를 차지하게 되어
민주당
공화당
진보당

윌슨은 민주당이 주도하는 상 · 하원의
지원까지 얻게 됨으로써
* 1913년 3월 초 윌슨의 대통령 취임식 장면

인권과 민주주의를 세계에 뿌리 내린다는 '새로운 자유(New Freedom)' 이념을 소신껏 떨칠 수 있었어.
NEW FREEDOM
자유, 정의,
민주, 인권

그는 이상주의자였고, 새롭게 떠오른 강대국 미국에 대한 자부심이 높은 지도자였지.
위대한 아메리카!

기업가 편에 서 있는 공화당과 달리 민주당은 서민, 노동자를 보호한다고 했지만
기업가 · 부유층
노동자 · 서민층
공화당
민주당

윌슨은 결코 노동자에게 우호적이지 않았으며
노동자는 노동자 다워야 합니다.
지나친 요구를 해서는 안 됩니다!

노동조합에 부드러운 대통령도 아니었고
노동 조합

대중적 인기에 영합하는 포퓰리스트를 경멸하던 '귀족적인' 대통령이었어.
대중의 눈치를 보다니…
그것이 과연 지도자가 가져야 할 태도인가?!

그는 인종은 섞여서는 안 되고 분리되어야 한다고 믿었고
WHITE ONLY!
흑인금지

여성에게 정치에 참여할 권리를 주어야 한다는 데 반대했지만
정치는 남자들의 몫이오!

민주주의 이념을 세계에 전파하는 게 미국의 숭고한 의무라고 굳게 믿어
DEMOCRACY

중남미 내정문제에 깊이 간섭하여 주권침해로 반미감정을 유발시킨 대통령이었지.
감놔라, 대추놔라!
USA

멕시코 국경을 넘어 미군을 파병해
벌어진 멕시코 내정간섭 문제도

제1차 세계대전이 터지는 바람에
흐지부지되어 버렸지만

윌슨의 '도덕외교'는 남미국가들에겐 오만하고 일방적인 '폭력외교'로 보였겠지.
MORAL! 도덕과 인권!
너희나 찾아라!

어쨌든 1차 대전은 유럽의 전쟁이었고
미국인에게는 강 건너 불이자
쾅
콰쾅
쾅
미국

'흥미진진한' 영화나 다름없는
남들의 전쟁이었고
흠, 양쪽이 계속 밀고 밀린다고?

미국은 애시당초 이 전쟁에 끼어들
꿈도 꾸지 않은 중립이었어.
까마귀 싸우는 골에 백로야 가지마라…

전쟁이 터진 직후 1914년 8월 19일 윌슨 대통령은 의회연설에서 미국의 중립을 강조했을 정도야.

미국은 엄정한 중립을 지킨다!

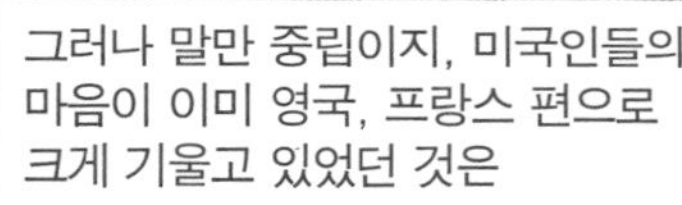
그러나 말만 중립이지, 미국인들의
마음이 이미 영국, 프랑스 편으로
크게 기울고 있었던 것은

험!
영국·프랑스
중립
도이칠란트

미국이란 나라 자체가 제임스타운을
비롯하여 영국인들이 건너와 그
후손들이 세운
것이고
우리의 본국
제임스 타운

독립전쟁 당시 프랑스가 도와주었던
사실을 잊지 않고 있었기 때문이야.
미국

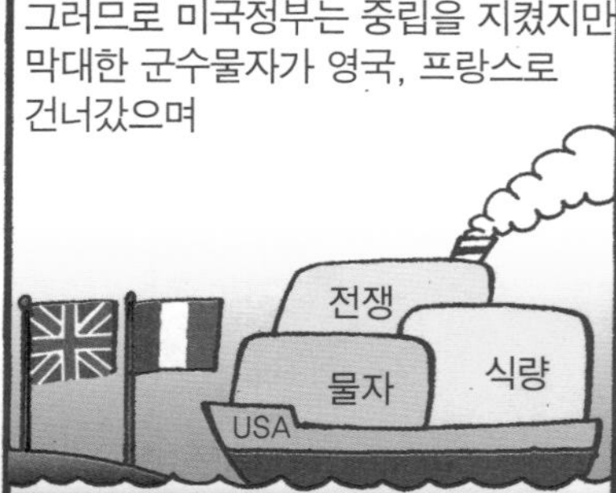
그러므로 미국정부는 중립을 지켰지만
막대한 군수물자가 영국, 프랑스로
건너갔으며
전쟁
물자
식량
USA

이는 즉각 거대한 액수의 달러로
되돌아와 미국인들의 주머니를
채워주었어.
$

전쟁이 격렬해질수록 미국의 영국, 프랑스로의 수출은 상상을 초월할 만큼 늘어갔고
수출
수출
USA
USA

주체할 수 없을 만큼 쏟아져 들어오는 돈은 미국 경기를 최대로 상승시켜

임금과 물가가 오르고, 주식값은 천정부지로 치솟았으며
돈을 주체하지 못하겠다.

사치품이 거리의 가게를 가득 채우고, 곳곳에 술과 음악이 넘쳐 흐르는 등
BAR

전쟁특수 호경기에 미국은 계속 즐거운 비명을 지르고 있었어.
쾅
너의 불행은 나의 행복
유럽
쾅
USA

이는 일본도 마찬가지여서 영국, 프랑스와 한편이 되었던 덕에
제1차 대전 참전!
영 · 일동맹

전쟁 치르느라 도이칠란트가 미처 신경쓰지 못하는 아시아의 점령지를 일본이 차지하고
도이칠란트

전쟁물자를 수출하여 벼락부자가 쏟아져 나왔는데
유럽으로, 연합국으로
물자
전쟁
日本丸

이런 사람들을 '나리킨(成金)' 이라 부르는 새로운 말까지 생길정도였지.
나리킨 (벼락부자)

전세가 불리해지자 도이치군은 잠수함을 동원하여 영국해안을 봉쇄하고
잠수함 도이치 봉쇄망
아일랜드
영국

영국 접근 선박에 무제한 공격을 선언했어.
국적을 묻지 않고 영국으로 가는 배는 무제한 공격, 격침시킬 것이다!!

이에 미국이 가만 있을 수 없었겠지?
미국 선박이 공격을 받으면 그냥 두지 않겠다!!

1915년 5월 루시타니아호가 도이치 잠수함의 공격으로 침몰되어
The New York Times.
EXTRA
NIA SUNK BY A SUBMARINE, PROBABLY 1,260 DEAD;
TORPEDOED OFF IRISH COAST; SINKS IN 15 MINUTES;
T. TURNER SAVED, FROHMAN AND VANDERBILT MISSING;
ASHINGTON BELIEVES THAT A GRAVE CRISIS IS AT HAND
NOTICE!

124명의 미국인 승객이 목숨을 잃으면서 미국이 참전해야 한다는 소리가 높아졌으나
미국은 당하고만 있을 셈인가?!
루시타니아호의 원한을 갚자!

윌슨은 또다시 경고로만 그쳤지.
유럽의 전쟁에 끼어들어
인명과 물자를 허비하고 싶지 않다!

그런데 1917년 2월, 치머만* 전보 사건이 터졌어.
각하, 특보입니다!

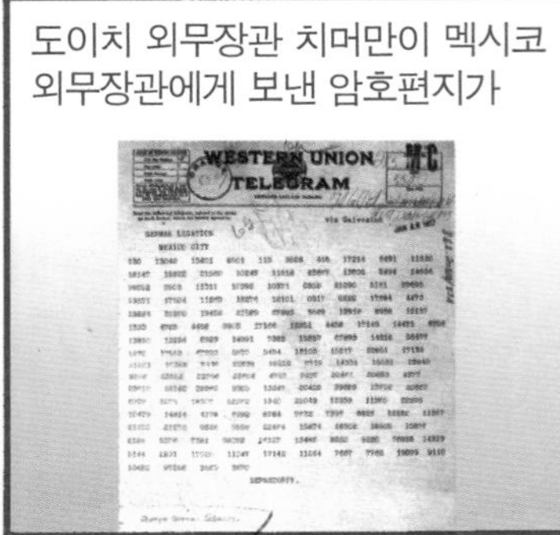
도이치 외무장관 치머만이 멕시코 외무장관에게 보낸 암호편지가
WESTERN UNION
TELEGRAM

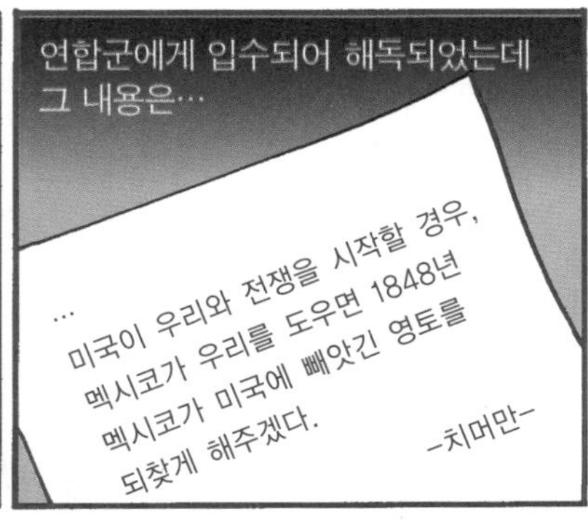
연합군에게 입수되어 해독되었는데 그 내용은…
… 미국이 우리와 전쟁을 시작할 경우, 멕시코가 우리를 도우면 1848년 멕시코가 미국에 빼앗긴 영토를 되찾게 해주겠다.
-치머만-

* Arthur Zimmermann(1854~1940)

1848년에 빼앗긴 영토라면…
캘리포니아, 네바다, 유타, 애리조나, 뉴멕시코 등등

미국 전체 영토의 3분의 1이나 되는 방대한 넓이인데
도이치 녀석들 그냥 둘 수 없다!

미국은 도이칠란트를 응징하라!
미국은 전쟁에 참여해야 한다!
와
와
와

참전요구가 날로 거세지던 판에 또다시 3척의 미국배가 잠수함 공격으로 침몰되니
쾅

여론에 떠밀린 윌슨 대통령은 재선 취임 직후인 1917년 4월 2일, 미국의 참전을 선언한다.
미국은 이 전쟁에 나설 수밖에 없다!

세계의 민주주의를 수호하기 위하여!
The world must be made safe for democracy!

1917년 제1차 세계대전 참전 당시, 미국의 정규군은 고작 22만 명, 주방위군 45만 명밖에 되지 않았다.

모두 70만 명도 안 돼?
우리야 전쟁할 일 없었으니까.

그러나 미국은 징병제를 시행하여

징집영장이오.

1차 대전 중 200만 명 규모의 군사를 파병했고, 11만여 명의 사망자를 냈어.

파병 2,000,000명
전사 53,000명
질병 등 사망 63,000명

전쟁이 끝날 즈음 미군은 육해군을 합쳐 500만 명 규모로 성장, 세계 최강의 군대가 되었지.

5,000,000 대군

미국이 가담하면서 전세는 연합군 측에 크게 유리해졌지만

슬슬 꽁무니 빼자!
이탈리아
미국
영국
프랑스
도이칠란트

그해 11월, 러시아에 혁명이 일어나 공산당이 집권하면서

도이칠란트와 단독으로 휴전을 하여 도이치군은 모든 힘을 서쪽으로 쏟을 수 있게 되었어.

서부전선으로 총력을 집중하라!

그러나 워낙 막강한 미군의 지원을 업은 연합군에

너희들이 미국의 물자공세를 당할 수 있을 것 같니?

도이치군은 점점 밀리면서 패색이 완연해졌지.

1918년 2월, 윌슨 대통령은 전후 세계질서에 대한 그의 구상인 '14개조 원칙'을 발표했는데 그 핵심은 비밀외교 폐지, 민족자결주의,

윌슨의 14개조

1. 비밀외교의 폐지
2. 공해(公海)의 자유
3. 경제장벽 철폐
4. 군비축소
5. 식민지 문제의 공정한 해결
6. 러시아 내정문제의 자주적 해결
7. 벨기에 영토회복
8. 알자스, 로렌 지방 프랑스로 반환
9. 이탈리아 국경 재조정
10. 오스트리아-헝가리 제국 민족자결주의
11. 발칸 제국 영토보전
12. 오스만 투르크 제국 민족자결주의
13. 폴란드의 독립
14. 국제연맹 창설

그리고 국제연맹의 창설이었어.

세계의 모든 나라가 한데 모여 머리를 맞대고 대화하면
이 세상에서 전쟁은 사라질 것이다!

1918년 11월, 도이치 항구 킬*에서 수병들의 폭동으로 시작된 혁명은
쾅
더 이상 피를 흘리게 하지 마라!
전쟁을 끝내라!
쾅

황제 빌헬름 2세를 해외로 추방하고, 임시정부가 세워져 11월 11일 연합국과 휴전조약에 서명함으로써

5년에 걸친 제국주의 전쟁은 연합국의 승리로 막을 내렸지.
우리도 승전국!

* Kiel

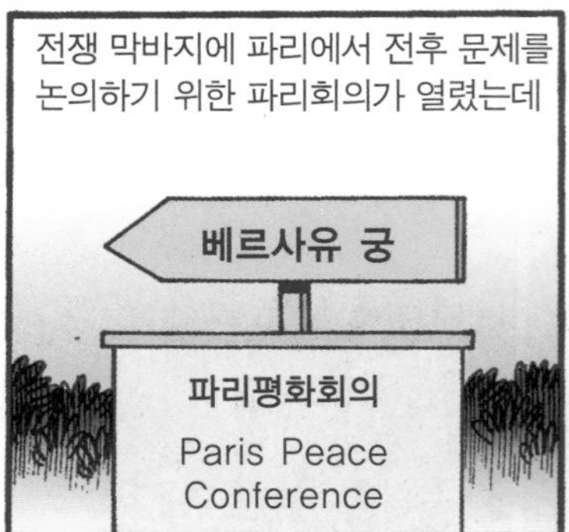
전쟁 막바지에 파리에서 전후 문제를 논의하기 위한 파리회의가 열렸는데
베르사유 궁
파리평화회의
Paris Peace Conference

윌슨 대통령은 이 회의에 참가하려 하였으나 의회가 반대했다.
아직 대통령이 임기 중에 해외에 나간 적이 없소.

이유는 파리회의의 참가단에 의회 다수를 차지한 공화당 측 인사가 한 명도 없었기 때문이지.
이거 순 민주당끼리 잔치하겠다고?
외교까지 대통령이 의회 무시하고 주무르려고?

그러나 윌슨은 반대를 무릅쓰고 파리에 갔고 영웅으로 열렬한 환영을 받았어.
우리를 구원한 미국의 대통령!
와와
와

윌슨이 파리평화회의에서 주장한 것은 '승리 없는 평화'였지.
이 전쟁에서 승자와 패자를 가르지 맙시다.

승패를 가르고 승자가 패자를 핍박하면, 패자는 반드시 복수를 꿈꿉니다. 이렇게 되면 전쟁은 사라지지 않습니다.

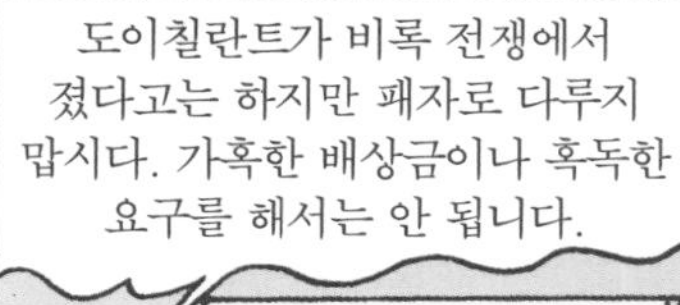
도이칠란트가 비록 전쟁에서 졌다고는 하지만 패자로 다루지 맙시다. 가혹한 배상금이나 혹독한 요구를 해서는 안 됩니다.

승리없는 평화
Peace without victory
양보와 타협

당신은 우리가 당한 끔찍한 일들을 모르고 있습니다.
도이칠란트가 우리에게 무슨 짓을 했는지 아시오?

도이칠란트는 분명한 패자이고 패자는 그 대가를 치루어야 합니다. 전쟁 배상금을 물고 영토를 내놓아야 합니다!!

* 왼쪽부터 영국 · 이탈리아 · 프랑스 수상, 윌슨

결국 윌슨은 연합국의 가혹한 조건을 막지 못했고 베르사유 조약은 조인 되었다.
전범 도이칠란트를 박살내자!
Treaty of Versailles

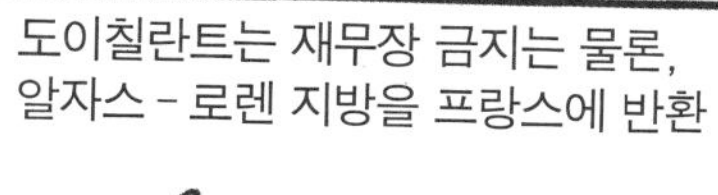
도이칠란트는 재무장 금지는 물론, 알자스 - 로렌 지방을 프랑스에 반환

재무장 금지
알자스 로렌

그리고 320억 달러의 천문학적인 전쟁보상금을 물게 되었어.
아예 죽으라고 하지….
보상금
$
32,000,000,000

이런 혹독한 보복은 결국 나치의 등장과 제2차 세계대전의 원인이 되었지.
재무장
베르사유조약

비록 도이칠란트에 대한 가혹한 징벌은 막지 못했지만
베르사유 조약

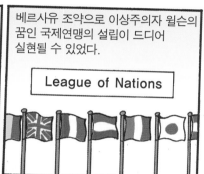

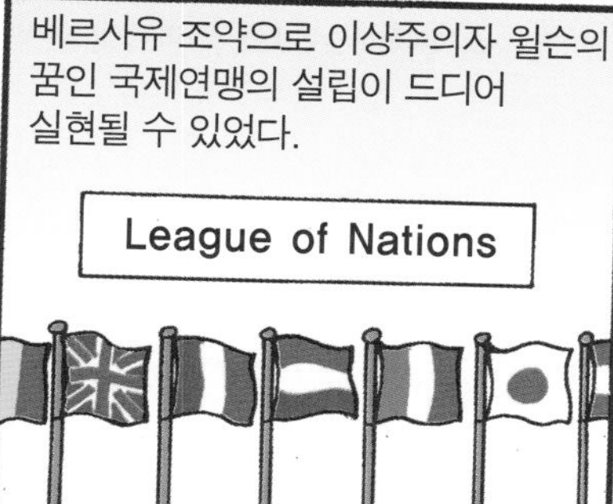
베르사유 조약으로 이상주의자 윌슨의 꿈인 국제연맹의 설립이 드디어 실현될 수 있었다.
League of Nations

국제연맹의 설립은 국제사회에서 벌어지는 모든 분쟁을

폭력, 전쟁 대신 대화와 타협으로 해결하여
국제연맹에서 해결하자!
좋다!

평화세계를 건설하자는 윌슨 대통령의 야심찬 포부였어.
PEACE
국 제 연 맹

그러나 파리평화회의에서 조인된 베르사유 조약에 대해, 공화당이 장악한 미국 의회는 부정적이었고

정말 원맨쇼 하는군!

국제 외교무대에 얼짱 떴다!

윌슨은 직접 국민들을 설득하기 위해 전국 순회연설에 나섰는데

야당이 득세하는 의회에 압력을 넣기 위해서

전국 국민들의 지지를 얻어야 한다!

9월 25일 콜로라도주 푸에블로시에서 연설 중 쓰러져 하반신이 마비되었고 임기가 끝날 때까지 병원신세를 졌지.

대통령 해먹기 어렵다.

윌슨의 몸을 던진 노력에도 불구하고 베르사유 조약은 미국 의회에서 거부당해
부결!
땅땅땅!
의회

미국은 스스로 국제연맹의 설립을 주장한 나라였음에도 불구하고
국제연맹 만들자!
모두 모여라!

미국 자신은 가입하지 못한 이상한 결과를 빚고 말았다.
웬일이니…?
국제연맹

윌슨의 국제연맹 가입의 꿈은 1920년 선거에서 민주당이 패배하고
국제연맹 가입하자!
미국은 중립을 지켜라!
민주당
공화당

공화당의 워렌 G. 하딩이 대통령에 당선됨으로써 물거품이 되어버렸어.
Warren Gamaliel Harding
1865~1923

현실을 무시하고 이상에 부풀어 밀어붙인 윌슨의 꿈이 결국 현실의 벽을 넘지 못한 것이었다.

1차 대전을 승리로 이끌었음에도 불구하고 미국 국민들의 여론은 별로 좋지 않았고
괜히 전쟁에 뛰어들어
귀한 인명과 재산만 낭비했다!

1920년대에는 여러 가지 문제로 미국 사회도 매우 시끄러워
유럽은 우리에게 진 빚을 언제 갚을 거야?
갚지도 못할 나라들에 무작정 퍼주기만 하다니….

혼란과 발전이 뒤엉킨 참으로 묘한 시대였지.
와글와글
시끌시끌
USA

전쟁이 끝나 참전했던 군인들이 대거 귀환하면서

미국 사회의 분위기는 무척 살벌해져 갔어.
저 많은 제대 군인들이 일자리를 구해야 할 텐데.
겨우 잡은 내 일자리 빼앗는 거 아냐?

특히 흑인 제대군인에 대한 적개심이 높았지.
검둥이들이 백인들 일자리를 뺏으려 든다!!

목숨을 바쳐 '조국'을 위해 싸운 흑인들의 기대는 당연히 컸다.
미국을 위해 목숨 바쳐 싸운 우리를
나라가 무시하지는 않겠지?

백인보다 임금이 낮더라도 우리에게 일자리를 줄 거야!
이제야말로 우리에게 인간다운 대접을 해줄 테지.

그러나 그들을 맞이한 것은 폭력과 증오뿐이었어.

전국적으로 흑인들에 대한 폭행이 무차별 감행되어

1920년에만 무려 500명에 이르는 흑인들이 죽임을 당하거나 크게 다쳤지.

백인들이 일으킨 전쟁에서 백인들을 위해 목숨 바쳐 싸운 대가로 얻은 것이 바로 이것이었다.

한편 전쟁중에 터진 러시아 공산 혁명으로

소비에트연방(소련)이 태어나 전세계에 새로운 노동자 독재국가의 등장을 선포함으로써

이에 영향을 받은 세계 노동자들의 노동운동이 공산주의 사상에 물들어
자본가 타도!
사회주의 건설!

볼셰비키 혁명을 뒤따라 폭력화 되었고
와
와

이를 억누르는 고용주와 정부 측의 태도도 과격, 폭력화됨으로써
타 타 타 타 탕

미국 노동계는 마치 전장을 방불케 하는 폭력의 거친 풍파에 휩쓸리고 있었어.

노동운동이 폭력화되고, 전국적으로 공산당 탄압의 바람이 부는 혼란 속에서도
사회주의 운동
반공

1920년대는 미국 기업가들에게는 황금의 시기이기도 했다.

전쟁이 터지자 기업들은 적극적으로 정부에 협조하고 나서서
기업
최대 협조!
정부

기업이나 합병에 적대적이던 정치인들의 태도가 많이 누그러져
돈만 밝히는 줄 알았는데 제법이네….
이게 바로 돈이 생기는 일이야!

마음놓고 기업활동은 물론, 합병이나 독점을 마음껏 할 수 있었거든.
아…
대기업
중소기업

1920년, 라디오가 등장하여 대통령 선거전이 라디오로 중계되는가 하면
상자 속에 작은 사람이 들어 있나?

1930년대에 이르러서는 미국 전 가구의 40%가 라디오를 가지게 되었지.

청취자 여러분 뉴스를 전하겠습니다.

헨리 포드는 1914년 컨베이어 벨트를 이용한 자동생산 시스템을 도입, 2분에 1대씩 자동차를 생산해내

1920년대엔 미국 자동차의 60%, 전세계 자동차의 반을 포드사가 생산해냈어.

* 1926년에 포드가 생산한 T모델

1차 대전 당시, 전쟁터로 나간 남성들을 대신하여 여성들이 산업전선에 뛰어들었고

자연 여성의 권리도 신장되어 1918년 18개 주가 여성에게도 투표권을 준 것을 시작으로
투표소

1919년엔 수정헌법 19조에 의해 여성에게도 참정권이 부여되었다.

청교도들의 후예가 세운 나라답게 미국에는 세계 그 어느 나라에서도 상상치 못한 법이 생겨났으니
뭐… 그런 법도 다 있다구?

그것이 바로 금주법이었어.
술은 만 가지 악의 근원
만들지도, 옮기지도, 팔고사지도 못한다!
Prohibition Act
금주법(禁酒法)

1914년 5개 주에서 시작한 금주령은 전국적으로 번져나가

* 1920년대 금주법 제정 이후 맥주를 폐기하는 장면

막강해진 여성들의 전폭적인 지지 아래
남정네들 술 마시고 해롱대는 꼴 못 본다!
청교도 정신에 어긋나는 술을 금지시켜라!!

1919년 수정헌법 18조로 술의 제조, 운반, 판매를 금지시켰다.
CLOSE THE SALOONS
IF you believe that the traffic in alcohol does more harm than good _ Help stop it.

* 금주 운동 포스터

그러나 미국인들은 계속 술을 원했고
금지시킬 걸 금지시켜야지….
딸꾹

금지된 술은 지하로 흘러 들어 가 범죄자들의 배를 불리는 '황금상품'이 되어
위스키
$

전국적으로 대도시를 중심으로 밀주, 밀매조직이 마구 생겨났고
우리는 시카파

지금까지도 악명을 떨치는 마피아가 본격적인 활동에 들어간 게 이때였지.
타타타타
타타타

그 중에서도 시카고를 주무대로 삼았던 알 카포네는
Al Capone
1899~1947

밀주, 도박, 매춘 등으로 엄청난 돈을 긁어모아

미국 범죄의 역사에 기록을 남긴 인물로 기억되고 있어.
나폴리의 찢어지게 가난한 집에서 태어났지.
뺨의 흉터 때문에 날 스카페이스(Scarface)라고 부르지!

1929년 10월 24일, 미국의 신문들은
증권가격의 대폭락을 대서특필했다.
New York Times
주식가격 대폭락

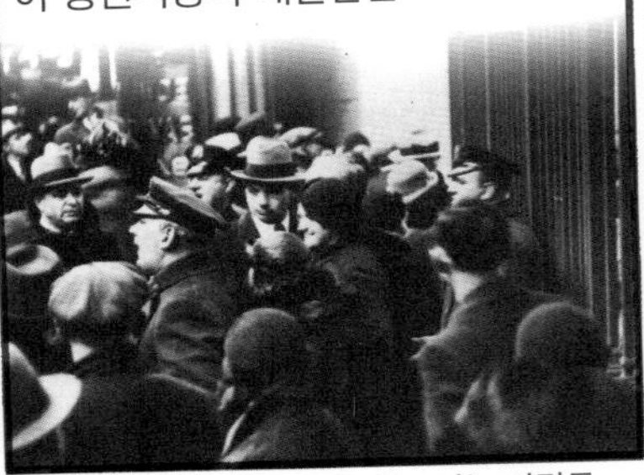

이른바 '암흑의 목요일' 로 불리는
이 증권시장의 대혼란은

* 은행에 몰려들어 예금을 찾으려는 사람들

그 후 10년에 가까운 무섭고 혹독한
대공황의 신호탄이었어.

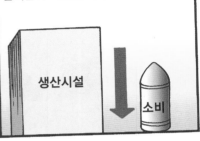

GREAT
DEPRESSION
경제대공황

경제의 크나큰 위기는 1차 대전이
끝나던 1919년에 이미 예고되어
있었지.
으지직
…
미국경제

대규모 전쟁으로 왕성하게 생산하고
생산하는 대로 소모가 되는 전쟁특수는
생산시설을 크게 늘여놓았는데

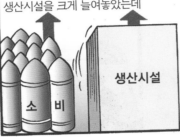

소
비
생산시설

전쟁이 끝남과 동시에 소비가 크게
줄어들어 버렸던 거야.

생산시설
소비

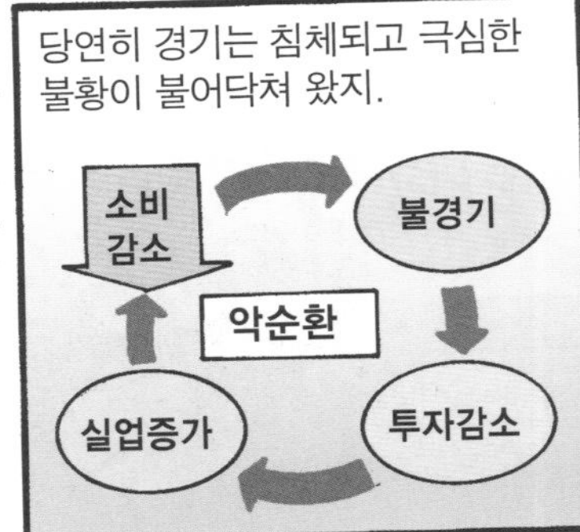

당연히 경기는 침체되고 극심한
불황이 불어닥쳐 왔지.
소비
감소
불경기
악순환
투자감소
실업증가

유럽의 경우엔 이미 1919년 종전과
함께 경제위기가 덮쳤지만
경제위기

너무도 혹독한 전쟁을 겪었고, 워낙
가난했던 터라 그 아픔은 그나마
견딜 정도는 되었어.
어디 한두 번
당해보나….

반대로 미국의 경우엔 워낙 축적해
놓은 자본이 거대하여 위기는 10년이
늦은 1929년에 휘몰아쳤는데
USA
미국경제

경제성장이 워낙 빨랐고, 세계 제일의
부자국가였던 미국이었기 때문에
USA

그 고통과 절망은 유럽보다 훨씬
깊고 처절한 것이었다고.
쾅
USA

1929년에 시작된 대공황은 단숨에
미국경제 전체를 쑥대밭으로
만들어버렸어.
대
공
황

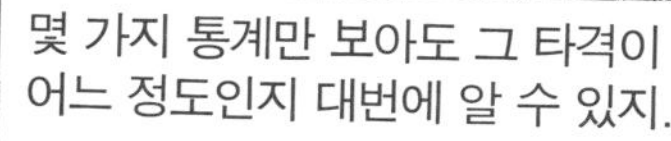
몇 가지 통계만 보아도 그 타격이
어느 정도인지 대번에 알 수 있지.

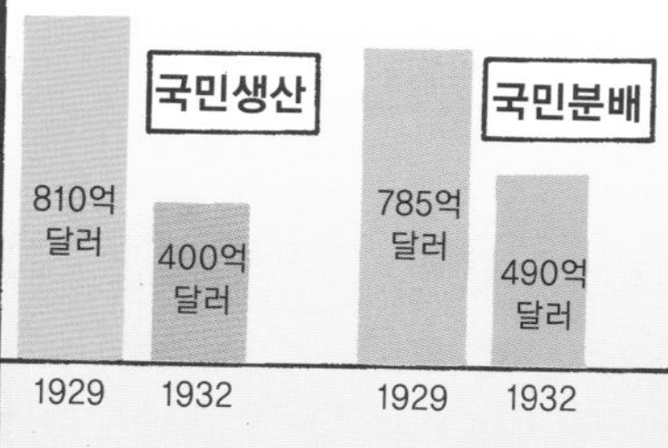
국민생산
810억 달러
400억 달러
1929
1932
국민분배
785억 달러
490억 달러
1929
1932

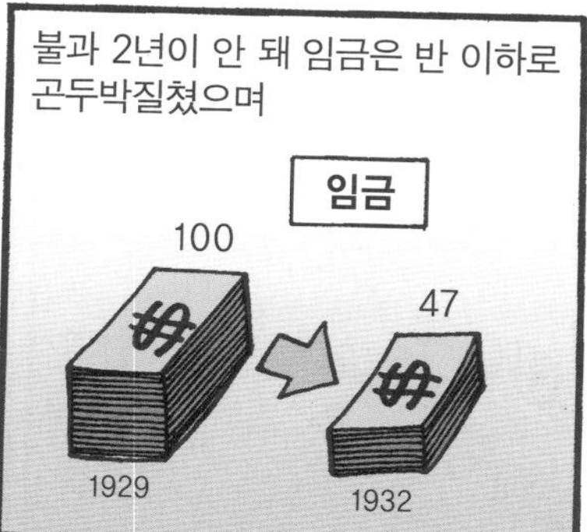
불과 2년이 안 돼 임금은 반 이하로
곤두박질쳤으며
임금
100
47
1929
1932

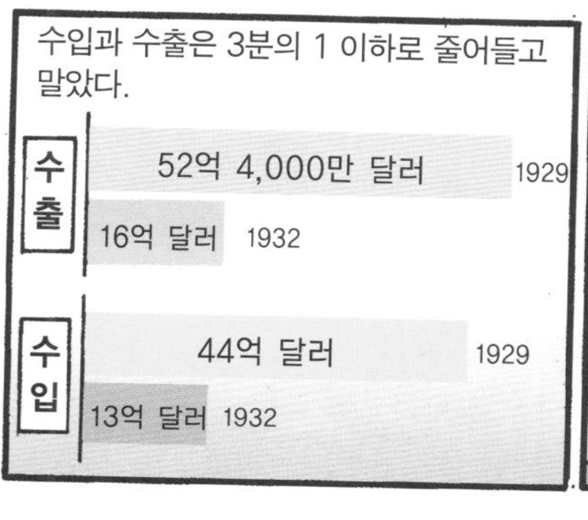
수입과 수출은 3분의 1 이하로 줄어들고
말았다.
수출
52억 4,000만 달러
1929
16억 달러
1932
수입
44억 달러
1929
13억 달러
1932

공장엔 팔리지 않는 재고품이
넘쳐흘러 가동이 중단됐고
재고품

농장에는 농산물이 팔리지 않고
쌓여 썩어가고 있었으며

대도시 거리에는 주린 배를 움켜잡고
일자리를 찾는 실업자가 넘쳐났고
D.S.

* 일자리를 찾는 실업자들

은행들은 계속해 쓰러져나갔다.
BANK
예금
고객

1929년에 찾아온 대공황은 세계
최고의 부자나라 미국을 병들고
가난한 나라로 전락시키고 말았지.

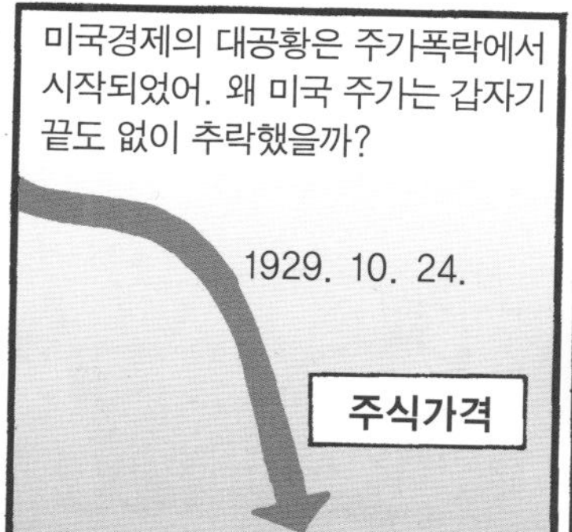
미국경제의 대공황은 주가폭락에서
시작되었어. 왜 미국 주가는 갑자기
끝도 없이 추락했을까?
1929. 10. 24.
주식가격

1919년 1차 대전이 끝나고 새로운
설비, 건설이 부진해져 경제성장이
크게 둔해지자
전쟁 덕에 경기가
짱이었는데…
이젠 어디다가
투자를 하지?

투자할 곳이 마땅치 않던 기업들의
여유자금은 증권시장으로 몰려들기
시작했어.
남는 돈으로
주식이나 사두자.
증권회사

엄청난 자금이 투자할 곳을 찾지 못해 증권시장으로 몰려들면서 주식값이 폭등,
사자!
사자!
사자!
$200…
$215…
$250…
주식

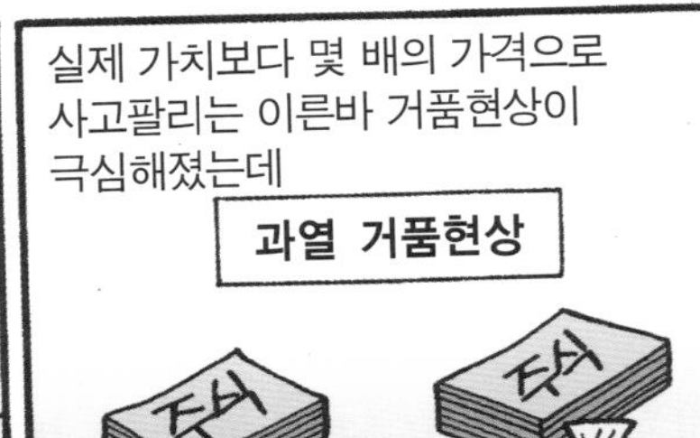
실제 가치보다 몇 배의 가격으로 사고팔리는 이른바 거품현상이 극심해졌는데
과열 거품현상
주식
주식
실제 가치
거래가격

주식값이 오르니 돈은 더욱더 주식에 몰려 증권시장은 과열되어 매일 신기록을 갈아치우고 있었어.
$280!
$350!
$500!
$800!

그러던 것이 1929년 10월 24일, 암흑의 목요일에 거품이 한꺼번에 빠지면서 주가가 폭락하자
팔자!
팔자!
주식
주식
주식
$800
$400
$50
덤핑!!

값비싼 주식들이 하루아침에 휴지로 변하고
4,000달러짜리 주식이 단돈 1달러에도 안 팔리니…
팔자!
팔자!
팔자!

증권을 다투어 샀던 기업과 개인들은 하루아침에 알거지 신세가 되었지.
쿵
망했다!

1932년에 이르자 실업률이 무려 35%를 기록해
꼬르륵….

일자리는커녕 먹을 것도 구하지 못해 굶어죽는 미국시민이 떼로 나타나기 시작했지.
이 광대한 영토와 자원을 지닌 나라에서….

도대체 세계 제일의 부자나라를 이 모양으로 만든 근본원인은 무엇인가? 이것은 무슨 병인가?
USA

미국이 앓던 병은 세계에서 최고로 발달한 자본주의 그 자체였고
자본주의

나라가 경제에 간섭하지 아니하고 오로지 시장의 원칙에만 맡겨둔 자유방임주의(Laissez-faire)
으르렁
컹컹!
정부
시장

그로 인해 날이 갈수록 커져간 빈부 격차가 그 원인이었지.
세계 최대규모의 거대한 자본을 지닌 나라
그러나 세계 최악의 빈민굴도 지닌 나라!
USA

미국에서 부의 편중은 어느 정도로 극심하였는가…?

富
貧

1929년 대공황 발생 당시 미국에는 금융회사 외에도 30만 개가 넘는 기업이 있었지.

은행·
증권사 등
금융회사
+
30만개
넘는
기업들

그런데 이 중 200개 대기업이 나머지 299,800개를 합친 것보다 훨씬 더 컸고

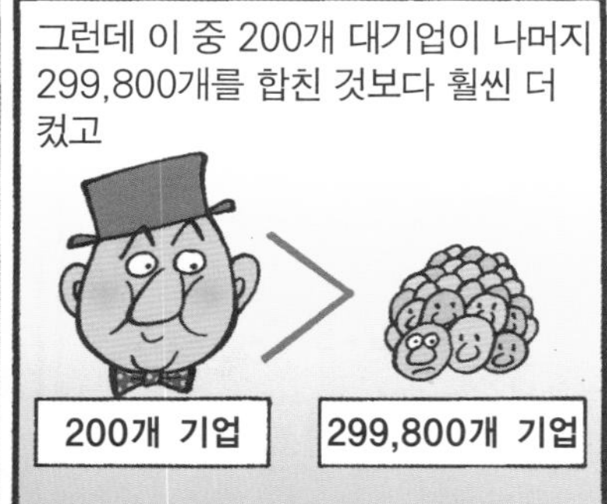
200개 기업
299,800개 기업

미국경제 전체를 주도하면서 마음껏 나라경제를 폈다 움츠렸다 하는 막강한 힘을 발휘하고 있었어.

200개 대기업이 차지하는 비중

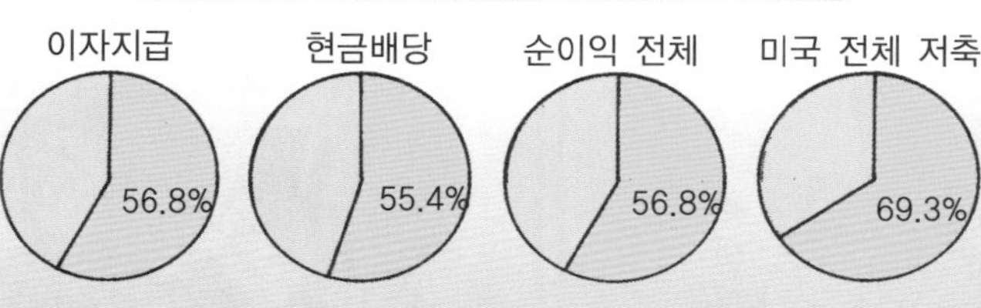
이자지급
56.8%
현금배당
55.4%
순이익 전체
56.8%
미국 전체 저축
69.3%

이 200대 기업의 총자산 980억 달러는 영국의 모든 재산을 합친 것보다 많았다.

200대 기업
$
98,000,000,000
영국
총재산

부가 골고루 퍼져 있었다면 아무리 큰 태풍이 불었어도 다시 자라날 풀뿌리가 많았겠지만

거대한 기업들이 뿌리째 뽑혀 나갈 위기에 처하지

우지지직
대기업

나라경제 자체가 거덜날 위기는 물론이거니와

국가경제

이 틈새에서 힘없고 가난한 노동 계급만 철저하게 희생될 수밖에 없는 잔인한 시대가 온 것이지.

H·E·L·P!
경제위기

이제 어떻게든 굶주리는 국민을 구제하고 기업을 소생시켜

S·O·S!!

국가경제를 되살릴 인물, 그리고 새로운 정책이야말로 미국을 위기에서 건져낼 열쇠였지.

HELP!

1932년 말 미국역사에서 가장 절망적이었던 공황의 고통 속에서 대통령 선거가 치러졌어.

VS
F. D. 루스벨트
민주당

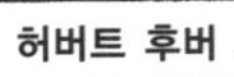
허버트 후버
공화당

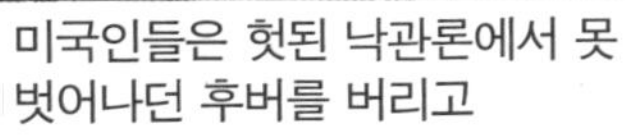

미국인들은 헛된 낙관론에서 못 벗어나던 후버를 버리고

OUR NEXT PRESIDENT
HERBERT C. HOOVER

* 후버 대통령의 재선 선거 포스터(1932)

'새로운 정책'을 외치며 등장한 프랭클린 D. 루스벨트를 미국 제32대 대통령으로 선택했지.

Franklin
Delano Roosevelt
= 약칭 FDR

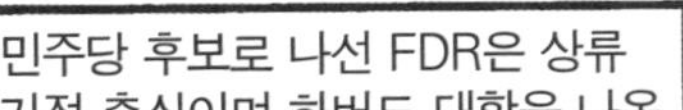

민주당 후보로 나선 FDR은 상류 가정 출신이며 하버드 대학을 나온 엘리트로

FDR
1882~1945

결코 서민의 대변자라고 할 수 없는 후보였지만

FDR이 과연
서민들을 위한
정책을 펼까?
설마 후버만도
못할까 봐!

절망에 빠지고 굶주린 서민 대중들의 절대적인 지지를 받아 대통령에 당선되었어.

THE NEW YORKER
Price 15 cents
Mar. 4, 1933

* 피터 아르노가 그린 《뉴요커》 표지.
취임식장으로 가는 FDR(오른쪽)과 후버

그가 표방한 '뉴딜(New Deal)', 즉 '새로운 처방', '새로운 정책'은

NEW
DEAL

미국경제 시스템을 크게 뒤바꾸어 놓은 정책으로

미국경제
자유방임주의
뉴딜정책

지금까지도 뉴딜정책에 대한 평가는 천지차이로 크게 엇갈리고 있지.

미국을 구원한
위대한 대통령의
위대한 정책!
미국을 어렵게 만
든 어리석은 대통
령의 실패한 정책!
○
X
뉴딜

1933년 초, FDR은 대통령 취임사에서 국민들에게 호소했어.

미국 국민 여러분,
지금 우리가 가장
두려워해야 하는 것은

바로 우리가 지닌 '두려움' 그
자체입니다! 우리는 이 두려움을
극복하고 희망을 가져야 합니다!

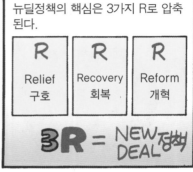

뉴딜정책의 핵심은 3가지 R로 압축된다.

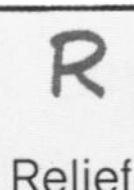
R
Relief
구호
R
Recovery
회복
R
Reform
개혁
3R = NEW DEAL 정책

FDR이 공황을 극복하고 끝없이 추락하는 미국경제를 구출하기 위한 처방으로 내세운 뉴딜정책은

NEW : 새로운

DEAL : 나누어주다 처방하다 취급하다 거래하다

새로운 정책 · 계획

우선 파산 직전의 미국경제와 굶주리는 국민들에게 구호(Relief)를 베풀고

끄르르륵...

대공황을 맞게 된 미국경제 제도의 문제점을 진단하여

미국경제

국가, 기업, 개인의 경제를 회복(Recovery)시킨 다음

다시 튼튼한 경제로 되살아날 수 있도록 개혁(Reform)을 단행한다는 처방이었어.

미국 경제

그렇다면 가장 시급한 문제는 무엇이었을까?

어디부터 손을 대나?

뉴딜 처방

바로 은행을 바로 세우는 거였어. 피가 제대로 흐르지 않으면 사람은 물론 모든 동물이 살 수 없듯

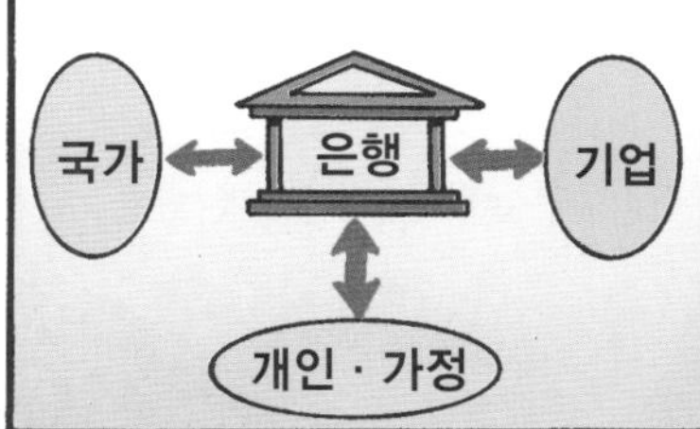

국가
은행
기업
개인 · 가정

피와 같은 돈을 기업과 개인에게 고르게 돌리는 기능을 은행이 제대로 하지 못하면

은행
기업 · 개인

경제는 대번에 파탄이 날 수밖에 없는 거야.

모자라면
넘치면
불경기
인플레이션

대공황이 시작되자 수많은 은행들이 가을바람에 낙엽 떨어지듯 맥없이 파산했고

은
행

은행에 맡긴 돈을 되찾지 못할까 봐 두려워한 고객들이 앞다투어 예금을 모두 빼가는 바람에

은행은 못 믿는다!
예금 찾으러 가자!

은행들의 파산은 걷잡을 수 없이 엄청나게 늘어가던 터였어.

은행을 믿지 않으면 모두 망한다!
고객의 신뢰만이 돈을 지킬 수 있는 유일한 방법이다!

1933년 3월 4일, 비 내리는 음산한 날씨 속에 취임식을 마친 FDR은

3월 5일 일요일, 은행들이 문을 닫은 휴일을 이용해 비상조처를 선포했어.

내일 월요일 3월 6일 새벽 1시를 기하여

임시국회가 열리는 3월 9일까지 3일간 전국의 모든 은행은 문을 열지 말고 휴업하라!

이는 고객이 예금을 찾아가는 바람에 은행이 파산하는 것을 막기 위해 예금을 일단 묶어두자는 것이었지.

정부의 명령에 의해 휴업함
1933. 3. 6. 01:00시부터
1933. 3. 9. 00시까지

그리고 3월 12일, 당시 널리 보급된 라디오를 통하여

친애하는 국민 여러분…

유명한 '노변담화(爐邊談話)' 라는 방송을 하였는데

노변담화
Fireside chat
난롯불 옆에서 국민에게 전하는 얘기

그 내용은 '어느 누구도 이 나라에서 굶주려서는 안 된다' 는 것이었어.

민주주의라는 이상을 존중하는 정부라면…

이 광대한 자원을 지닌 나라에서 어느 누구도 굶주리도록 허용되어서는 안 된다는 단순한 원칙을 실천해야 합니다!

이것이 바로 뉴딜정책의 가장 중요하고도 간단한 원칙이었어.

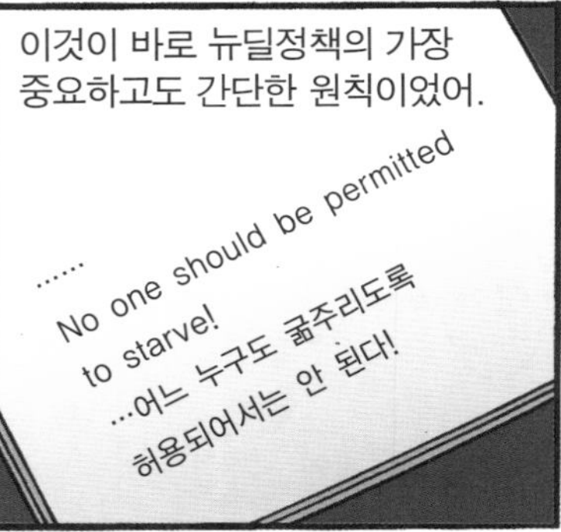
……
No one should be permitted to starve!
…어느 누구도 굶주리도록 허용되어서는 안 된다!

국민 여러분은 정부와 은행을 믿으십시오. 그 믿음만이 여러분들의 예금을 지킬 수 있습니다!

FDR의 호소와 결의가 국민들을 감동시키고 믿음을 갖게 하였는지

맞아, 국민이 정부와 은행을 믿어주지 않으면
정부는 정책을, 은행은 제기능을 수행할 수 없지.

그 다음날부터 은행은 고객들로 장사진을 이루었다. 이번에는 돈을 예금하려는 고객들로….

예금하러 오셨다고요?
댁도…?

뉴딜정책을 일컬어 미국경제의 혁명이라고 얘기하는 사람들이 많아.

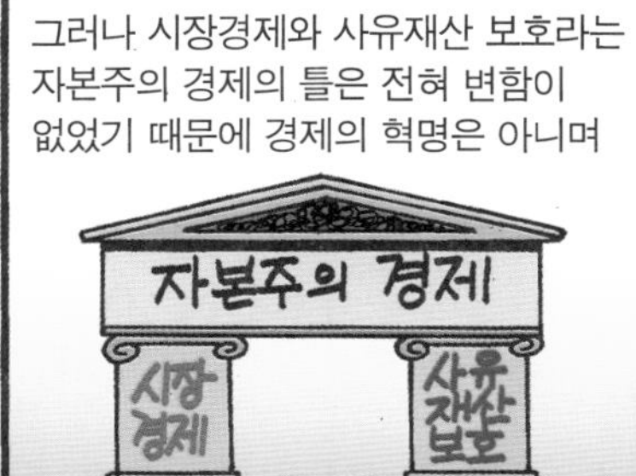
그러나 시장경제와 사유재산 보호라는 자본주의 경제의 틀은 전혀 변함이 없었기 때문에 경제의 혁명은 아니며
자본주의 경제
시장 경제
사유 재산 보호

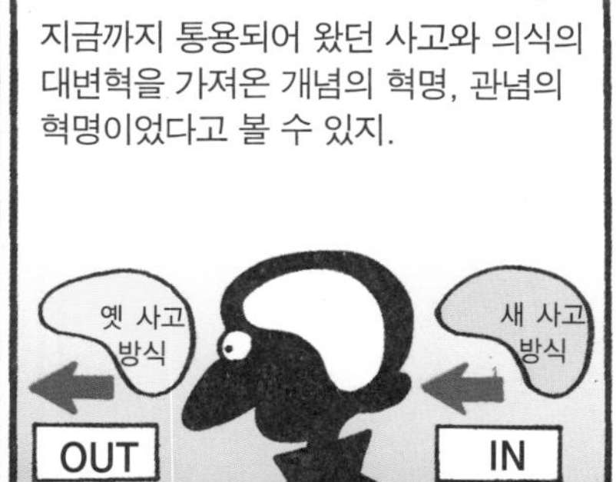
지금까지 통용되어 왔던 사고와 의식의 대변혁을 가져온 개념의 혁명, 관념의 혁명이었다고 볼 수 있지.
옛 사고 방식
새 사고 방식
OUT
IN

그러면 뉴딜정책과 경제대공황을 통해 어떤 의식이 크게 바뀌게 되었는가?
전
후
뉴딜정책
공황

첫째, 완전한 자유방임으로 정부가 시장과 기업에 개입하지 않던 자유주의 경제에서
Laissez-faire!
Leave us alone!
정부는 간섭하지 마!

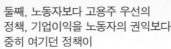

정부의 도움 없이는 기업들이 다 망하게 되는 처지가 되자
Help us, or we are ruined !!
정부가 도와주지 않으면 우린 망한다!
공 황

뉴딜정책을 계기로 정부가 시장과 기업에 간섭, 개입하게 된 거야.
삐익
시 장

둘째, 노동자보다 고용주 우선의 정책, 기업이익을 노동자의 권익보다 중히 여기던 정책이

결국 경제대공황을 일으킨 주요한 원인이 되었던 만큼

정부정책은 더 이상 노동자와 고용주 사이의 대결 정책이 아니라
대들지 마, 다쳐!

근로자들이 스스로의 권익을 보호하기 위해 단체를 조직하는 것을 당연하게 인정하게 되었지.
당신들 권리지….
단결!
정부

다시 말하자면 경제의 민주주의가 한 걸음 더 앞으로 나가게 되었어.
경제 민주주의
노동자
기업가
정부

셋째, 지금까지 정부는 은행에 대해 아무런 규제나 간섭을 하지 않았지만

보이지 않는 손이 시장을 조절한다.
國富論
국부론
The Wealth of Nations
애덤 스미스
1776

공황을 통해 현재 은행제도가 얼마나 위기에 허술한지가 확연하게 드러난 만큼

은행제도

뉴딜정책과 함께 규제 없는 예금시대가 끝나고

예금은 언제든지 내줄 수 있게 현금을 준비하라.
예금과 대출 이자는 최고-최저 한계 안에서….
정부
은행

은행은 정부의 각종 규제와 간섭을 받게 되었으며

'고객들이 안심하고 은행에 돈을 맡길' 수 있는 예금보호 시대로 바뀌었지.

예금보호

넷째, 과거에 빈민구제는 자선사업 단체나 하는 것으로 알고 있었어.

CARITAS

그러나 공황에 휘말려들면서 헤아릴 수 없이 많은 시민들이 일자리를 잃고 거리를 헤매며

굶주려 쓰러져가는 사람들이 거리에 넘쳐흐르다 보니

시민을 기아에서 지키는 것이 연방 정부의 의무라는 새로운 개념이 도입된 거야.

우선 사람부터 살리고 봐야….

이처럼 대공황과 뉴딜정책을 통해 미국의 경제는 순수한 자유방임 자본주의에서

자유방임 자본주의

국가와 정부가 개입, 간섭하는 수정자본주의 체제로 변화하였고

정부의 간섭 · 개입

자유주의 경제에 사회주의 요소가 가미된 혼합경제 체제가 되었지.

혼합경제
수정자본주의

은행 위기가 진정되자 FDR은 우선 구호사업부터 시작했어.
구호(Relief)는
크게 나누어 세 가지다!

당장 굶주리고 헐벗는 사람들을 위한 '빈민구호(Distress Relief)'

일자리를 잃고 헤매는 근로자들에게 일자리를 주는 '취업구호(Work Relief)'
JOBS
일거리를 소개해 드립니다

빚에 찌들어 고통받는 사람들을 구제해주는 '부채구호(Debt Relief)'
빚

빈민구제를 위해 정부 주도로 수많은 구호기관이 전국적으로 설립되어

먹을 것과 입을 것을 나누어주는가 하면
FOOD
식품
버터
치즈

필요에 따라 직접 현금도 나누어주었어.
CASH

농촌에 팔리지 않고 쌓여 있는 식량을 정부가 구입하여 전국의 빈민들에게 분배하고

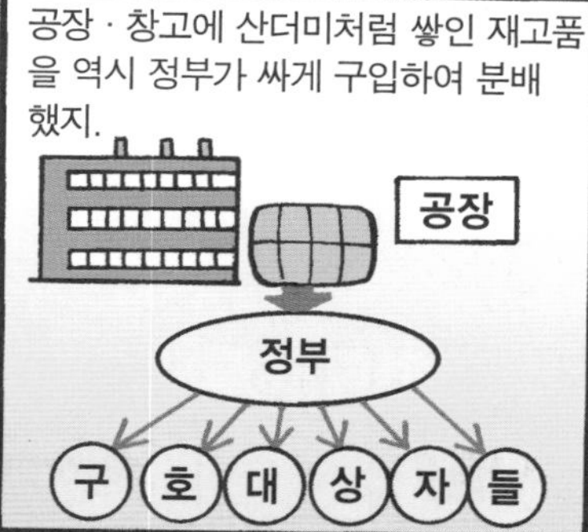
공장 · 창고에 산더미처럼 쌓인 재고품을 역시 정부가 싸게 구입하여 분배했지.
공장
정부
구
호
대
상
자
들

일자리를 만들어 실업자들을 구조하는 정책은 엄청난 자금을 필요로 했다.
그냥 돈을 나누어 주어서는 안 된다.
일자리를 통해 노동의 대가를 주어야 한다.

WPA, 즉 취업진흥국이 설립되어
WPA
= Works Progress Administration

매년 100만~300만의 실업자들에게 일거리를 만들어주기 위해 대대적인 공사를 일으켰어.

WPA가 벌인 전국적인 실업구제 공사로 '당장 필요하지 않은' 사회 시설이 대거 건설되었는데

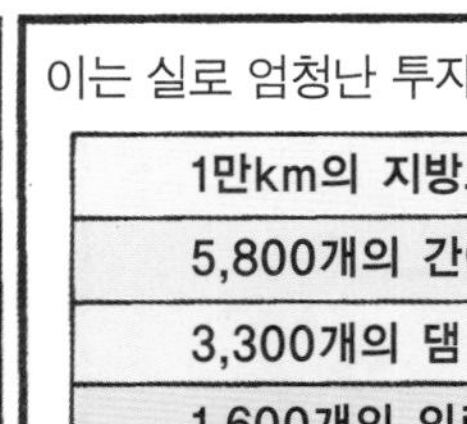
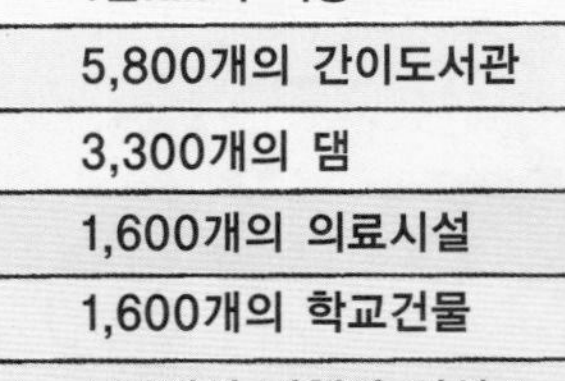
이는 실로 엄청난 투자였지.
1만km의 지방도로
5,800개의 간이도서관
3,300개의 댐
1,600개의 의료시설
1,600개의 학교건물
105개의 비행장 건설
등등…

이 정책은 야당은 물론이고 납세자들의 거센 반발을 샀어.
세금파티 하는구나!
실업자 돈 주려고 쓸데없는 공사를 벌이다니!!

나라에서 실업자 구제한다고 일같지 않은 일에 마구 돈을 퍼주니
근로자들은 적당히 시간 때우고 세금만 축내고 있다!

빚진 자들을 구제하기 위해 정부는 시중 이자보다 낮은 이자로 돈을 꿔주어
우선 급한 빚부터 갚으세요.

혹독한 빚독촉에서 우선 벗어나게 했다.
휴~ 좀 살 것 같군!
고금리부채
저금리

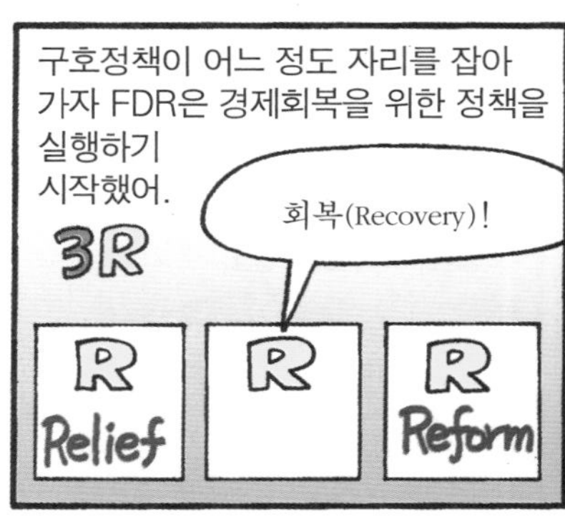
구호정책이 어느 정도 자리를 잡아 가자 FDR은 경제회복을 위한 정책을 실행하기 시작했어.
회복(Recovery)!
3R
R Relief
R
R Reform

지금까지는 응급처방에 의한 구호 작업이었지만
이제는 경제 회복단계에 접어들어야 한다!
긴급구호
Relief
경제회복
Recovery

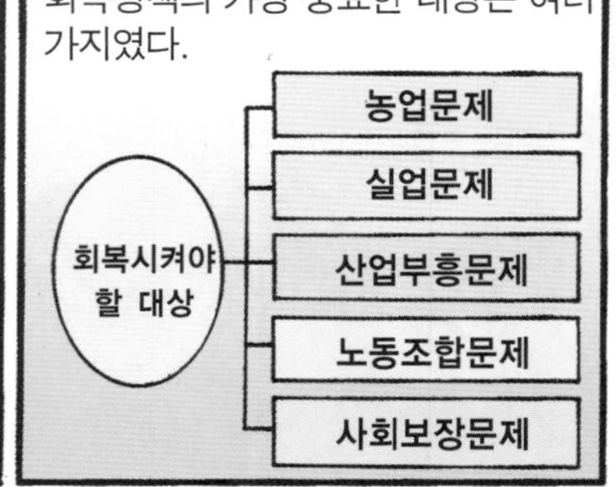
회복정책의 가장 중요한 대상은 여러 가지였다.
회복시켜야 할 대상
농업문제
실업문제
산업부흥문제
노동조합문제
사회보장문제

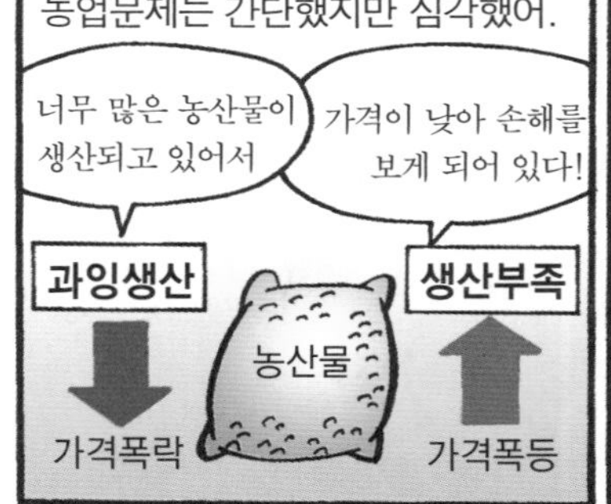
농업문제는 간단했지만 심각했어.
너무 많은 농산물이 생산되고 있어서
가격이 낮아 손해를 보게 되어 있다!
과잉생산
가격폭락
농산물
생산부족
가격폭등

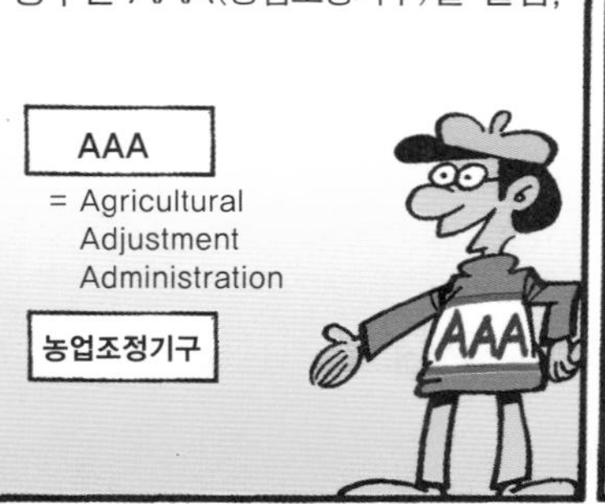
정부는 AAA(농업조정기구)를 설립,
AAA
= Agricultural Adjustment Administration
농업조정기구
AAA

생산을 규제하지 못하던 과거의 법을 고쳐 생산량을 조절했지.
생산을 줄입시다! 적정량만 생산합시다!
그것만이 손해보지 않는 방법입니다!

이 정책에 농민들이 호응,
맞아. 과잉생산으로 가격이 폭락하는 거야.
쌓아두면 썩으니까….

전국적으로 1,000만 에이커(약 4만 ㎢)의 땅에서 면화를 뽑아버리고
남한의 반 정도 되는 땅의 면화를…
가격유지를 위해 뭉개버려라!

600만 마리의 돼지를 죽여 가축과 고기 가격을 조정했어.
수백만 동포가 굶주리는데 이 많은 돼지를 죽여?
도덕적으론 문제 있지만 어쩌겠나? 축산업자도 살아야지.

FDR은 뉴딜 '회복정책'의 하나로 테네시계곡 개발공사를 벌여서
TVA*
테네시계곡 개발공사

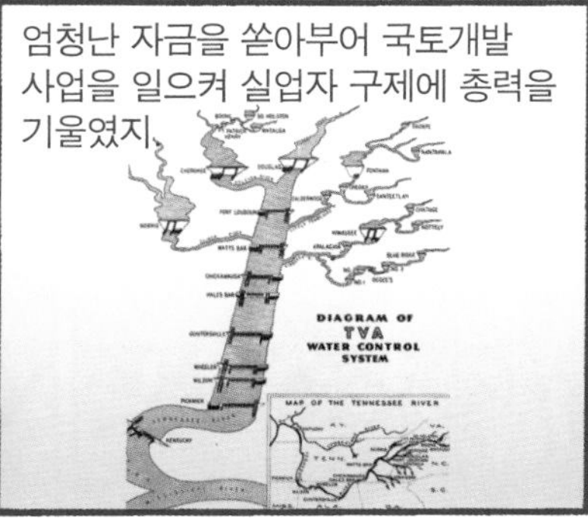
엄청난 자금을 쏟아부어 국토개발 사업을 일으켜 실업자 구제에 총력을 기울였지.
DIAGRAM OF TVA WATER CONTROL SYSTEM
MAP OF THE TENNESSEE RIVER

또 지금까지 정부가 눈을 돌리지 않던 노인이나 극빈자들을 위해
굶어 죽든 말든….
정부

* Tennessee Valley Authority

사회보장법을 도입하여 노인들의 생계를 최소한 보장해주는 법을 만들기도 했어.
SOCIAL SECURITY ACT
ACCOUNT NUMBER
HAS BEEN
ESTABLISHED FOR
John Citizen
11-24-36
DATE OF ISSUE
EMPLOYEE'S SIGNATURE

노동조합에 대한 정부의 태도도 과거와는 크게 바뀌어
노동자가 스스로 권익을 지키는 것은 당연한 권리입니다.

노동조합을 보호하는 와그너법(Wagner Act)이 제정되었다.
세상 많이 변했네….
와그너법

* 미국 사회보장카드

국가경제에서 가장 중요한 것은 기업들이 전국적으로 잘 되는 거 아냐?
이윤
이윤
기업

즉 대공황으로 망했거나 쓰러져가는 기업과 산업을 다시 일으키는 것이 뉴딜정책의 핵심이어서

전국산업부흥법(NIRA)이 제정되었어.
NIRA
=National Industrial Recovery Act
산업을 살리자!

이 법은 자유방임하던 산업과 기업을

쿵
정부
그냥 내버려 두었더니…

정부 감독 아래에 두고 자율규제, 경제의 소생을 돕는 것으로

내 지도 아래 기초 훈련부터 다시 한다!

생산량, 가격, 임금 등을 규제하고 대통령의 허락을 받도록 하는 한편

더 이상 올리지 못하게 하시오.

미성년자 노동, 임금 착취 등을 금지시켜 노동자들의 근로조건을 크게 향상시켰다.

미성년자 노동
최저임금 이하 보수

뉴딜정책은 1933년 시작한 이래 상당한 효력을 발휘하여

적절하고 효과적인 정책이다.
퍼주기에 급급한 땜질처방이다!
뉴딜

1936년에는 실업률이 16.9%로 떨어지고 국민소득은 825달러로 공황 전 수준까지 경제가 개선되었지.

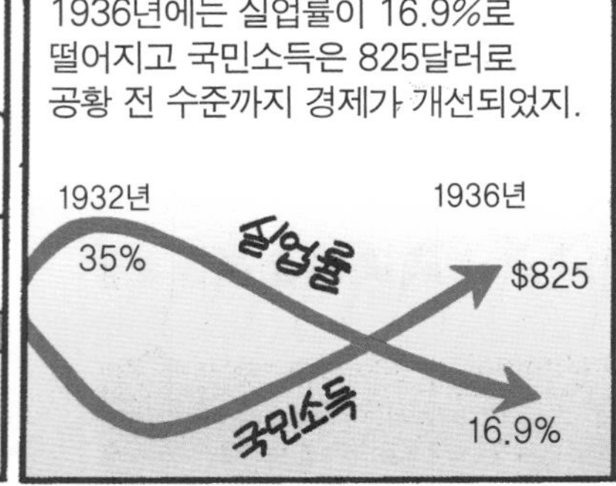

1932년
1936년
35%
실업률
$825
국민소득
16.9%

이러한 경제의 호전은 1936년 선거에서 FDR이 재선되는 결정적인 이유가 되었어.

WE WANT ROOSEVELT

그러나… 뉴딜의 효력은 그 한계를 다했는지

더 이상 '약발'이 먹히지 않는다….
뉴딜
미국경제

1937년 FDR의 2기 임기가 시작된 뒤 또다시 혹독한 불경기가 몰아쳐

암환자에게 5년씩 진통제만 주니….
뉴딜

1938년에는 실업자 1,000만 명이라는 최악의 사태에 이르렀지.

뉴딜효과도 반짝뿐….
10,000,000 돌파!
실업자

1937년의 불경기로 FDR은 '후기뉴딜'이라는 새로운 처방을 내놓았으나

후기 뉴딜
신약개발!

미국경제는 조금도 나아질 기미를 보이지 않고 추락만 거듭했다.

미치겠군!
핵 핵 핵
미국경제

한계에 달한 뉴딜정책이 맥을 추지 못하고 경제는 날이 갈수록 악화되기만 하던 1939년에

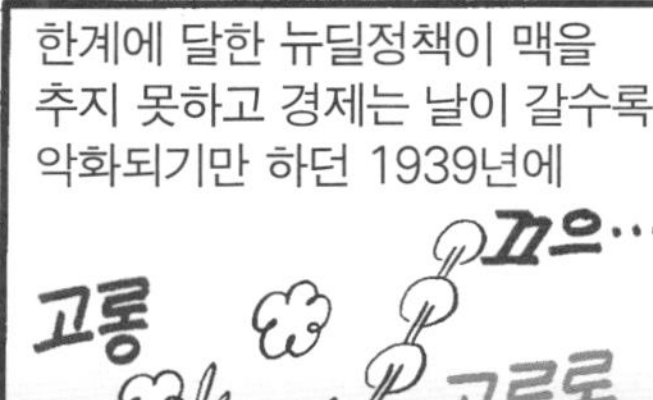
끄으….
고롱
고로롱
미국경제

만약 제2차 세계대전이 터지지 않았더라면

2차 대전
벌떡

미국경제는 제2의 경제대공황에 휩쓸렸을지도 몰라.

기적!

최악의 경제 현실에서 터진 유럽의 큰 전쟁은

유럽

때 아니게 미국에 엄청난 군수물자 산업을 사상 최대로 꽃피우게 하여

미국의 실업자문제, 생산과잉문제를 깨끗하게 해결해버리고 말았어.

전쟁
투자부진
생산과잉
실업문제

미국은 유럽을 군국주의로부터 지켜준 고마운 존재였지만

USA

유럽의 전쟁은 미국의 경제를 위기에서 구출한 '고마운' 계기였지.

위기
USA

아슬아슬한 순간에 2차 대전이 터지는 바람에 구제된(?) FDR은

2차 대전
우지직

뉴딜로 미국경제를 구하고 2차 대전을 승리로 이끈 위대한 대통령으로 칭송받고 있지만

* FDR 신문만화(1934년)

1930년대 공황의 원인과 뉴딜정책을 두고 경제학자들간에 논란이 치열해.

위대한 대통령의 최고의 정책이었다.
땜질처방에 지나지 않았다!

많은 경제학자들은 뉴딜정책을 실패한 정책으로 비판하고 있어.

공황을 장기화 시켰을 뿐이다!
빈부격차만 크게 벌여놓았다!

뉴딜에 비판적인 의견을 들어보면…

뉴딜정책을 생각해낸 사람들이 누구인가?
바로 기업에 적대적인 '개혁파'들, 젊은 운동권 출신들이다.

그들의 주장은 반시장, 반기업적이었다.

파시스트 이탈리아나 공산주의 소련처럼
미국도 병든 시장경제를 버려야 한다!

대기업은 노동자를 착취하는 사악한 존재이다!
대기업을 조각내 버려야 한다.
박살내자!
박살내자!
박살내자!

그들은 큰 은행은 사악하고, 작은 은행이 아름답다고 생각했어.

은행
작은 것이 아름답다!

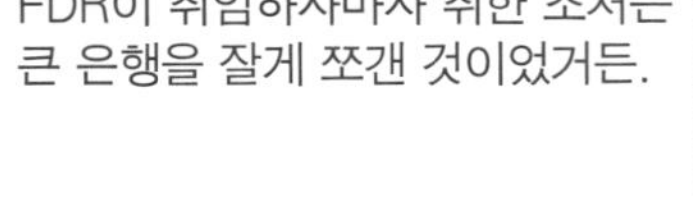
FDR이 취임하자마자 취한 조처는 큰 은행을 잘게 쪼갠 것이었거든.

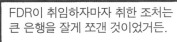

A
B
C
D
E

그러나 은행의 규모가 작으면 부실해질 수밖에 없어 FDR의 조치는 은행파산만 증가시켰다는 비판이지.

큰 은행
작은 은행들
위기

뉴딜정책을 수행하기 위해 천문학적 액수의 돈이 필요했고, 이 돈은 결국 세금인상으로 메워졌으므로

이렇게 많이 오르다니…
허리띠 졸라 매야겠네….
억

결과적으로 경기침체만 더 심하게 만들었다는 거야.

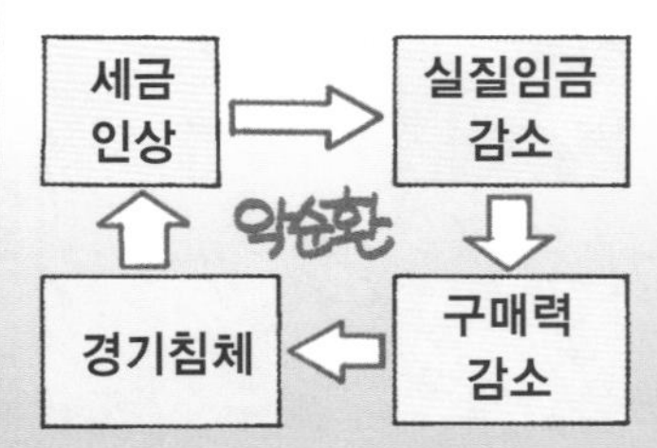
세금 인상
실질임금 감소
구매력 감소
경기침체
악순환

NIRA(전국산업부흥법)는 경기침체의 원인이 과다경쟁이라고 보았기 때문에

경쟁이 심하면
서로 가격을 낮춰 이익이 적어지니
망하는 기업이 늘어난다!
콰당
$ 100
$100 $60
$100 $35

가격인하를 금지해 모든 상품가격을 비싸게 만들어버렸으며

이러고도 자본주의 국가 맞아?
$ 100
$ 100
$ 100

AAA(농업조정기구)는 농지휴경제도를 강제로 도입하여

생산량 조절을 위해 당신은 1년간 농사 짓지 마시오. 명령이오.
그럼 우리는 뭘 먹고 살라는 거요?!
AAA

중·소작농이 몰락하여 식품가격은 더 올라 가난한 사람이 더욱 고통받게 되었다는 거야.

한 푼도 못 깎아줘!
$50

또 TVA(테네시계곡 개발공사)는
발전량도 적은 쓸데없는 댐을
많이 건설하여

세금낭비만 엄청나게 했고 자연을
파괴했으며
여기다 댐은
왜 지었대?
그래야 실업자
일 시키고 임금 주지.

경기는 침체되어 있는데 와그너법으로
노동자들의 단체행동을 부추겨
임금 인상!!
파업!!
투쟁하자!!
임금 더 올리면
우린 망해…

임금이 생산성을 넘어 신규채용은
줄고 실업이 증가하여 이는 다시
소비감소로 이어져서
일자리를
늘려라!
고임금에
노동운동 격렬한데
누가 사람을 더 뽑아?
정부
기업

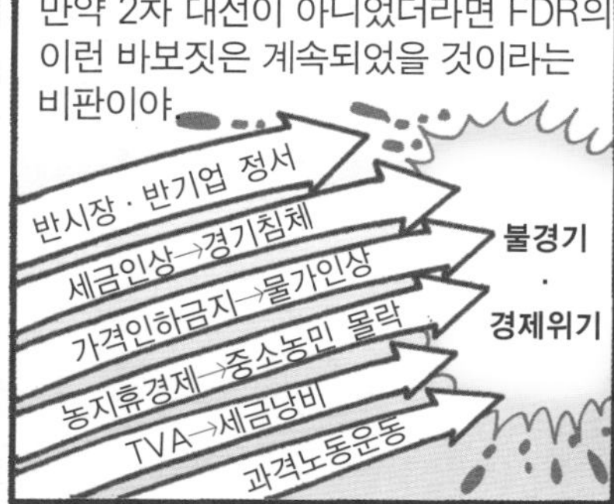
만약 2차 대전이 아니었더라면 FDR의
이런 바보짓은 계속되었을 것이라는
비판이야.
반시장 · 반기업 정서
세금인상→경기침체
가격인하금지→물가인상
농지휴경제→중소농민 몰락
TVA→세금낭비
과격노동운동
불경기
·
경제위기

가장 성공한 대통령으로 미국 국민의
존경을 받으며 미국역사에서 처음이자
마지막으로 4선까지 성공한 FDR
1933 1기
1937 2기
1941 3기
1945 4기
사망

그에 대한 비판은 찬송의 소리에
묻혀 비록 크게 들리지 않을지라도
FDR와
뉴딜
와
실패했다!

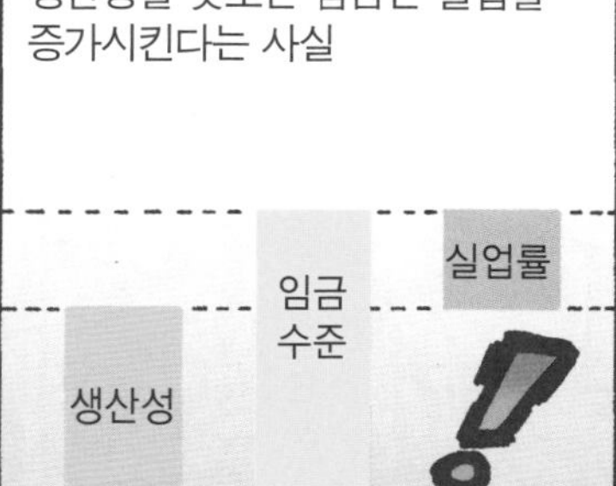
생산성을 웃도는 임금은 실업을
증가시킨다는 사실
생산성
임금
수준
실업률
!

반시장정서, 반기업인 정서가 팽배하면
국가경제가 망한다는 충고를 귀담아들을
필요가 있지.
기업의 목적은
이윤의 사회환원!
기업인은 비도덕적,
착취하는 존재.
자본주의에 대한
잘못된 인식들

* 짐 파월, 《FDR의 바보짓FDR's Folly》 참고

2차 대전의 덕이든 아니든
결과적으로 FDR의 뉴딜정책은
미국경제를 공황에서 구제했다는 데
대부분 의견을 같이하고
뉴딜
미국경제

이는 미국경제뿐 아니라
완전 자유방임
경제는 안 된다!
미국의 공황에서
그 교훈을 찾아라.

미국경제의 틀을 따르는 여러 나라의
경제에도 많은
영향을 주었어.
미국은 대공황의
경제를 어떻게
극복했나…?
New Deal

대공황과 이에 대한 해법으로
제시된 뉴딜정책은
NEW DEAL
VS
THE GREAT DEPRESSION

무엇보다 소득분배의 공평함이
얼마나 중요한가를 깨닫게 해주었고
소득 · 분배의 불균형
경제위기
근본원인
부
빈

사회보장의 필요성을 일깨워주었으며
노약자·
소외계층

노동조합의 활성화, 적극화로 하층
중산층과 노동자계급이 정치적으로
중요한 위치로 떠올랐지.
노동계급
정치권

언제나 미국에서 문제가 되었던 것들
예컨대 독점배격, 노동자 권익보호,
사회보장제도 등의 문제는
부글
부글
독점
노동자
권익
사회
보장

결국에는 대공황이라는 극단적인
위기로 폭발하였고
대공황
USA

경제난국에 '뉴딜'이라는 기치를
과감히 시행함으로써
뉴딜
3R
Relief: 구호
Recovery: 회복
Reform: 개혁
USA

자칫하면 경제위기에 휩쓸려
나치즘, 파시즘과 같은 군국주의나
NAZI
총칼의
힘으로!
파시즘
도이칠란트
이탈리아

아예 기본틀부터 깨부수고 뒤집어
엎는 공산혁명과 같은 극약처방을
이념의
힘으로!
와지끈
소련

미국은 겪지 않고 자본주의를
한 단계 발전시킬 수 있었던 거야.
자본주의

미국경제는 대공황이라는 기나긴
터널을 뉴딜이라는 기관차에
이끌려 지나다가
도무지 끝이
안 보인다!
덜컹
덜컹

제2차 세계대전이라는 태양을 만나
(미국인에게는) 또 한 번 눈부신 비약의
날개를 펼친다!
전쟁

7

세계 질서의 주도권을 잡다

제2차 세계대전과 동서 냉전시대

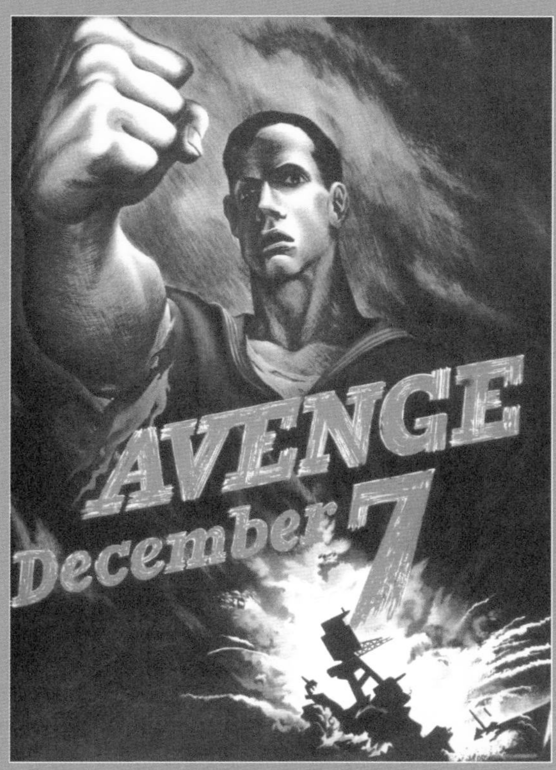
AVENGE
December 7

1942년초에 발행된 미국 전쟁성의 포스터

2차 대전 내내 미국인의 투쟁정신을 일깨운 슬로건은 "진주만을 잊지 말자!"였다. 이는 1941년 12월 7일, 일본이 진주만을 기습 공격함으로써 미국이 2차 대전에 참전한 계기가 된 것을 의미한다.

1933년은 뉴딜을 기치로 내건 FDR이 미국의 제32대 대통령에 취임했고

NEW DEAL
USA

같은 해 도이칠란트에선 나치당을 이끄는 아돌프 히틀러가 권력을 잡았어.

D

이 두 지도자는 모두 피폐할 대로 피폐한 국내 경제를 재건해야 할 중대한 과제를 안고 있었지.

국가
경제

도이칠란트는 제1차 세계대전에서 져 천문학적인 전쟁보상금을 물게 되자 경제는 파탄에 이르렀고

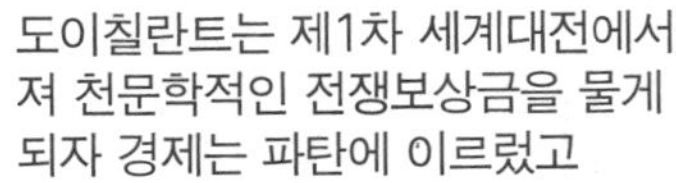

전쟁보상금
320억 달러

알자스, 로렌 등의 영토까지 빼앗긴 데다가

벨기에
룩셈부르크
프랑스
로렌
도이칠란트
알자스
스위스

패전한 국민들의 열등의식까지 겹쳐 말 그대로 절망밖에 남아 있지 않았어.

역시 우리는 안 돼.
2등 민족이니까….

이러한 국민들의 정신적 공황상태를 교묘히 이용하여

게르만 민족은 가장 우수하다!
강력하고 위대한 대제국을 다시 건설하자!

마침내 아돌프 히틀러는 독재권력을 장악하기에 이르렀지.

Heil
하일
HITLER*
히틀러!

* 히틀러 만세

국민들의 절대적 지지를 받으며 빠르게 경제를 회복시킨 히틀러는

ARBEIT MACHT FREI!
노동이 우리를 해방시켜준다!

점점 세계정복이라는 야심의 발톱을 드러내기 시작했어.

Mehr Lebensraum für Deutschen!
(도이치인들에게 더 많은 영토를!)

1938년, 그는 베르사유 조약을 일방적으로 파기하고 도이칠란트의 재무장을 선언했고

재무장
베르사유 조약

오스트리아를 합병, 도이치 민족의 제3제국 성립을 선포했지. 유럽에 또다시 전쟁의 먹구름이 드리운 거야.

Der Dritte Reich
제3제국

히틀러는 이탈리아의 독재자로
등장한 무솔리니와 손을 잡고

* 1936년 10월

동양에서 중국침략 전쟁을 벌이던
일본과도 동맹,
영국, 프랑스의
제국주의 타도!
걔들 식민지만
우리가 따 먹어도….

이른바 3국의 추축국(樞軸國 : Axis-Powers)을 이루었어.
이탈리아
도이칠란트
일본

1936년, 히틀러는 벨기에와 프랑스
접경지대인 라인란트를 점령하고
프랑스가 강제로 점령한
우리땅을 되찾은 것이다!
RHEINLAND

무솔리니와 함께 에스파냐 내전에
개입하여
쾅
콰쾅
에스파냐

사회주의 정권을 뒤엎은 프랑코를
도와 독재정권 수립에 협력하였지.
공산주의 때려잡자!

1938년에 오스트리아까지 합병한
히틀러는
내가 태어난 곳이
오스트리아니
오스트리아와
도이칠란트는
한 나라인겨!

도이치인이 많이 산다는 이유로
체코를 침공했는데
사는 곳이 고향이니
이곳은 도이치의 고향
체코

다시 세계대전이 터질 것을 두려워한
영국과 프랑스는 뮌헨조약으로 이를
눈감아주었어.
히틀러의 체코
침공을 묵인하지만
대신에 절대로 전쟁은
안 일어날 것이다!

평화를 바라는 희망과는 정반대로
히틀러의 야망은 그침이 없었고
우이히히
전쟁날까봐 내가
무슨 짓을 해도
꼼짝 못하네.

드디어 1939년 9월 1일, 기습적인
폴란드 침공과 함께
쿠르르르

6년에 걸쳐 5,300만 명이 넘는
사망자가 생긴 인류 최대의 비극인
제2차 세계대전의 막이 오른다.
Grenze

FDR이 집권한 30년대의 미국은 공황극복이라는 경제문제로
헉 헉 헉 헉
미국
미국경제

국제문제에 끼어들 처지가 못 됐어.
내 코가 석자인데 무슨…
쾅 쾅
유럽

1차 대전 이후 미국은 다시 철저한 고립주의 정책으로 돌아서
HELP!
남이사….
고립주의

엄격한 이민법과 높은 관세로 외국에 대해 나라의 문턱을 높이는 한편
외국이민
관세
이민법
외국 상품

새로 태어난 공산국가 소련을 정식 인정하기도 했어.
소련 시장이 크니까
국가로 인정하면 수출이 늘지 않을까?
인정함

그러나 미국이 과거와 같이 고립주의를 현실적으로 유지하기 어려웠던 것은
ISOLATION

이미 막대한 미국자본이 해외에 투자되었고
유럽
US $
US $
아시아 등 해외

미국시장이 국제시장과 대단히 긴밀한 관계를 맺고 있어

국제정세의 변화가 미국경제에 직접적으로 큰 영향을 미쳤기 때문이야.
미국경제
국제정세

그럼에도 FDR은 해외, 특히 유럽 문제에 불간섭주의, 고립주의를 표방하여
고립주의
중립

전운이 깃든 유럽 현실을 애써 외면하고 있었어.
안 들려, 안 보여….
우지끈
콰당탕

또 유럽문제에 절대 손대지 말라는 국내의 빗발치는 여론도 고립주의를 고집하는 큰 이유였지.
" STAY OUT! STAY OUT FOR MY SAKE, AS WELL AS YOUR OWN! "
DEMOCRACY

* 유럽문제에 개입 말 것을 간청하는 당시 만화

경제공황으로 어려워진 미국인들은 1차 대전에 참전한 정부를 원망하기 시작했어.
쓸데없이 남의 전쟁에 끼어들어 돈만 잔뜩 썼다!

도대체 유럽의 나라들은 꿔간 돈을 왜 안 갚는 거야?
미국정부는 자선사업하는 데냐?

미국이 전쟁에 끼어든 건 무기와 군수물자 팔아먹으려는 대기업의 농간이었다구.
맞아. 그래 놓고 이제 공황이 되니 우리만 죽어나지!!

다시는 미국이 유럽의 전쟁에 끼어들지 못하게 해야 해!
하모. 싸움만 일삼는 유럽에 우리 세금만 퍼주는겨!

이런 미국 국민의 정서에 따라 1934년에는 존슨법이 제정되어
Johnson Act 1934
땅
땅
땅

미국에 진 빚을 갚지 못하는 나라에는 돈을 빌려주지 못하게 아예 법으로 못을 박는가 하면
먼저 꿔 간 돈부터 갚아!
돈 좀 꿔주쇼.
US

1936년에는 미국이 외국의 전쟁에 참여하지 못하도록 중립법(中立法)이 제정되었지.
NEUTRALITY ACT 2차 중립법
절대 전쟁에 끼어들지 못한다!

이 법은 전쟁을 하는 나라에 무기나 군수품을 판매하거나 수송하지 못하게 하는 법이지만

2차 대전이 터지자 사실상 지켜지지 않은 죽은 법이 되어버렸어.
S.O.S!
S.O.S!
알았다. 오바!
영국
USA

미국이 고립주의를 지키려는 의지는 1939년의 '캐시 앤 캐리' 제도로 강조돼.
??
CASH & CARRY

2차 대전이 터져 물자가 화급한 영국, 프랑스 등의 국가가 미국에서 물건을 사갈 땐
돈은 전쟁 끝나고 줄게!
NO! 현금 아니면 안 돼.
CASH & CARRY

반드시 현금으로 물건 값을 치른 배만 떠날 수 있도록 규정한 거였다고.
안 그랬다간 지난 전쟁 때처럼
물건만 주고 돈은 못 받게 되거든!

실제 FDR은 모든 방법을 동원하여 외교분쟁에 끼어들지 않으려고 애썼지.

물론 1936년 대통령 선거 재선을 위해선 국민의 눈치를 봐야 하기도 했지만

전쟁에 끼어들었다간 표가 다 날아간다!
ISOLATION
고립

1930년대 중반은 중일전쟁이 날로 치열해져 가던 때였어.

침략자 일본을 몰아내자!
중국대륙을 차지하자!
중국

1937년에 일본 전투기가 미국 군함을 양자강에서 격침시켰을 때도

FDR은 250만 달러의 보상금으로 사건을 매듭지을 정도로 전쟁에 끼어들지 않으려고 최선을 다했지.

휴…. 전쟁 나는 줄 알았네….

그러나 대통령 2기 임기 시작 이후, 경제는 지독한 불황의 늪에서 허우적거리고

H·E·L·P.
미국경제

2기 뉴딜정책은 별 효과가 없어

뉴딜은 극약처방인데 환자가 면역성이 생겨 약발이 먹히지 않는다….

FDR은 대통령 임기 중 최악의 상황에 직면해 있었어.

경제위기

그럼에도 1939년 9월 2차 대전이 터진 뒤에도

일본의 진주만 기습으로 참전을 선언하는 1941년 12월까지

미국은 공식적으로 27개월간이나 중립을 유지했지.

중립
NEUTRAL

그러니까 미국을 전쟁으로 끌어낸 건 유럽의 전쟁이 아니라 동양의 맹주를 꿈꾸던 일본이었던 거야.

유럽의 전쟁이 치열해지던 1940년말 FDR은 사상 처음으로 3선에 도전한다.

3기
1941~1945
2기
1937~1941
1기
1933~1937

그의 3선 도전에 대해 공화당은 물론, 그를 후보로 지명한 민주당 내에서도 강한 반발이 일었지만

NO THIRD TERM!
DEMOCRATS FOR WILLKIE

* FDR의 3선을 반대하는 민주당의 포스터

전쟁 위기로 지도자를 바꾸기보다 안정을 원했던 유권자들은 다시 FDR을 대통령으로 선택했어.

* FDR 부부

유럽 전쟁이 터진 이후, 미국인들의 전쟁에 대한 인식은 크게 변하여

히틀러, 무솔리니는 침략자, 독재자다.
그들을 그냥 두어야 하는가?

1938년엔 미국의 1차 대전 참전이 잘못이라는 응답자가 64%나 되던 것이

미국은 군수업자 농간으로 남의 전쟁에 끼어들었지!

1940년 말 선거 직후엔 39%로 줄어 알게 모르게 미국인들의 마음속에는 언젠가 미국이 참전하게 될 것을 느끼고 있었지.

1938년 64%

"미국의 1차 대전 참전은 잘못"

1940년 말 39%

1941년 1월 6일, FDR은 3번째 대통령 취임식에서 유명한 '4가지 자유'란 연설을 해.

인간은 4가지의 자유를 지녀야 합니다!

표현과 언론의 자유, 종교의 자유, 궁핍으로부터의 자유, 그리고 공포로부터의 자유가 그것입니다!

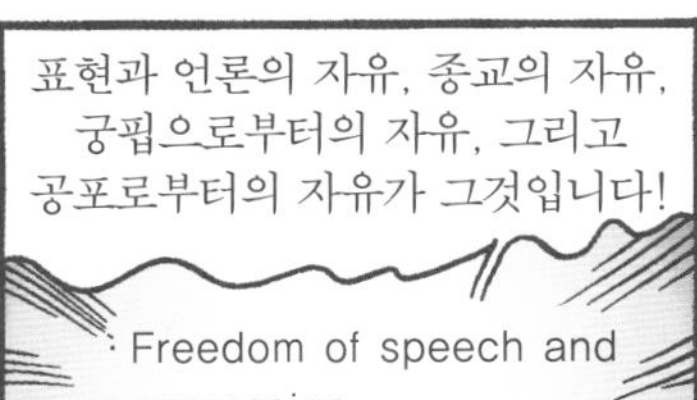
· Freedom of speech and expression
· Freedom of religion
· Freedom from want
· Freedom from fear

그가 여기에서 말하는 '공포'란 바로 '전쟁'을 의미하는 거지.

나치, 파쇼 등 군국주의의 공포로부터 해방되도록
어떻게든 유럽을 도와야 되지 않겠는가…?

1939년 전쟁을 시작한 히틀러는 승승장구하여

1940년에 덴마크, 노르웨이를 점령한 뒤 벨기에 네덜란드를 단 18일 만에 점령하고

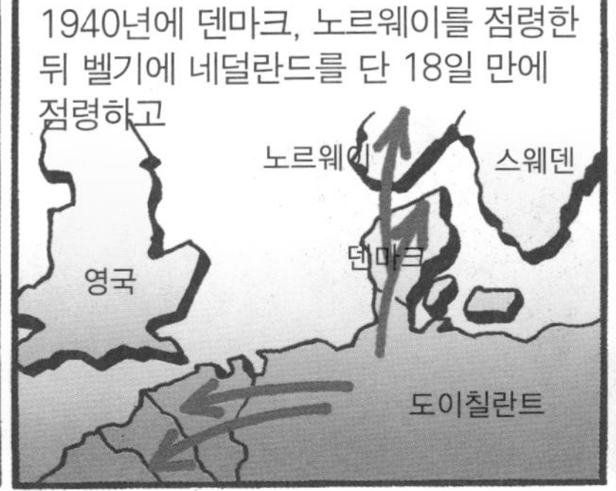
노르웨이
스웨덴
영국
덴마크
도이칠란트

6월 22일에는 파리에 입성, 프랑스의 항복을 받아내지.

* 파리에 입성하는 도이치군대

이제 소련을 제외하고 전 유럽대륙을 히틀러가 장악했고
유럽대륙

오직 영국만이 남아 힘든 싸움을 계속하고 있었어.

* 폭격당해 폐허가 된 런던

영국이 함락되면 곧 히틀러의 위협이 미국에까지 뻗칠 것이라는 판단 아래
미국
영국
유럽 대륙

미국은 대대적으로 영국에 군수 물자를 대주며 무기를 팔았고
USA

당연히 히틀러는 미국을 적대시하게 되었지.
영국을 돕는 것은 곧 나를 적으로 삼는다는 의미이다!

1941년 5월, 도이치 잠수함이 미국 배를 침몰시키자 FDR은 즉각 국가 위기상황을 선포했어.
그래도 전쟁을 하지 않겠다!

아프리카에서는 '사막의 여우'라는 롬멜이 영국군을 격파하며

* Erwin Rommel(1891~1944)

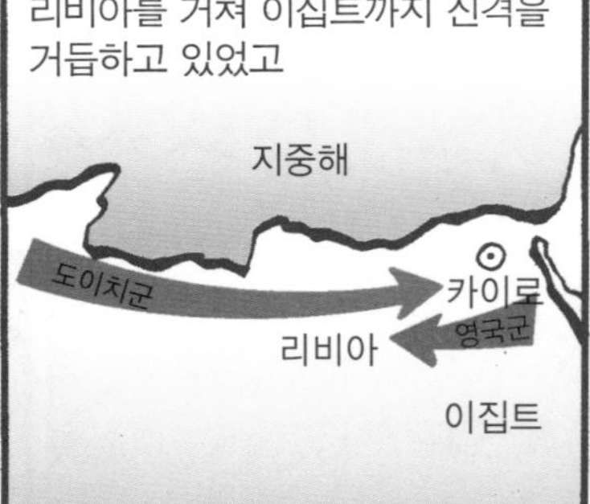
리비아를 거쳐 이집트까지 진격을 거듭하고 있었고
지중해
도이치군
카이로
영국군
리비아
이집트

히틀러는 6월 2일, 드디어 소련을 침공했다.

유전을 확보하려면 소련 영토를 뺏지 않을 수 없다.

총공격!

10월 27일, 또다시 도이치 잠수함이 미군함 커니호를 격침시키고 3일 뒤 다시 미 구축함 R. 제임스호를 격침시켜 수병이 100명 이상 사망했어도

FDR은 끝내 히틀러에게 선전포고를 하지 않았어.
그래도 유럽의 전쟁에 미국이 휘말리지 않겠다!
FDR

1941년 12월 7일 아침 일본은 일요일 아침잠에 빠진 하와이 진주만을 기습 공격, 미국 태평양함대 전함 19척이 침몰하고 2,400여 명이 사망했다. 149대의 전투기가 파괴되었고 오클라호마, 네바다, 애리조나호 등 미국 해군의 기둥이던 전투함들이 반격 한 번 제대로 못 해보고 태평양에 가라앉고 말았지.
비슷한 시간에 맥아더 장군이 지휘하던 필리핀 마닐라의 미군 항공부대도 일본 전투기의 기습공격으로 풍비박산 나고 말았어. 다음 날 미국의회는 일본에 선전포고를 인준했고, 12월 11일에 도이칠란트와 이탈리아가 미국에 선전포고를 함으로써 미국은 유럽과 태평양에서 벌어지는 제2차 세계대전의 당사국이 되었던 거야.

그렇다면 일본은 왜 미국을 상대로 전쟁을 시작했을까?
??타
앗

일본은 이른바 '대동아공영권'의 맹주가 되어 동양을 지배하려는 꿈을 가지고
大東亞
共榮圈
아시아국가들

만주침략을 시작으로 본격적인 중국 침략전쟁을 일으켜 미국과의 관계가 극도로 나쁜 상태였지.
썩 나오지 못해?
US
중국

그러나 미국은 전쟁을 치르면서 일본을 무력으로 저지하려는 뜻이 없었고
안 나가면 우짤래?
안 나오면 할 수 없고….

일본이 침략을 본격화하는데도 철과 석유, 기계 등을 일본에 수출하고 있었어.
$
석유
철
기계 등
USA

일본에 대해 이런 중요한 전쟁물자의 수출금지는 일본을 더욱 자극, 침략을 가속화할 것을 두려워했어.
우리가 안 팔면 다른 곳을 침략해 빼앗아 가겠지?

미국이 전쟁에 낄 의사가 없음을
눈치챈 일본은 아시아, 태평양
지역에서 침략을 노골화하여
우하하하

미국령인 필리핀의 섬들을 점령하고
인도차이나 반도까지 진출하여
베트남
필리핀

아시아에서 미국을 완전히 몰아낼
뜻을 분명하게 드러냈지.
아시아는 아시아인에게!
미국을 몰아내고 대동아공영권 건설!

이에 대해 미국은 어쩔 수 없이
중립 정책을 포기
저거…
우리 영토까지 집어 먹는 걸 보고만 있을 순 없지.
중립

일본에 대해 철, 석유 등 군비산업에
필요한 물자의 수출을 전면 중단했어.
EMBARGO
USA
수출 금지!

우리는 항일 전쟁중인 중국 국민당을 지원하고, 미국 내 일본자산을 동결시킬 것이며 일본의 중국에서 철수, 삼국동맹 탈퇴를 요구한다!

이제 미국 – 일본 간의 무력충돌은
피할 수 없게 되었지.
좋아, 맞장뜨자 이거지?!

1941년 초 일본 주재 미국대사인
조셉 그루*는 일본의 진주만 공격
계획을 미국 정부에 알렸지만

* Joseph Grew

미국의 관심은 유럽에 쏠려 있었기
때문에 일본의 기습공격에 전혀 준비가
안 된 상태에서
우당탕

12월 7일, 대대적인 진주만 공격을
당했던 거야.

일본의 진주만 공격은 전쟁에 반대
하던 국민들까지 단결케 만들었고
12월 7일을 잊지 말자!!
진주만을 기억하라!
REMEMBER DECEMBER 7.

FDR은 전 미국인의 열렬한 지원을
받으며 세계대전에 뛰어들게 되었어.

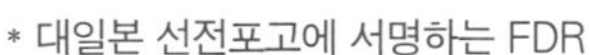
* 대일본 선전포고에 서명하는 FDR

2차 대전은 뉴딜정책이 7년간이나 이루지 못한 것을 단숨에 해결해 주었어.
2차 대전

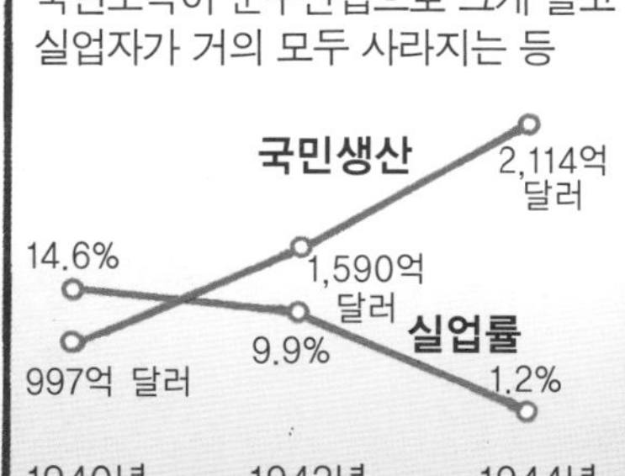
국민소득이 군수산업으로 크게 늘고 실업자가 거의 모두 사라지는 등
국민생산
2,114억 달러
14.6%
1,590억 달러
실업률
9.9%
997억 달러
1.2%
1940년
1942년
1944년

지겹고 기나긴 대공황의 터널을 순식간에 빠져나올 수 있었다고.
괘액
대공황
미국경제

1942년의 전쟁 상황은 추축국에게 유리하게 전개되었어.

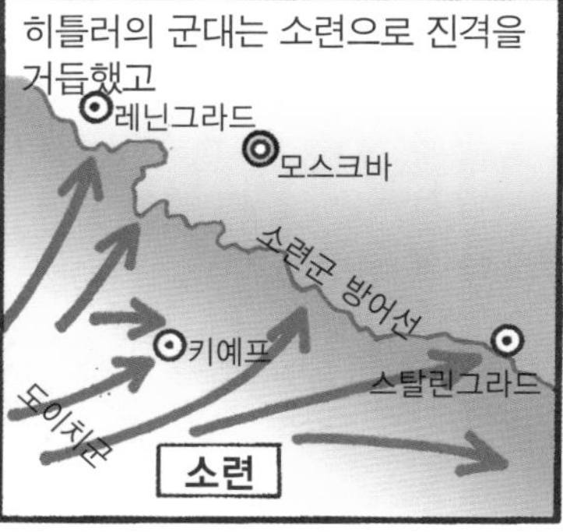
히틀러의 군대는 소련으로 진격을 거듭했고
레닌그라드
모스크바
소련군 방어선
키예프
스탈린그라드
도이치군
소련

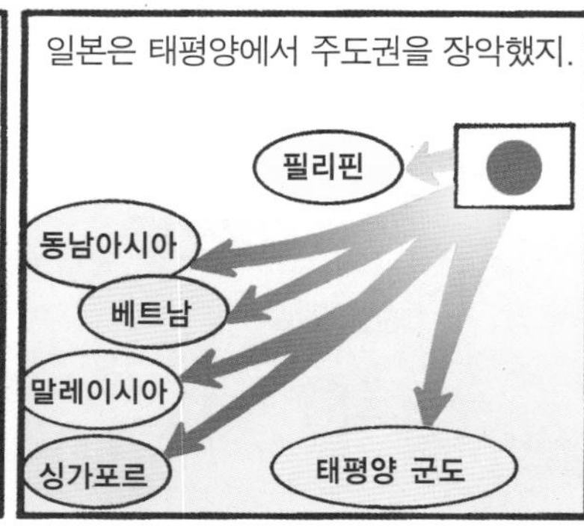
일본은 태평양에서 주도권을 장악했지.
필리핀
동남아시아
베트남
말레이시아
싱가포르
태평양 군도

그러나 스탈린그라드에서 포위당한 도이치군 30만 명은
스탈린그라드
흑해
터키

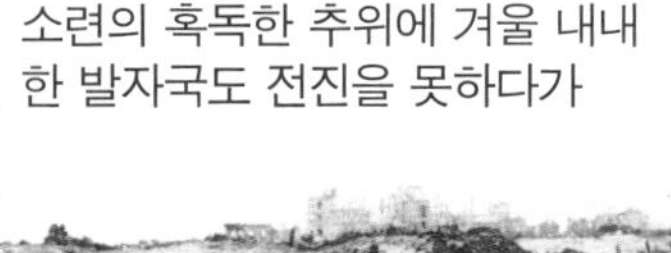
소련의 혹독한 추위에 겨울 내내 한 발자국도 전진을 못하다가

* 스탈린그라드

무려 16만 명이 전사하고 나머지 7만 명이 포로로 잡히는 결정적인 패배를 겪었다.

한편 아프리카에서는 몽고메리 장군이 롬멜이 이끄는 도이치군을 격파

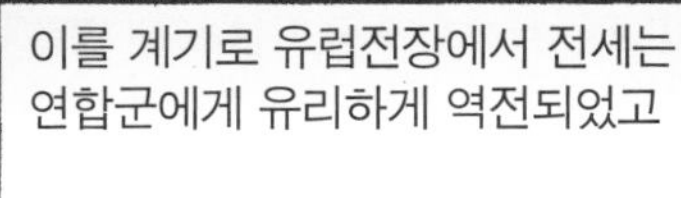
이를 계기로 유럽전장에서 전세는 연합군에게 유리하게 역전되었고

미국은 아이젠하워 장군을 연합군 총사령관으로 임명하고 총공세의 전열을 가다듬었어.

드와이트 D. 아이젠하워
Eisenhower
1890~1969

지루한 공방전은 1944년 6월 6일, 사상 최대의 작전이라는 노르망디 상륙작전과 함께 새로운 전기를 맞게 돼. 연합군은 5,000명의 전사자를 내긴 했지만 15만 명이 유럽대륙에 상륙할 수 있었지.

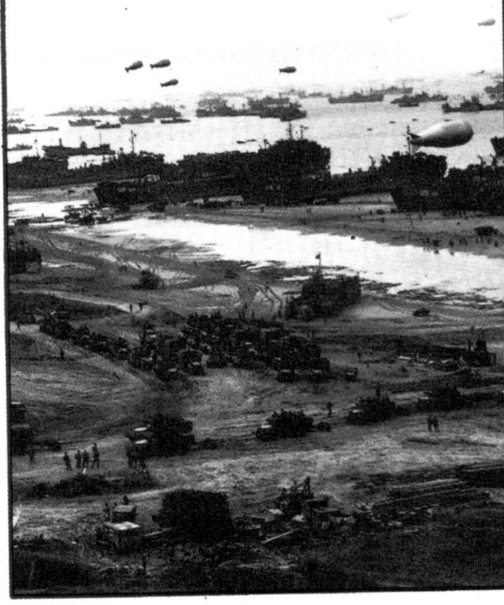

지중해 쪽에서도 연합군이 상륙하여 6월 5일, 로마를 점령하였고 8월 25일에는 드디어 파리를 해방시키며 확실한 승리의 기틀을 다졌던 거야.

* 파리에 입성하는 미군

맥아더 장군은 태평양 군도에서 일본군과 접전, 1944년 10월 필리핀을 탈환하고 이곳을 거점으로 일본 공격을 강화했는데 일본은 자살특공대 가미카제까지 동원하였지만 이미 기울어져가는 전세를 뒤집을 수 없었어.

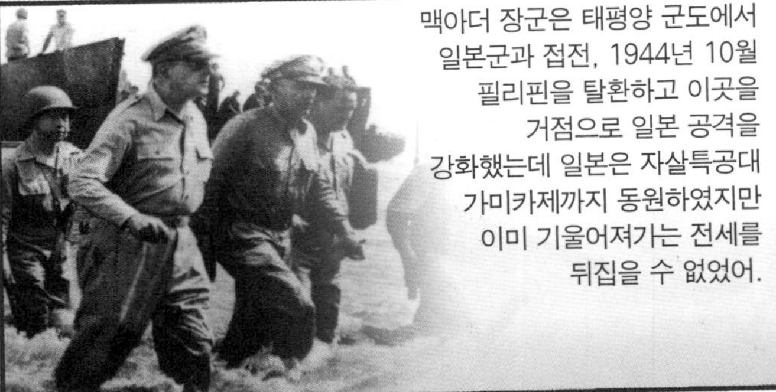

1945년 1월부터 미국, 소련군이 동시에 동 · 서로 도이칠란트 국경에 진입했고

* 1945. 4. 25. 엘베강에서 합류한 미군과 소련군

2월에 미국, 영국, 소련의 수뇌가 얄타에서 전후 문제를 논의했지만 이미 깊은 불신이 싹트고 있었지.

2월19일 미군은 4주간의 치열한 전투에서 7,000명의 전사자, 19,000명의 부상자를 내는 엄청난 희생을 치르면서도 이오지마섬을 함락했다.

이 섬은 도쿄에서 불과 1,200km 밖에 떨어지지 않은 전략적 거점으로

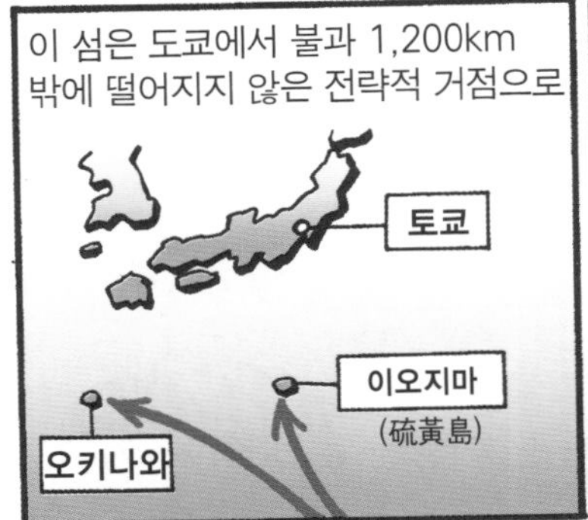
토쿄
이오지마
(硫黃島)
오키나와

미국은 무수한 폭격기를 보내 일본 전역에 폭탄 비를 쏟아부을 수 있는 발판을 마련한 거야.

1945년 1월, 미국 역사상 처음이자 마지막으로 네 번째로 대통령 취임 선서를 했던 FDR은

FDR
4선!

불과 석 달도 되지 않아 2차 대전이 끝나는 것도 보지 못하고 뇌출혈로 세상을 떠났어. 미국민과 국제사회가 FDR의 사망으로 커다란 충격에 휩싸인 가운데

* 1945. 4. 12. FDR의 장례식

지도력을 검증받지 못한 해리 트루먼 부통령이 대통령직을 물려받았지.

해리 S. 트루먼
Harry S. Truman
1884~1972

그는 취임 3개월 안에 참으로 중요한 문제들을 결정해야 했어.

유엔 설립
연합국간의 관계
미국의 경제
일본 본토 공습

1945년 5월 7일, 도이칠란트는 무조건 항복했고 유럽에서의 전쟁은 끝났다.

* 베를린 의회 건물에 소련기를 꽂는 붉은 군대

이제 미국은 모든 군사력을 모아 일본의 목을 조르는 것만 남았어.

결사항전!

패전의 기색이 역력한데도 일본은 항복을 거부하며 완강히 저항했고

최후 일인까지도 옥쇄할 각오로 싸운다!
항복은 있을 수 없다!

7월 소련이 태평양 진출을 노리고 일본과의 전쟁에 끼어들자

나도 좀 끼자.
태평양

미국의 입장은 상당히 다급해졌지.

빨리 일본을 항복시키지 않으면
소련의 세력이 태평양에서 엄청 커질 텐데….

7월 17일 트루먼 대통령은 한 가지 극비 보고를 받았어.

각하, 맨해튼 프로젝트가 성공했답니다.
맨해튼 프로젝트?
극비

그것은 바로 뉴멕시코에서 극비리에 시행된 핵폭탄 실험이었지.

그 엄청난 무기를 일본에 써야 하나?

핵폭탄 개발에 참여했던 과학자들은 핵무기의 실전투입을 극력반대했지.
그것은 너무나도 끔찍한 대량 살상무기입니다.

아무리 적을 꺾어야 하는 전쟁이지만, 이런 무기의 사용은 인류에 대한 죄악입니다.
위협용으론 써도 되지만 실전 투입은 절대 안 돼요!

그러나 끝까지 굴복하지 않는 일본군과의 전투에서 미군은 계속 엄청난 피해를 내고 있었고

만약 소련이 참전한다면 미국은 승전의 대가 중 큰 부분을 소련에게 넘겨주지 않을 수 없는 조급함에서
승전대가

트루먼 대통령은 원자탄의 일본 투하를 지시했어.
리틀보이*를 투입하라!

* Little Boy : 히로시마에 투하된 원자폭탄 암호명

1945년 8월 6일 히로시마에 첫 원자폭탄이 투하되었다. 단 한 개의 폭탄이 터지면서 무려 8만 명이 그 자리에서 또는 후유증으로 생명을 잃는 거대한 비극의 현장이 된 거지.

8월 8일 다급해진 소련이 일본에 선전포고, 전투를 시작했고

더 늦게 참전했다가는

전쟁이 끝나 우린 아무것도 못 건져!

선전포고

8월 9일 나가사키에 두 번째 원자탄이 떨어졌다.
히로시마
나가사키

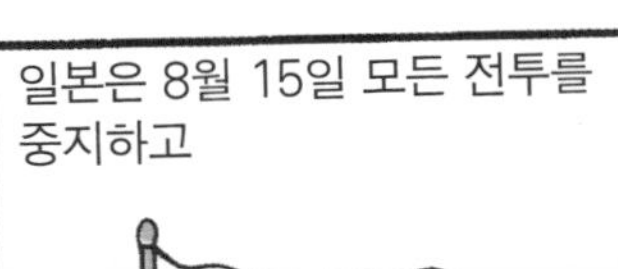
일본은 8월 15일 모든 전투를 중지하고

9월2일 미함 미주리호 갑판에서 공식 항복문서에 조인함으로써

* 일본의 항복문서 서명

약 5,300만 명 이상의 사망자를 낸 제2차 세계대전은 막을 내렸어.

* 승전에 환호하는 미국인들

인류 역사에서 가장 참혹했던 전쟁이 끝나자 지금까지 세계를 호령하던 영국과 프랑스 등 유럽 강대국들은 주도권을 잃고

* 원자탄 투하로 파괴된 히로시마

자연스럽게 미국과 소련이 새로운 초강대국으로 떠올랐다.
USA

미 · 소는 비록 2차 대전 기간 동안 동맹 관계를 맺고 군국주의라는 공동의 적과 함께 싸웠지만

이 두 강대국은 서로 전혀 다른 이념을 신봉하는

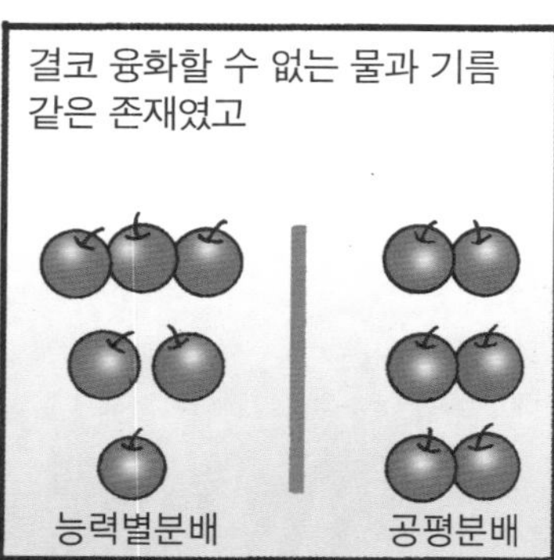
결코 융화할 수 없는 물과 기름 같은 존재였고
능력별분배
공평분배

전쟁이 끝나기가 무섭게 적대관계로 돌아설 수밖에 없었어.

미국은 소련을 차단하지 않으면

장차 전세계가 공산화될 것이라는 두려움으로,
USA
공산주의

소련은 주변에 가능한 한 많은 공산 국가들을 동맹국으로 만들어두지 않으면
동맹국가

피 흘려 이룩한 공산주의 체제가 탐욕스런 자본주의 세력의 침략으로 위협받을까 두려워
두 번의 세계대전도 자본주의의 탐욕이 일으킨 것!

미국과 소련은 전세계 곳곳에서 대립하고 경쟁했지.
공산주의 막아라!
자본주의 막아라!

2차 대전이 끝나기가 무섭게 문제는 세계 곳곳에서 터졌어.
콰콰쾅
쾅

유럽의 식민지였다가 일본에 점령된 동남아시아 국가들은
인도네시아 (네덜란드)
동남아 (영국)
베트남 (프랑스)

일본이 물러가고 옛 지배자가 다시 돌아오자 독립을 요구하며 투쟁했고
옛 주인이 돌아왔다.
안 와도 된댔지?

일본과의 전쟁에 협력했던 중국의 공산당과 국민당은 다시 치열한 전투를 계속했지.

* 중국 남경에 입성하는 공산군

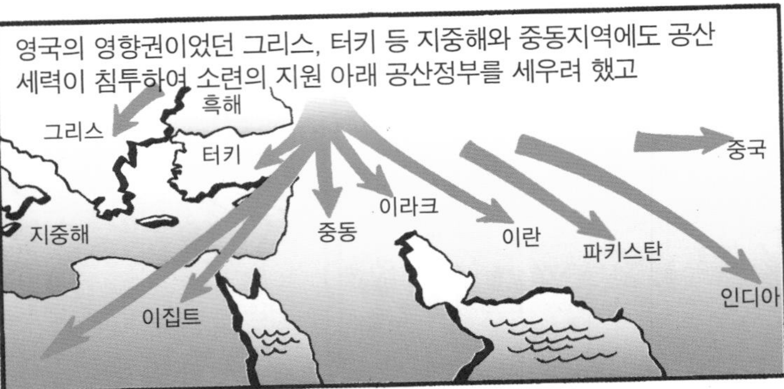

영국의 영향권이었던 그리스, 터키 등 지중해와 중동지역에도 공산세력이 침투하여 소련의 지원 아래 공산정부를 세우려 했고
흑해
그리스
터키
중국
지중해
중동
이라크
이란
파키스탄
인디아
이집트

패전 도이칠란트의 수도 베를린의 분할 문제로 연합국과 소련은 팽팽히 맞섰어.
우리가 홀로 점령하겠다.
말도 안 돼.
4나라가 4등분 점령해야지.
소련
미국
영국
프랑스

미국과 소련의 적대관계는

점차 미국과 서방 자본주의 세력, 소련과 그 위성국가들의 공산주의 세력의 대결로 발전하여
서방 세력
공산 세력

세계 곳곳에서 대립하고 충돌하여 인류를 공포와 불안에 떨게 했는데
미국
소련

비록 총 쏘고 폭탄 던지는 전쟁만 하지 않았다 뿐이지 사실상 전쟁 상태나 다름없었기 때문에
전쟁만 빼고 어떤 수단방법을 써서라도
적을 쓰러뜨려야 한다!
US
USSR

이 시대를 '차가운 전쟁' 즉 냉전 (Cold War)시대라고 해.
냉전
덜덜 덜

1946년 베트남에서는 호치민이 이끄는 공산군과 프랑스군 사이에 전쟁이 터지고

유럽의 소련 점령지는 물론 곳곳에서 공산혁명이 일어나 공산정부가 수립되는가 하면

중국에서도 공산군이 국민당에게 계속 패배를 안겨주는 등 공산세력이 크게 확대되어가자

위협을 느낀 미국정부는 이른바 트루먼 독트린*을 발표하게 되지.

이는 자유정부를 무너뜨리려는 무장 공산세력으로부터 자유민 보호를 위해 군사, 경제지원을 하겠다는 것으로

즉 자본주의 체제를 공산주의 위협에서 지키기 위해 군사개입도 불사하겠다는 세계 자본주의 경찰선언이었어.

US

* 1947년 3월 12일

트루먼 독트린과 함께 미국은 대대적인 서유럽 경제 부흥 지원정책을 세웠는데
Marshall Plan

이것이 바로 마셜 플랜이야.
서유럽은 소련군에게 점령되지는 않았지만
서방

전쟁으로 완전히 파괴되어 극심한 경제난으로 고통받고 있다. 이를 그대로 두면 공산주의자가 침투하여 공산화될 것이 분명하다.

* 조지 마셜(1880~1959)

그러므로 서유럽을 경제적으로 부흥시킨다면 자연히 공산화를 막을 수 있고

2차 대전 때 미국에 진 빚을 다소 갚을 수 있게 될 것이며
등 따습고 배불러야 빚을 갚지…

멀리 내다보면 유럽이라는 거대한 시장에 미국 상품을 내다 팔 수 있다는 계획이었지.
Made in USA
유럽시장
USA

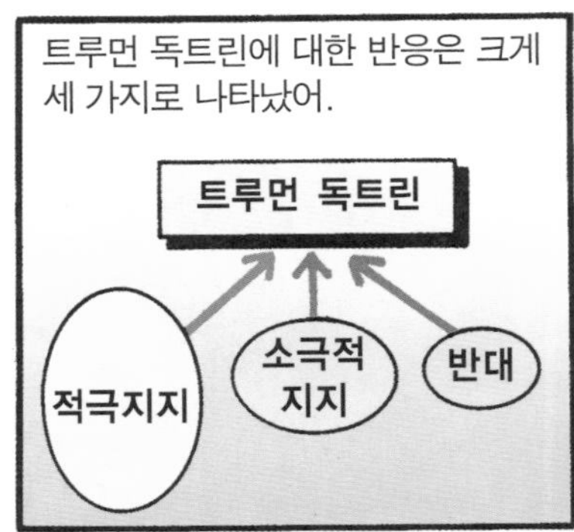
트루먼 독트린에 대한 반응은 크게 세 가지로 나타났어.
트루먼 독트린
적극지지
소극적 지지
반대

대다수를 차지하는 공화당 중심 강경파들은 적극적으로 지지했고
소련은 미국의 적이다! 나치와 같은 위험존재로 규정해 봉쇄해야 한다!

후버 전 대통령과 태프트*상원의원 등 소극적 지지파,
동맹국과 공동으로 공산세력을 막자.
미국 단독으로 끼어들면 곤란하다.
너무 설쳐대면 곤란하다!

* Robert Taft(1889~1953)

전 부통령 헨리 월리스* 등은 반대였어.
트루먼 독트린은 제국주의적 발상이다!
미국은 국가의 에너지를 국내 정치개혁에 쏟아야 할 것이다!
그러다가 빼도 박도 못한다!

* Henry Wallace(1888~1965)

결국 트루먼 독트린은 의회의 인준을 받았고 그 후 미국 외교의 기본틀이 되었지.
공산화 위협이 있는 곳에는 미국이 군사개입한다!
외교

마셜 플랜에 대해서도 찬성과 반대로 의견이 나뉘었는데
$
$
마셜 플랜
USA

태프트는 미국이 계속 발목을 잡힐 수 있다며 반대했고
계속 퍼주기만 한다면
결국 밑 빠진 독에 물 붓기만 될 뿐이다!
NO!

월리스는 동맹국 소련에 대한 배신이라며 반대했어.
이는 소련의 성장을 막으려는 음모다.
함께 싸운 동맹국에 이럴 수가 있는가?!

소련 역시 마셜 플랜을 맹렬히 비난했지만
아예 달러를 쏟아부어
유럽을 통째로 사버리겠다는 꿍꿍이 아닌가?!

찬성과 비난이 엇갈린 상태에서 마셜 플랜은 의회의 승인을 받았고
밑 빠진 독에 물을 부어도 된다!
공산화 막는 게 더 중요하다!
땅
땅
땅

1948년에서 1951년까지 3년간 무려 130억 달러라는 돈이 서유럽에 지원되었는데
$13,000,000,000
USA
영국
프랑스
도이칠란트

그 효과는 대단히 커서 서유럽이 빠른 시간 안에 경제를 회복하는 데 결정적 도움이 되었지.
유럽 경제
$
USA
$

서로가 서로를 불신하는 미국과 소련의 대립과 갈등은 군사동맹으로 이어져

1948년 자본주의 서유럽 진영이 브뤼셀에서 군사동맹을 맺고
반공
공산 위협에 공동으로 대처하자!

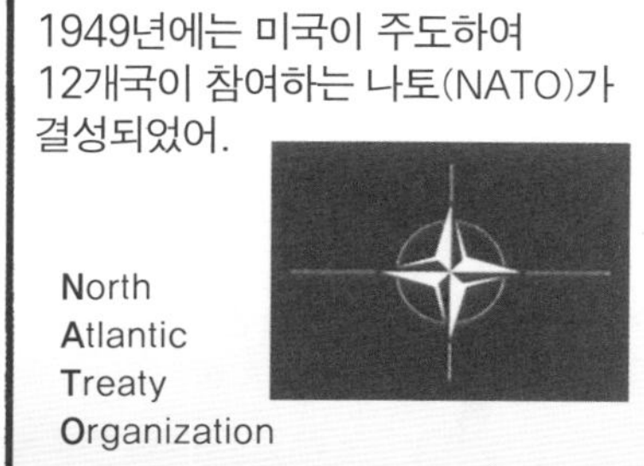
1949년에는 미국이 주도하여 12개국이 참여하는 나토(NATO)가 결성되었어.
North
Atlantic
Treaty
Organization
북대서양 조약기구

이에 대항하여 소련은 주변의 위성국들과 연합하여

1955년 '바르샤바 동맹'을 결성하여
소련
헝가리
루마니아
불가리아
알바니아
체코슬로바키아
동도이칠란트
폴란드
Warsaw Treaty Organization

세계는 두 패로 나뉘어 군사적 우위를 노린 핵폭탄 제조 등 치열한 군비 경쟁을 가속화했지.

1949년 소련은 탱크를 앞세워 공산 정권수립을 거부하던 체코를 침공하고,
체코

핵폭탄 개발에 성공하여 핵보유 국가가 된 데다가
우리도 있다 아이가?

중국내전에서 공산당이 승리하여 중국대륙이 공산통일되면서

* 중국공산당 지도자 마오쩌둥 선전 포스터

미국의 공산주의에 대한 경계심과 공포가 확산되어
동유럽 공산주의 정부 증가!!
소련 핵 보유!
중국 공산화!

국내 여론도 강경노선으로 돌아서 트루먼 독트린 지지로 돌아섰으며
트루먼독트린 지지!
어떤 수를 쓰더라도 공산주의 확산을 막아라!

미국 의회에도 반공보수 세력이 득세했어.
먼저 미국 안의 빨갱이들부터 때려잡자!

보수주의 공화당 의원들의 주도로 '비 미국인 활동위원회' 가 구성되어
비 미국인 활동위원회 =HUAC
House
Un-American
Committee
공산당 타도!

공산세력과 이에 관련된 인사들에 대해

* HUAC 위원들, 오른쪽 맨 끝에 리처드 닉슨

마녀 사냥식 무차별 탄압이 시작되었지.
난 공산주의자가 아냐!
빨갱이가 말이 많다!
후악!
HUAC

공산주의자에 대한 탄압은 1950년, 이른바 '매카시 선풍' 이 휘몰아치며 극에 달했다.
매카시!

1950년 2월, 위스콘신주 출신 초선 의원 조지프 매카시*는 의회연설에서 폭탄발언을 했는데….
미국은 지금 빨갱이로 가득 차 있다!

* Joseph McCarthy(1908~1957)

국무부 직원 중 무려 206명이 공산당에 관련되어 있다. 이것이 바로 그 명단이다!
BLACK LIST

이 주장은 그 뒤 근거도 없는 허위 폭로라는 것이 밝혀졌지만
아니면 말고!
어느 나라 정치인들과 너무 닮았다!

매카시는 한술 더 떠서 미국의 저명 인사까지 공산주의자로 몰아갔지.
원자탄을 개발한 오펜하이머 박사도 붉은 냄새가 난다!

'때마침(?)' 터진 한국전쟁은
6.25
KOREA

매카시를 비롯한 극렬 반공주의자들을 더욱 기고만장하게 만들어서
내가 뭐랬냐!
빨갱이는 몽땅 때려잡아야 한다고 했지?

조금만 의심이 가는 사람이면 그가 누구든 대번에 공산주의자로 몰려 모든 것을 잃었고
허걱!
붉은 넥타이? 너 공산주의자 맞지?

매카시의 위세는 '법 위에 군림' 할 정도로 무서웠어.
매카시에게 찍히면 끝장이다!

1950년 6월 25일에 발발한 한국 전쟁은 그동안의 냉전이 열전으로 터진 '대리전쟁'으로
한반도

1949년의 중국공산당의 승리와 공산통일
中央人民政府爲代表中華人民共和國全國人民的唯一合法政府

* 중화인민공화국 창건 축하 포스터(1949년)

그리고 스탈린의 팽창주의 정책

미군의 남한 철수에 고무된 북한의 김일성이
음, 미군이 떠났으니 남조선은 지금 힘의 공백 상태다!

스탈린의 지원약속을 받고 남한을 기습공격하여 터진 전쟁이었지.
쿠르르르
38

이 전쟁은 무려 3년이나 끌며 한민족에게 지금까지도 아물지 않는 상처를 남겨주었다.

전쟁 초기 미국민들은 미국의 한국전 참전을 지지했어.
침략자를 격퇴시키고 공산주의 확산을 막아야 한다.
NORTH ATTACKED SOUTH

그러나 시간이 지나면서 반대 여론이 높아져갔고
이러다가 제3차 세계대전으로 번지는 거 아냐?
중공군 개입!
국제전성격으로

트루먼 대통령도 공산주의자들의 세계 정복 야심을 분쇄해야 한다고 참전을 결정하였지만
'트루먼 독트린' 알지?
공산주의 확산 방지!!

반대 여론을 의식하여 소련이나 중국과의 전쟁으로 확대되지 않도록 제한전을 원했다.
Limited War(제한전)
한국전
제한전
국제전

그러다 보니 전선에서는 치열한 전투가 계속되는가 하면

한편에서는 어떻게든 전쟁을 끝내려는 협상이 거듭되는 기묘한 전쟁이었지.

1953년 대통령에 취임한
아이젠하워는 전쟁영웅이었지만

그의 가장 중요한 첫 임무는 한국
전쟁을 빠른 시일 안에 끝내는
것이었어.
전쟁을 계속 끌어
미군의 희생이
커지면
정권에 대한
지지도가 추락할
것이다.

그해 3월 소련을 30년간 지배한
공포의 독재자 스탈린이 사망하고
2,000만 명이나
죽인 독재자도
결국은….

소련과 중국은 미국의 핵무기를
의식,
일본에서 한 번 쓴 경험이
있으니 두 번 못 쓴다는
보장이 없다!

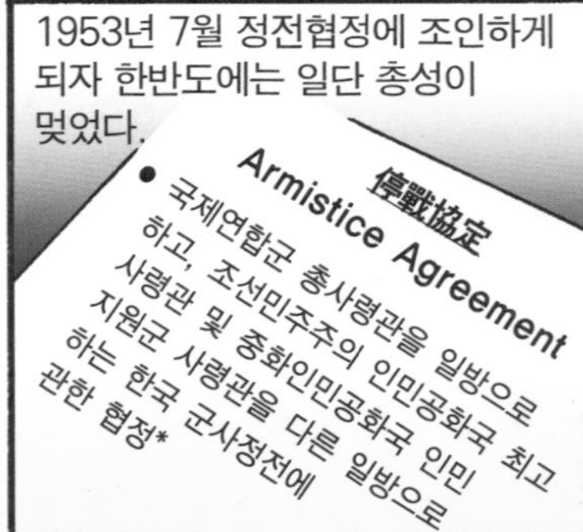
1953년 7월 정전협정에 조인하게
되자 한반도에는 일단 총성이
멎었다.
停戰協定
Armistice Agreement
● 국제연합군 총사령관을 일방으로
하고, 조선민주주의 인민공화국 최고
사령관 및 중화인민공화국 인민
지원군 사령관을 다른 일방으로
하는 한국 군사정전에
관한 협정*

* 정전협정의 정식 명칭

한국전쟁의 정전은 승자도 패자도 없는
이념 대리전쟁의 '일단정지' 였던 거야.
한민족은 영문도 모르고
미 · 소 갈등의 희생양이….

한국전 정전과 함께 극렬 반공
매카시 광풍도 크게 세가 꺾여
맥 의원, 너무
오버하는 거 아냐?

1954년 12월 매카시는 의원직을
박탈당하고 정치무대에서 쫓겨났지.

한국전쟁의 충격이 채 가시기도 전에
이번에는 베트남에서 또 전쟁이 터졌다.
펑
베트남
한국

일본군이 물러간 뒤 동남아 여러
나라에 영국 · 프랑스 등 전 지배
세력이 돌아오자 갈등이 심해졌고

컴백!
노 땡큐!
전
식민통치
세력
독립주의자

호치민이 이끄는 민족주의 세력은
프랑스의 재지배를 거부하고 무력
투쟁을 벌여
한번 주인은
영원한 주인
너희가 시민대혁명
일으킨 나라 맞냐?

프랑스군과 공산군 사이에 전투가
전국적으로 확대되어가고 있었어.

1954년 3월 디엔비엔푸 전투에서 참혹하게 패배한 프랑스군은
디엔비엔푸

미국에 다급히 군사지원을 요청했지.
호치민은 소련과 중국의 전폭적인 지원을 받고 있소!

미국이 우리를 도와주지 않으면 베트남뿐 아니라 동남아 전체가 공산화될 것이오!
도미노처럼 차례로 쓰러져 갈 거란 말이지?

아이젠하워는 도미노이론을 내세워 프랑스 지원을 합리화하였는데
타라라라락
타이
말레이시아
라오스
캄보디아
베트남

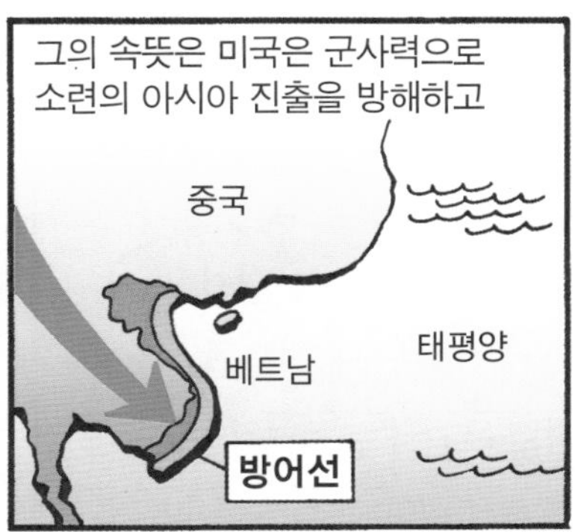
그의 속뜻은 미국은 군사력으로 소련의 아시아 진출을 방해하고
중국
베트남
태평양
방어선

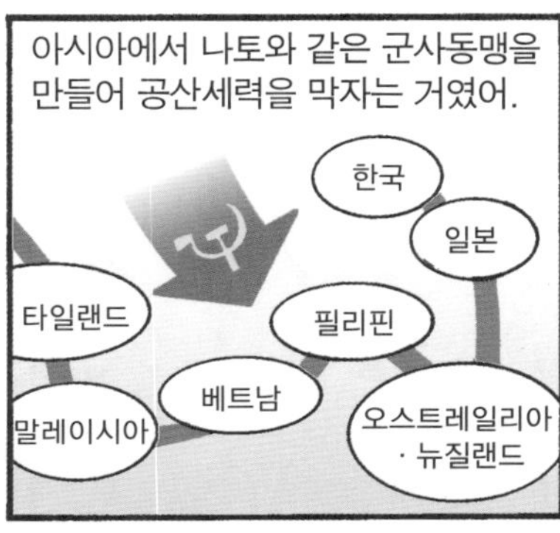
아시아에서 나토와 같은 군사동맹을 만들어 공산세력을 막자는 거였어.
한국
일본
타일랜드
필리핀
베트남
말레이시아
오스트레일리아 · 뉴질랜드

1954년 5월 주요한 전략거점인 디엔비엔푸가 공산군에게 점령 되었다.
디엔비엔푸

이제 미국은 결단을 내려야 했지.
군사개입으로 또 한국전 같은 전쟁을 할 것인가.
군사개입 없이 외교적으로 해결할 것인가!
전쟁
외교

한국전에서 막대한 인명피해를 냈던 미국은 결국 협상을 선택했고
베트남 내전에 군사개입 않겠소.
개입하면 물론 전쟁이지!

대신 17° 선에서 남북을 분리했어.
전쟁을 막기 위해 임시로 나눕시다.
대신 2년 뒤에 통일시켜주겠소.
베트민
17°
베트남

2년 뒤에 남북통합 선거를 하면 통일은 당연히 되니까….
선거하면 우리의 공산지도자 호치민이 압승할 게 분명하니…

미국의 이 약속은 '당연히' 지켜지지 않았지.
공산통일이 뻔한 약속을 왜 지켜?

미국의 소련 봉쇄 전략과 함께 아이젠하워 시대에 냉전은 더욱 치열해졌고
못 가!
비켜!

그 미국 외교의 정상에 덜레스* 국무장관이 있었다.

덜레스는 전세계에서 소련이 주도하는 공산세력을 봉쇄하는 데 모든 노력을 기울였는데

* John Foster Dulles(1888~1959)

서방, 공산세력이 가장 첨예하게 충돌하는 지역이 바로 중동과 서아시아였어.
터키
중동
이집트
아프리카

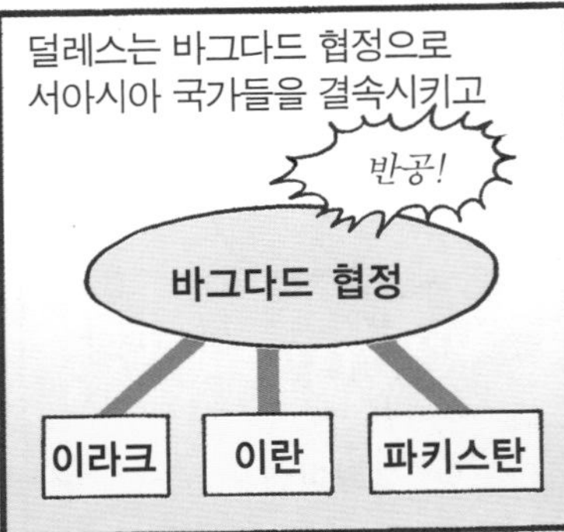
덜레스는 바그다드 협정으로 서아시아 국가들을 결속시키고
반공!
바그다드 협정
이라크
이란
파키스탄

터키를 서방으로 끌어들이는 데 성공한다.
$
US

문제는 바로 수에즈운하를 끼고 있는 이집트였지.
이스라엘
수에즈운하
이집트

이집트의 나세르 대통령은 아랍권을 주도하던 지도자로
우리가 왜 미 · 소와 한편이 되어 패싸움에 끼어들어야 하나?
Gamal Abdel Nasser

제3세력을 표방하며 미국에도 소련에도 호락호락 넘어가질 않았어.
공산세력도 아니고
서방세력도 아닌
우리는 제3세계

오히려 미국과 소련을 경쟁시켜 실속을 차리고 있었다고.
많이 도와주는 쪽과 손잡겠소.

몸이 단 미국으로부터 아스완댐 공사 지원 약속을 받았는데
공사비? 우리가 지원하겠소!
정말?!
미국 짱!

이 공사야말로 천문학적인 돈이 들어가는 인류역사의 대공사였던 거야.
헉!
아스완댐 공사비 견적서

아이젠하워의 지원 약속은 미국 여론의 거센 저항에 부딪혔어.
돌아도 단단히 돌았네!
남의 나라 댐 공사에 그 많은 세금을 퍼부어?

미국은 여론에 굴복하여 지원 약속을 거두어들였고
미안하게 됐소만 아스완댐 공사비는 지원 못하게 됐수.

수에즈운하를 관할하던 영국과 프랑스 등 나토 회원 국가들도 태도를 바꾸니
미국 같은 부자나라가 꽁무니를 빼는데
우리가 무슨 돈이 있다고….

나세르 대통령이 격분한 것은 당연했지.
이것들이 지금 농담 따먹기 하자는 거야?
한번 한 약속을 멋대로 뒤집어? 이거 열 받네!!

군은 수에즈운하를 점령하라! 영국과 프랑스를 쫓아내버리고 수에즈를 이집트 소유로 한다!

1956년 7월 26일, 이집트군이 수에즈 운하를 점령하자
수에즈운하
영국 프랑스 공동소유
이집트거

영국과 프랑스, 그리고 이집트와 원수 관계였던 이스라엘이 비밀협정을 맺고
이 기회에 나세르를 제거합시다.
암, 수에즈를 이대로 뺏길 수 없지.
이스라엘을 못 괴롭히게 콱!

10월 31일 수에즈운하 봉쇄를 사전에 방지한다는 명목으로
이집트가 수에즈운하를 막아버리면
세계 경제는 완전 대혼란에 빠지게 된다!

이 지역에 공습을 감행함으로써 전쟁이 터졌어.
* 수에즈로 진군하는 이스라엘 군대

이에 소련은 즉각 이집트에 군사 지원을 약속했고
침략자와 싸우는 이집트를 붉은 군대로 돕겠다!
위대한 이집트 인민들의 민주 투쟁 만세!!

미국도 영국과 프랑스, 이스라엘을 비난했지.
저것들이 공연히 소련을 자극해서 이집트 진출을 돕고 있지 않은가?

영국, 프랑스, 이스라엘은 즉시 군대를 철수하라. 말 듣지 않으면 뜨거운 맛을 보게 될 것이다!

영국, 프랑스, 이스라엘이 당장 물러가지 않으면 소련군을 보내겠다.
소련군 오기 전에 썩 물러나지 못해?
쟤, 우리 편 맞니? 도대체 누구 편 드는 거야….
공산세력 확대될까 봐 벌벌 떠는 게 미국이냐?
쳇, 덩치만 커가지고 겁만 많아서….

수에즈운하 사태를 비롯하여 1950년대 초의 국제 정세는 과거와 크게 변화했어.

그동안 200년이나 세계를 주름잡던 영국이
대영제국

이제는 더 이상 강대국이 아니라는 사실을 전세계는 분명히 확인하였으며
소련
미국

프랑스는 아예 강대국 대열에서 완전히 탈락했지.
훌쩍!

이제 미국은 그 누구도 의심할 수 없는 초강대국으로 세계무대의 주도권을 장악하였지만
USA

소련과의 냉전이 심화되어 세계 곳곳에서 갈등을 빚었고
중동
쿠바
이란
베트남
중앙 아메리카
쿵
쾅

국내 경기는 불황의 늪에서 헤어나지 못하는 고통의 연속이었으며
경제

사회적으로는 흑백 인종갈등이 심화되는 등
인종차별 철폐!

2차 대전이 끝난 뒤 10년간의 경험은 미국이 20세기 말까지 겪어야 할 고통스러운 사건의 서막이었던 거야.
갈수록 태산이군!

링컨의 노예해방선언이 있은 지 100년이 지난
노예해방선언
The Emancipation Proclamation
1862. 9. 22

1950년대에 들어서도 흑인의 지위는 별로 나아진 게 없었어.
여전한 차별….
흑인 출입금지

미국사회는 1896년에 내려진 대법원 판결* 이래
흑인은 '구별' 되는 것이지 '차별' 되는 게 아니다.
그러므로 흑인은 구별되지만 평등하다.
흑인과 백인
구별 ≠ 차별
OK NO

* 플레시 VS 퍼거슨 사건

백인과 흑인은 철저히 분리되어
WHITE ONLY
백인전용
흑인사용 금지
FOR BLACK
흑인전용

학교, 공원, 화장실은 물론 버스까지 흑인과 백인은 섞일 수가 없었다.
WHITE ONLY
BLACK ONLY

2차 대전이 끝난 뒤 1948년 트루먼 대통령은 군대에서의 흑백차별을 공식적으로 금지하고

아이젠하워도 흑백차별을 없애는 데 큰 노력을 기울였지.
모든 미국시민은 피부색에 의해 차별받아서는 아니 된다!

그의 임기중인 1954년 대법원은 공립 학교 내 흑백차별은 위헌이라는 판결*을 내렸고
흑인, 백인이 다른 학교에서 따로 배우는 것은
분명히 헌법에 어긋난다.
백인 학교
흑인학교

이 판결은 1950년대 흑인 민권 운동의 봇물을 터뜨리는 계기가 되었어.
콰르르…
민권운동
인종 분리 주의

* 브라운 VS 토피카 교육위원회 사건

이때 마틴 루터 킹이라는 흑인 목사가 민권운동의 지도자로 떠올라
Martin Luther King Jr.
1929~1968

1955년 12월 앨라배마주 몽고메리 시에서 버스 승차거부 운동을 시작하면서
흑인, 백인 좌석이 분리된 버스는
인종차별이니 절대 타지 맙시다!

흑인 민권운동은 본격적으로 전국에 번져나가기 시작했지.
We shall overcome
우리는 승리하리라!

마틴 루터 킹 목사의 민권운동은
민권

무저항, 불복종 운동이었어.

* 백인전용 좌석에 앉아 항의 시위하는 로자 파크스

간디의 독립운동에서 영향받은, 평화적이지만 여론에 강하게 호소하는 방식이었지.

* 물대포도 아랑곳 않고 앉아 버티는 흑인시위대: "Sit-in" 운동

킹 목사의 흑인 민권운동은 1960년대 들어 더욱 큰 지지를 얻으며 1963년, 그는 링컨 기념관에서 20만 명에 달하는 시위군중 앞에서 '나에게는 꿈이 있습니다' 라는 유명한 연설을 한다.
그러나 이 위대한 흑인 지도자는 1968년 4월, 인종차별주의자의 손에 암살되고 말아.
탕
탕
탕

킹 목사가 비폭력, 유연한 민권 운동을 펼친 데 비해
마틴 루터 킹 목사
1964년 노벨 평화상
우리 흑인은 왜 기다릴 수 없는가 Why We Can't Wait
자유를 향한 위대한 행진

맬컴 X로 잘 알려진 맬컴 리틀은*
Muhammad Speaks
OUR FREEDOM CAN'T WAIT!
Randolph Warns on

* Malcolm Little(1925~1965)

과격한 민권운동을 주도하였어.
흑인과 백인은 결코 융합할 수 없다.
공존한다면 오직 인종차별만이 판을 칠 것이니

흑인사회를 백인사회에서 분리시켜 흑인만의 국가를 건설하는 것만이 유일한 해결방법이다.
백인
흑인

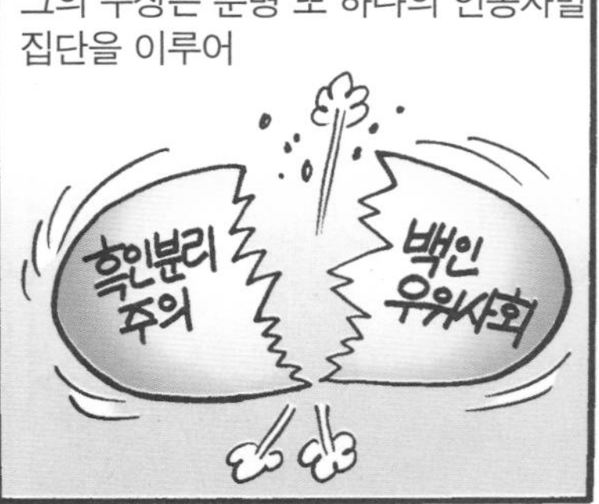

그의 주장은 분명 또 하나의 인종차별 집단을 이루어
흑인분리주의
백인 우위사회

흑인사회를 둘로 나누어 미국사회는 더욱 복잡하게 변화되어가고 있었지.
온건 · 비폭력 민권운동
경제 침체
과격 민권운동
베트남 등 공산권 문제

8

고독한 세계유일의 초강대국

오늘의 미국-뉴프론티어에서 이라크 전쟁까지

미국 이기주의 시대를 연 레이건 대통령의 취임식(1981. 1)

그 이후 4반세기 동안 클린턴 집권 8년을 제외하고 미국의 보수우익화, 자국 이기주의 경향이 점차 두드러지고 있다.

1960년 선거에서 존 F. 케네디*가 미국 제35대 대통령에 당선되었다.

* John Fitzgerald Kennedy(1917~1963)

케네디의 등장은 여러모로 미국인과 세계에 신선한 충격이었다. 왜냐하면
오~! 아~!

그는 미국 역사상 최초의 가톨릭교도 대통령이었고

미국 상류사회에서 영국계에 밀리던 아일랜드계 핏줄이었으며
Irish…
How pity…!

미국 역사에서 가장 젊은 나이에 대통령이 된 인물이었어.
44세에 대통령이라….
아빤 뭐 하셨수?
JFK 당선!

70이 넘은 아이젠하워가 집권하는 동안 늙고 진부한 정치에 식상했던 미국인들은
세대교체!
변화!
박력!
신선함을!

뉴프런티어를 기치로 내걸고 새로운 미국을 건설하자는 젊은 지도자에게 기대를 걸었다.
와 와

공화당의 경쟁자 리처드 닉슨과의 선거전은 최초로 TV토론으로 생중계 되었으며

* 1960. 10. 21. 케네디-닉슨의 TV토론

극히 적은 표 차이로 JFK가 당선되었지.
JFK 민주
R.닉슨 공화

케네디가 들고 나온 뉴프런티어 정책이란
New Frontier! 개척정신, 새로운 세계를 창조하는 도전정신!!
New Frontier

실상은 FDR의 뉴딜 정책을 새롭게 포장해놓은 분배 중심 정책이었는데
뉴딜 정책
뉴프런티어

점차 흐지부지되어 요란한 구호만 남긴 채 케네디 스스로 실패를 인정한 별 볼일 없는 정책이었어.
뉴프런티어

케네디의 가장 큰 업적이자 가장 큰 실수는 외교였어.

쿠바
카리브해

그는 쿠바의 카스트로 정권을 무너뜨리려다 무참하게 실패하여 큰 비난을 받았는데 그 실상은 이래.

쿠바침공 기도

미국의 뒷마당이나 다름없던 쿠바에서 1958년 대학교수 출신 피델 카스트로* 가 혁명을 일으켜

* Fidel Castro(1926~)

친미 꼭두각시 정권을 무너뜨리고 사회주의 정권을 수립하였지.

아이젠하워는 그를 미국편에 잡아 두기 위해 미국에 초청하여 극진한 대접을 해주었지만

원조

카스트로는 미국자본을 국유화하는 등 노골적인 반미정책을 시행했어.

으그르르…
반미
쿠바

케네디는 취임 후 이런 쿠바를 그냥 둘 수 없다는 판단으로

이런 식으로 놔두면 중남 아메리카가 모두 반미로 돌아서게 될지도 모른다!

쿠바에서 망명해온 1,500여 명을 무장시켜 쿠바에 상륙시켰는데

카스트로 정권을 무너뜨려라!

이들 모두가 카스트로군에게 사살되거나 체포되어 케네디의 계획은 완전히 실패했지.

타타타타타

이 사건은 미국으로서는 대단히 치욕적 사건이었을 뿐 아니라

미제국주의 침략 근성!
주권국가 무력침공
야만적인 미국정책
국제질서 파괴!

소련을 자극하여 동도이칠란트에 소련군을 증강시키고

미국의 야욕이 증명된 이상
제국주의 침략을 막기 위해 총력을 기울일 것이다!
쾅 쾅 쾅

* 후르시초프 소련 공산당 서기장

베를린 장벽을 쌓고, 핵실험을 다시 시작하는 등 미 · 소 관계가 급격히 악화되었다.

접근하면 발포함

1962년 10월, JFK는 놀라운 보고를 듣게 되었다.
뭐라고? 쿠바에 소련 미사일기지가 건설되고 있다고?

그렇습니다. 위성사진에 선명하게 나타나 있습니다.
이건 도저히 그냥 둘 수 없어!

미국의 코앞에 핵미사일 기지를 건설하다니! 이것은 미국의 안전에 대한 중대한 위협이야.
사
정
거
리
쿠바

* 쿠바에 건설중인 미사일기지 위성사진

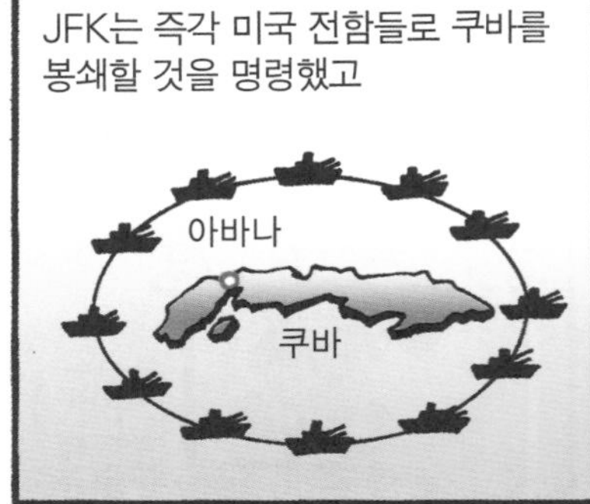
JFK는 즉각 미국 전함들로 쿠바를 봉쇄할 것을 명령했고
아바나
쿠바

미사일기지 건설 재료를 싣고 오는 모든 선박은 수색을 받을 것과
수색 결과
핵미사일 관련 물자는 압수요!
USSR
US

이를 거부할 경우, 발포 격침시키겠다는 초강력 선언을 하였어.

소련이 미국의 요구를 거절하고 배를 계속 쿠바로 향한다면
무시하고 전진!
발사!

이는 곧 미국과의 전쟁을 의미하는 것이며

공산 · 자유진영으로 나뉘어 치열한 냉전을 벌이던 차에 제3차 세계대전으로 번질지도 모르는 아찔한 순간이었지.
Containment of Cuba
쿠바 봉쇄

* 미-소 간 실력대결을 풍자하던 만화

전세계는 전쟁의 공포에 새하얗게 질려 쿠바사태를 지켜봤고
3차 대전이 터지는 거 아냐?
소련이 굴복하든지…
미국은 절대 양보 안 할걸!

결국 소련은 JFK에 굴복하여 미국의 요구에 응했던 거야.
쿠바의 미사일 기지를 제거할 테니
미국은 쿠바봉쇄를 풀고, 핵대결을 중단하자.
소련

이 사건은 JFK의 쿠바전복기도 실수를 깨끗이 만회하였고, 그의 인기는 하늘을 찌를 듯했지.
미국의 K.O.승!
와
와
JFK!
미국

제3차 세계대전의 위기로까지 치달았던 쿠바봉쇄는 미국의 일방적 승리로 마무리되었지만

미 · 소 간에 새로운 관계정립의 계기가 되었고

이런 식으론 안 돼!
이러다간 모두 망하고 만다!

핵실험금지 협상이 시작되는 실마리가 되기도 했어.

TBT
Test Ban Treaty
US

인기정상에 있던 JFK는

* 1963 베를린을 방문한 케네디

1963년 11월 22일 텍사스의 댈러스에서 L. H. 오스왈드*의 총탄에 암살돼.

* Lee Harvey Oswald
* 케네디의 장례식

오스월드는 며칠 뒤 잭 루비에게 암살되어 JFK 암살의 배경은 영원한 비밀에 묻히고 말았지.

아직도 밝혀지지 않은 미스터리….
JFK 암살의 진상

JFK의 시신을 싣고 워싱턴으로 돌아오는 비행기 안에서 린든 B. 존슨* 부통령이 대통령 취임선서를 한다.

* Lyndon Baines Johnson(1908 ~1973)

존슨은 케네디의 정책을 이어 받았지만

더욱 과감히 부의 분배정책을 시행했어.

* 국내정치엔 대포, 외교엔 물총이라는 존슨 풍자(1964)

그는 '위대한 사회' 건설을 기치로 내걸고

미국은 세계에서 경제적인 우위를 유지하며
GREAT SOCIETY

미국역사상 가장 과감한 국부분배를 시도한 대통령으로 기록되고 있지.

연방정부가 소외계층의 복지를 책임지고 향상시킬 것입니다!

한편으로는 미국이 베트남전쟁에 깊이 휘말려드는 것을 막지 못한 과오도 있었지만….

베트남 전쟁

1964년 미국 함정이 베트남의
통킹만에서 공산군의 공격을 받고
격침되었어.
US

세계 최강 미국에 도전해오는
'보잘것없는' 약소국가에 대한 응징
차원에서
감히 베트남 따위가
세계 최강인
미국을 건드려?

미국은 군사개입을 결정했고 의회는
존슨에게 모든 권한을 위임했지.
단단히 혼 좀
내주슈!
전권
의회

그러나 이 개입은 10년 동안
미국인들의 악몽이 되어

'인기 없는 전쟁', '더러운 전쟁'으로
일컬어지며

세계 최강의 미국이 건국 이래 최초로
가난한 아시아 후진국에게 패전이라는
치욕을 당하게 돼.
US

이렇게 되리라고는 상상도 못했던
미국인들은 존슨에게 전폭적인 지지를
보냈고
베트남의 공산화를
막아야 합니다.
그래야 소련의
동남아 진출을
저지할 수 있습니다!
와앙!

존슨은 베트남전쟁과 관련하여
미국민의 지지를 받은 마지막
대통령이었어.

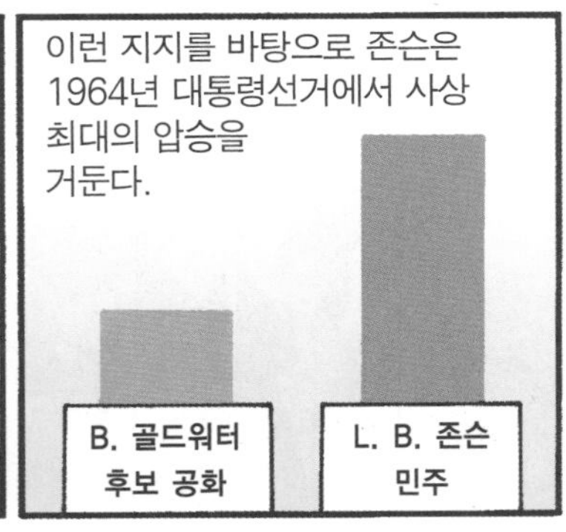
이런 지지를 바탕으로 존슨은
1964년 대통령선거에서 사상
최대의 압승을
거둔다.
B. 골드워터
후보 공화
L. B. 존슨
민주

1960년대 중반의 미국사회는
암울하게 가라앉은 분위기가
지배적이었어.

기대를 걸었던 패기에 찬 젊은 대
통령 JFK의 암살

흑인들의 인권운동을 비롯한 계속되는
시민운동으로 사회는 어수선했고
흑인차별
철폐하라!
흑인의 인권을
보장하라!
와와와

점점 확대되는 베트남전쟁 등 우울하고 희망이 보이지 않는 사회에서
US

젊은이들의 반항문화가 새로운 물결로 밀려와
기성세대의 권위를 거부한다!
68 학생혁명

장발이 유행하고 마약이 심각한 사회문제가 되었으며

대항음악으로 록(Rock)이 미국의 젊은이들을 사로잡았지.

반전운동이 드세지던 1968년 리처드 닉슨*이 37대 대통령으로 당선된다.

그는 베트남전쟁을 빨리 매듭짓고 미국은 발을 빼겠다고 공약하여 지지를 받았어.
베트남전쟁은 베트남인들에게!
미국은 권위를 지키며 명예롭게 물러납니다!

* Richard Milhous Nixon(1913~1994)

발을 빼려고 발버둥칠수록 더욱 깊게 빠져드는 수렁과 같은 베트남전쟁을

더이상 계속하고 싶었던 사람은 미국에 아무도 없었던 상황이었다.
STOP THE WAR!
전쟁을 끝내라!

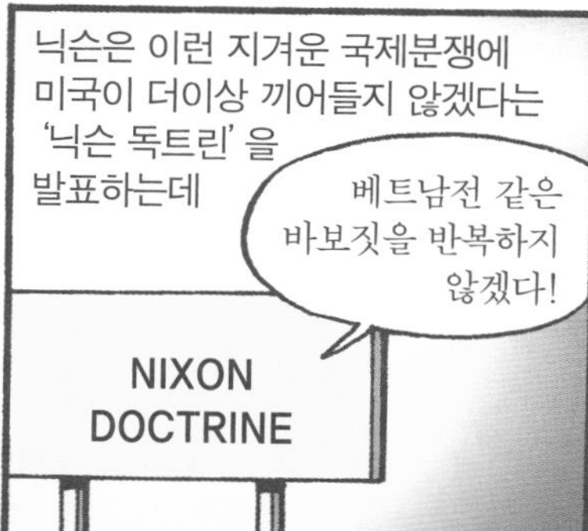
닉슨은 이런 지겨운 국제분쟁에 미국이 더이상 끼어들지 않겠다는 '닉슨 독트린'을 발표하는데
베트남전 같은 바보짓을 반복하지 않겠다!
NIXON DOCTRINE

유럽, 아프리카, 아시아 지역의 공산주의 위협은 해당 나라가 알아서 할 것이며
와다다

미국은 자신의 위협에 대한 대처에 집중한다는 내용으로
그래도 안 끼어들어!
남아메리카라면 몰라도!
USA

미국은 국제분쟁에서 한 발자국 뒤로 물러나 아까운 생명과 재산을 '낭비' 하지 않겠다는 의지의 표현이었지.
베트남에서 너무 혼났거든.
아픈 만큼 성숙해지고

그럼에도 불구하고 목적도 해결책도 없는 베트남전쟁으로 인명피해가 늘어만 가자 미국 내에서는 대학을 중심으로 격렬한 반전시위가 잇달아 일어나 정부를 괴롭혔어.

VICTORY FOR THE VIETCONG
DEFEAT IMPERIALISM EVERYWHERE
REVOLUTIONARY CONTINGENT
NO VIETNAM WAR AGAINST THE MID-EAST PEOPLE
FIGHT NIXON'S POLICE STATE
ARM THE PEOPLE

* 미국 대학교의 반전시위

닉슨은 베트남을 적극 지원하는 소련을 견제할 필요가 절실했는데

계속 도와줄게.
동무, 계속 싸우라우.

이른바 탁구외교를 통해 중국과의 관계를 개선, 소련을 견제하는 실리 외교를 폈지.

동무, 탁구 한번 칩시다래.

이를 바탕으로 핵전쟁 대결을 끝내는 큰 협의를 이끌어내는 외교적인 성과를 거두지.

재랑 너무 가까이 지내지 마!
US

그러나 가장 큰 문제는 경제였어.

$
경제

미국은 2차 대전으로 세계 지도국가로 떠올랐지만

USA

원조 등 막대한 비용지출로 인플레가 미국경제를 심각하게 위협했어.

공산화 막으려면….
$
원조
살림 거덜 나네….

특히 천문학적인 베트남전비를 존슨은 세금으로 걷어 쓰지 않고

왜 세금을 안 거두죠?
인기없는 전쟁에 쓸 돈, 의회가 잘도 OK하겠다!

차입, 즉 돈을 꾸어 썼기 때문에 나라빚이 어마어마하게 늘어서

국가채무

달러가치는 폭락하고 물가는 오르는데 실업자는 늘어가는 악순환이 계속되고

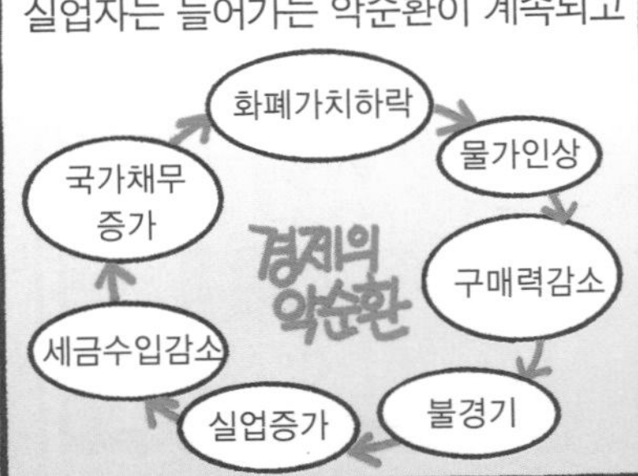
화폐가치하락
물가인상
구매력감소
불경기
실업증가
세금수입감소
국가채무 증가
경제의 악순환

미국 정부의 고질적인 문제인 재정적자가 자꾸 쌓이는 계기가 됐지.

침몰 위기다!
재정적자
(나라빚)

엎친 데 덮친 격으로 1970년대에 산유국들은 석유를 무기화하여
석유가 얼마나 귀한 것인지 본때를 보여주자!
이스라엘과 한패들 혼 좀 내자!

원유가격을 몇 배나 올려 오일쇼크(1973년, 1978년)를 일으켰지.
오일
쾅

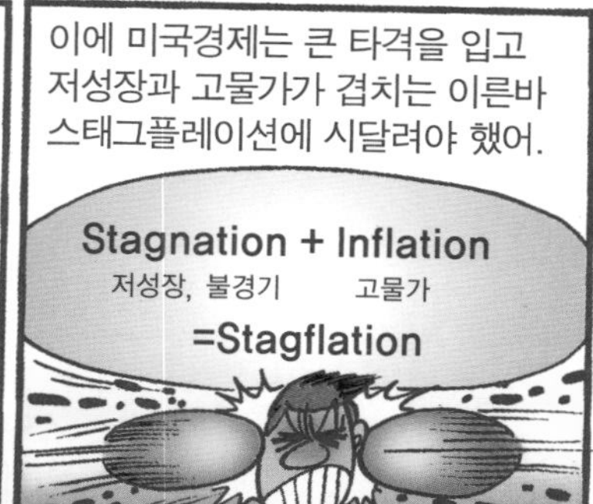
이에 미국경제는 큰 타격을 입고 저성장과 고물가가 겹치는 이른바 스태그플레이션에 시달려야 했어.
Stagnation + Inflation
저성장, 불경기
고물가
=Stagflation

그럼에도 화려한 외교적 성과에 힘입어 1972년 선거에서 닉슨은 재선돼.
닉슨!
닉슨!
닉슨!

닉슨은 취임 직후부터 이른바 워터게이트 사건으로 시달렸다.
Watergate

워터게이트란 워싱턴의 한 호텔 이름으로 민주당 선거대책본부가 설치된 곳이었는데
임시 민주당 선거대책본부
HOTEL WATERGATE

닉슨 측에서 여기에 도청기를 설치한 것이 발각되어 터진 사건이야.

닉슨이 연루된 그 자체가 문제가 된 것이 아니라 딱 잡아떼고 발뺌하던 거짓말이 들통나
대통령이 국민에게 거짓말을 하다니
그런 대통령에게 국정을 맡길 수 없다!
와글
와글

결국 닉슨은 탄핵 직전 대통령직을 사임할 수밖에 없었어.
사직서
대통령

그 후임은 부통령이었던 제럴드 포드*가 이어 받았지만

그의 취임 이후 경제는 더 악화되고
긴축재정으로 절약에 또 절약!
$

1975년 4월, 베트남 정부가 항복하여 베트남전쟁은 미국의 패배로 막을 내렸다.

* Gerald Rudolph Ford Jr.

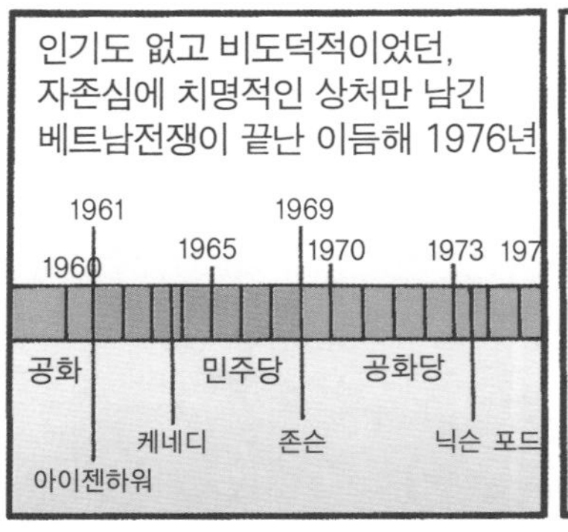
인기도 없고 비도덕적이었던,
자존심에 치명적인 상처만 남긴
베트남전쟁이 끝난 이듬해 1976년
1960
1961
1965
1969
1970
1973
197
공화
민주당
공화당
케네디
존슨
닉슨 포드
아이젠하워

지미 카터라는 전혀 생소한 인물이
대통령에 당선되어 미국 국민들
스스로가 놀랐다.
Jimmy Who?
지미가
누구야?
Jimmy Carter
President

그가 내건 기치는 '인권과 도덕'
베트남전쟁 같은
비도덕적인 전쟁은
안 된다!
인권이 보호되고
인간이 인간답게
살 수 있는 세상을!

지미 카터는 정통 민주당 인물이
아니고 대통령 후보로 외부에서
영입된 인물에 가까웠어.

그런 만큼 그는 대통령에 취임하자
민주당 출신 인사를 기용하지 않고
열린 우리 정부에선
고르게 인사를
영입…
그래도 대통령
만들어준 당인데…

주로 자신과 친한 외부전문가들을
주변에 두어 정책을 논의하였기
때문에
코드인사!
끼리끼리 해먹기!

민주당의 협조를 얻지 못해 그의
정책은 실패로 끝났어.
당을
무시하고
혼자서 한번
잘해봐!
민주당

그의 가장 큰 업적은 세계의 화약고라는 중동에 평화의 기틀을 마련한 것으로
대통령 휴양지인 캠프데이비드에서 이집트와 중동의 평화협정을 성공시켰어.

* 1978. 9. 이집트 사다트 대통령, 카터 미 대통령, 베긴 이스라엘 총리

그는 남아프리카공화국 등 사하라
남쪽 아프리카를 방문한 첫 미국
대통령이었고
US
BLACK
AFRICA

인종차별을 비판하고, 인권을 원조
제공의 기준으로 삼는 등
한국의 인권 문제가
해결되지 않으면
주한 미군을
철수하겠소.

베트남전쟁으로 땅에 떨어진 미국인의
이미지를 국제무대에서 크게 끌어
올렸지.

그러나 1979년에 터진 이란 미국 대사관 인질사건은 끝까지 카터 정부를 괴롭혔어.

이란 사태

미국은 이란의 친미 · 독재정권인 팔레비 국왕을 지지하고 있었으나

근대화와 독재를 반대하는 세력에 팔레비가 쫓겨나 미국으로 가자

* 아야톨라 호메이니

분노한 군중들은 미대사관을 점령, 미국인 52명을 인질로 삼고

팔레비를 이란에 넘기라고 요구하며 1년 넘게 카터 행정부와 씨름했지.

팔레비
돌리도!

이런 어수선한 분위기 속에서 1980년 대통령선거가 치러졌어.

* 미대사관을 점거, 미국기를 불태우는 시민들

공화당은 배우 출신 캘리포니아 주지사 로널드 레이건을 대통령 후보로 지명했지.

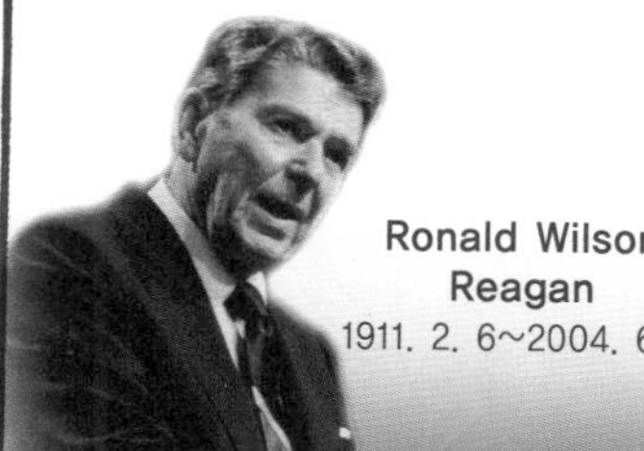
Ronald Wilson Reagan
1911. 2. 6~2004. 6. 5

그는 아일랜드계로 일리노이의 가난한 집에서 태어나 자력으로 대학을 졸업한 뒤

최초의 아일랜드계 미국 대통령
제7대 앤드루 잭슨

할리우드로 가서 배우가 되어 53편의 영화에 출연한 경력이 있다.

그는 배우답게 TV를 최대한 선거전에 이용하여 사람들을 놀라게 했지.

커뮤니케이션의 달인이다!
Great Communicator!
TV

그는 쉽고 직설적인 표현을 즐겨 사용하는 것으로 유명한데, 한 기자의 질문에 이렇게 대답했어.

불경기와 공황의 차이가 무엇이죠?

A recession is when your neighbor loses his job. A depression is when you lose yours.
불경기란 자네 이웃이 실직하는 것이고 자네가 실직하면 그게 공황이지!

레이건은 새로운 정책, 즉 '레이거노믹스'
라는 경제 정책을 들고 나왔는데
Reaganomics
=
Reagan 레이건
+
Economy 경제
+
Politics 정책

그 핵심은 재정축소와 세금감면으로
요약할 수 있어.
세금을 낮추면 빈털털이
국가가 되는데….
아니지.

기업가가 세금을 많이 내기보다는
그 돈으로 투자를 확대하도록
유도하면
$
투자

일자리도 늘고 기업과 산업도 활성화
된다는 이론으로
Trickle – down Theory
라고도 하죠.
상류층
기업가
중산층
근로자
빈민층

* Trickle: 졸졸 흐르다, 아래로 흐르다

정부는 가급적 규제를 풀어
자유로운 기업 활동을 보호하는
작은 정부가 되며
기업
규제

시장의 자유를 최대한 보호하여 경제
활동을 자율에 맡긴다는 신자유주의
개념이야.
감독
감시
간섭
시장

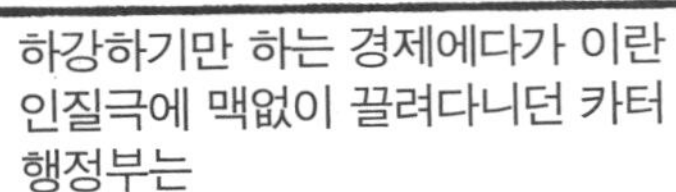
하강하기만 하는 경제에다가 이란
인질극에 맥없이 끌려다니던 카터
행정부는

이란 인질극

'숭고한' 도덕적 가치에도 불구하고
강한 미국을 원하는 유권자들에게
선택되지 못하고
대통령이냐,
전도사냐?
도덕이
밥 먹여주냐?

로널드 레이건이 새로 미국 대통령에
당선되었지.
와
와

레이건의 등장과 함께 미국은
보수주의로 크게 돌아섰고
진보
유화
보수
강경

소련을 '현대세계 악의 집결지', 즉
'악의제국'으로 선언하여 미소간
의 대립이 다시금 날카로워졌어.
Focus of evils
in the modern world!
머시라?

레이건은 취임과 동시에 이란 인질
석방이라는 선물도 받았어.
주먹을 마구 휘두를
모양인데
더 이상 미국을
자극하지 말자구.
이란

레이건은 '강한 미국'을 표방하며
국방예산을 크게 늘렸는데
힘을 기르게 예산 줘!
힘!

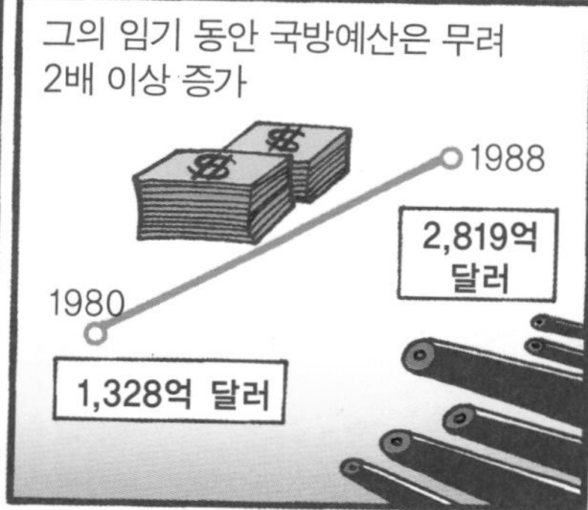
그의 임기 동안 국방예산은 무려
2배 이상 증가
1988
2,819억 달러
1980
1,328억 달러

미국의 군사력은 그 어느 때보다
막강해졌어.

미소간의 적대관계는 1983년 9월 1일 대한항공 격추사건으로 극에 달했다.
대한항공의 여객기가 실수로 소련영공에 들어선 것을 소련 전투기가 격추시켜
269명의 민간인이 몰살당한 사건으로
CCCP
KOO7

레이건은 즉각 소련의 야만적
행위를 규탄하고 국방예산을
크게 늘리는 이유로 삼았어.
단연 군비에서 우위를 차지해야 야만행위를 방지할 수 있습니다!

그러나 힘으로 밀어붙이는
레이건의 국제정치는
퍽
USA
퍽

이해관계에 있는 많은 나라들의
반발에 부딪쳐
이래도 되는 거야?
너무 자기 이익만 챙긴다!

중동에 있는 미국의 대사관 등이
테러의 표적이 되어 공격당하는
일이 크게 늘었지.

레이건 행정부는 적대관계였던
이란에 미국 무기를 몰래 팔아서
US
$

니카라과 공산 정권을 뒤집으려는
게릴라에 지원한, 이른바 '이란-
콘트라 스캔들'로
$

그의 임기에 씻지 못할 오점을
남겼지.
부도덕하다!
주권국가에 내정간섭이다!
미국은 지나치게 이기주의적이다!

레이건 시대라고 할 수 있는 1980년대는 기업합병이 활개를 치고

M&A
Mergers 기업합병
& Acquisitions 인수

각종 규제가 철폐되어 뉴딜 이래의 원칙을 무시하고

능력껏 버는 거다!
뉴딜 공정분배

정글 자본주의로 되돌아간다는 비판이 쏟아졌지.

그래도 미국경제는 어느 정도 숨통이 트여 실업률도 줄고 경제성장도 이루었지만

오, 약발이 듣네!
부시시
레이거노믹스
미국경제

1987년 10월 19일 주가가 하루만에 508포인트나 대폭락하여 미국경제에 충격을 주었는데

털썩

이는 레이거노믹스가 많은 문제점을 안고 있는 임시방편적 정책이었음을 말해주는 것이었어.

진통제였네….
레이거노믹스

1980년대 중반, 미국의 경쟁자인 소련은 대변혁의 소용돌이에 휩싸이게 돼.

대변혁

1985년 3월 소련의 최고 권력자인 공산당 총서기장의 자리에 미하일 고르바초프가 취임했어.

국제 경험이 풍부했던 그는 스스로 공산주의자임에도 개혁의 필요성을 깊이 느끼고 있었지.

이대로는 안 된다!

소련의 공산주의에도 큰 변화가 있어야 한다. 개혁과 개방이 필요해!
철의 장막

그가 내세운 페레스트로이카(개혁) 글라스노스트(개방)는

개혁
페레스트로이카
개방
글라스노스트

소련뿐 아니라 경직된 공산주의 체제에 뿌리 깊은 불만을 지녔던 공산세계를 바닥부터 뒤흔들어놓고 말았어.

우지직
공산 체제

1986년 10월 아이슬란드의 레이캬비크에서 만난 미소 두 정상은
* 레이건과 고르바초프

온 세계가 깜짝 놀라 넘어질 엄청난 결과를 창조해내는데…
장거리 탄도탄을 반으로 줄입시다.

반이 아니라 모두 없애버립시다!

그럴 게 아니라 모든 핵무기를 없애버리는 게 어때요?

비록 의회에서 거부당했지만 세계 평화와 안전에 획기적인 합의였고, 인류가 핵무기의 공포에서 벗어나는 데 크게 기여하였다.
미·소핵무기대폭감축 합의

레이건 지지자와 반대자의 평가도 엇갈렸지.
무한대 군비경쟁을 소련이 못 견뎌 양보한 거야.
고르비의 접근법이 뛰어난 거라고!

1988년 세계가 격동하는 가운데 분단 국가였던 한국의 서울에서 올림픽이 열렸고

그해 말 미국은 새로운 대통령을 뽑았다.
미국대통령
4년 임기
짝수년 말에 선거
이듬해 홀수년 초에 취임.

부통령이었던 조지 부시*가 레이건의 인기에 힘입어 대통령선거에서 당선되었으나
* George Herbert Walker Bush(1924~)

상원 · 하원 모두 민주당이 장악한 불리한 상황에서 미국 제41대 대통령에 취임했어.
공화당
상원
하원
민주당이 다수
민주당이 다수

닉슨 대통령의 눈에 띄어 유엔 미국 대사, 중국연락 사무관을 역임하고 포드 대통령 시절 CIA국장을 맡는 등
* 유엔 대사 때의 부시(1972년)

부시는 뛰어난 국제감각으로 국제 정치에서 탁월한 능력을 발휘하지.
외교 짱!
외교

부시가 대통령에 취임한 이후 1년간 은 세계사적인 대변혁기라고도 할 수 있다.
동구권붕괴

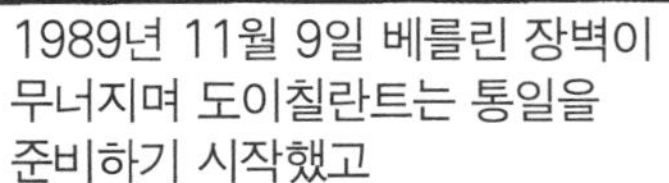
1989년 11월 9일 베를린 장벽이 무너지며 도이칠란트는 통일을 준비하기 시작했고

동구권이 차례로 무너져 40년에 걸친 냉전시대는 종말을 고했으며
타르르르르르르
폴란드
동도이칠란트
헝가리
체코슬로바키아
루마니아
불가리아

20세기 내내 지속되던 이념의 갈등이 사회주의의 패배로 마무리되었지.

쿵

동구권뿐만 아니라 중국과 인도도 개방경제로 돌아서는 등
시장경제

세계는 봇물처럼 터진 개방과 글로벌화의 물살에 휩쓸렸어.
정보
인터넷
통신
국경

이 대변혁을 자본주의의 승리라고 하기엔 모순이 크며
레이건의 강경 정책의 승리다!
무너질 때가 되어 무너진 거다!

공산주의는 공산주의 자체의 모순에 의해 스스로 무너졌다는 것이 더 정확할 거야.
암을 앓고 있었거든요.

이러한 대변혁 속에서 미국은 제 역할을 제대로 못하고 바라만 보고 있었다.
HELP!
O!
O!
동구권

악화된 경제사정으로 미국에게는 외교에 쓸 돈이 없었고
이 기회에 구 공산권을 우리편으로…
또 퍼주려고? NO!
의회

무너진 동구권 재건에 지원금을 줄 처지도 되지 못했을 뿐더러
돈 좀 구해주라!
강 건너 불 보듯…

공산주의의 몰락에도 세계 곳곳에선 미국에 도전하는 세력이 쉬지 않고 나타났던 거야.

소련이 공중분해된 후, 이제 세계 유일의 초강대국이 된 미국을
썰렁~
US

가장 자극했던 것은 이라크의 사담 후세인 대통령이었어.
알라의 이름으로 맛 좀 보련?

그는 모든 아랍 세계의 주도권을 장악하여 맹주가 되려는 야심을 지니고 있었고
이라크는 메소포타미아 땅에 세워진 최초의 문명! 모든 국가의 원조니라!!

중동의 거대 석유자원을 손아귀에 쥐고 세계 무대에서 큰 목소리를 내려고 했지.
중동석유 약탈하는 기독교 침략자들과 지하드(성전)를 벌이자!!

이를 위해서는 페르시아만에 항구가 필요했기 때문에
이라크
쿠웨이트
페르시아만
사우디아라비아

1990년 8월 2일, 10만 이라크군은 쿠웨이트를 침공, 점령해버렸어.
크르르르…
요논

중동 석유자원은 미국에게도 대단히 중요한 것으로, 누구에게도 양보할 수 없는 처지여서
Oh, NO!
저것들이 우리의 석유 이권을 뺏으려고….

부시는 다국적군을 구성하여 이라크군의 쿠웨이트 철수를 요구했지.
물러가라!
미국에 밉보이면 수출시장 막힐라.

그러나 사담 후세인은 이 요구를 끝내 거부했고
고렇게는 못하겠다!
내 군대, 싸움은 짱이다!

드디어 부시는 '사막의 폭풍 작전'으로 불리는 이라크와의 전쟁을 시작했어.
Operation Desert Storm

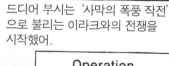

미국인들은 이 전쟁이 인도주의에서 시작한 것이 아니라는 것은 알지만

걸프만의 석유는 미국에게 중요한 것이라고 생각해서 이 전쟁을 지지했다고.
이라크를 안 치면 휘발유값이 오르니까!
GAS

1991년 1월 17일, 28개국에서 사우디에 집결한 69만 명의 다국적군은
한국군도 참전!

노먼 슈워츠코프* 장군의 지휘 아래 대규모 공습으로 걸프전쟁을 시작했지.
U.S.ARMY

* H. Norman Schwarzkoph

이 걸프전쟁은 최첨단 무기로 벌이는 현대전쟁이 어떤 것인지 보여줘 세계를 놀라게 했어.

결국 이라크군은 견디지 못하고 2월 28일 항복하였지만

빗발치는 여론에도 불구하고 부시는 사담 후세인을 제거하지 않았지.
후세인 제거 자체는 전쟁 목적에 포함되지 않았다!

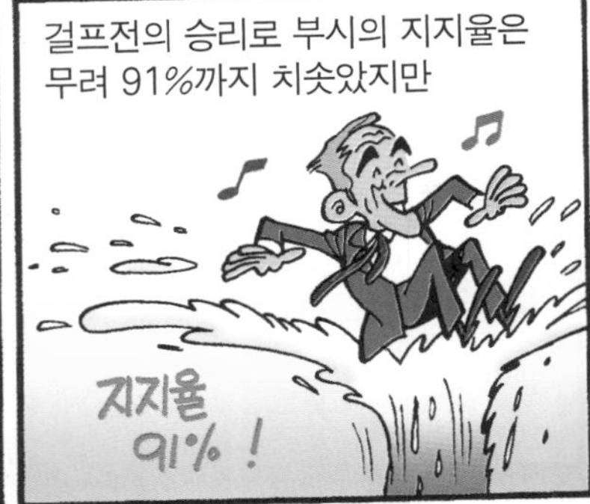
걸프전의 승리로 부시의 지지율은 무려 91%까지 치솟았지만
지지율 91%!

1992년 선거에서 부시는 재선에 실패하고 빌 클린턴에게 백악관을 양보해야 했다.
쿵

비록 전쟁은 이겼지만 1990년부터 시작된 지독한 불경기로 경제가 휘청거렸고
불경기
비틀

서민뿐 아니라 중산층까지도 부시에게 등을 돌렸던 거야.
문제는 경제야, 이 바보야!

* 빌 클린턴과 부시 후보의 TV토론

미국 제42대 대통령에 당선된 빌 클린턴
William Jefferson Clinton
1946. 8. 19~

미국 역사상 세번째로 젊은 46세에 대통령이 된 아칸소의 시골뜨기
남편이 죽었으니 애는 태어나도 아빠 얼굴 한 번 못 보네….
클린턴

'Slick Willie(뺀질이 윌리)' 라는 별명의, 말썽도 문제도 많았던 소년이 대통령이 되었다.
메~롱
저 뺀질이가 커서 뭐가 될꼬?

베트남전 당시 징집을 기피하고, 대학시절 마리화나를 피워 말썽을 일으켰으며
병역기피자!
마약도 손대다니…
대통령 자격 없다!

많은 여자와의 스캔들로 끊임없이 구설수에 오르더니 대통령이 된 뒤에도 계속되어
대단 해요~!
백악관

끝내는 모니카 르윈스키 사건으로 탄핵 직전까지 몰렸던 클린턴
탄핵

그러나 그는 걸프전쟁에 승리한 현직 대통령 부시에게 경제문제로 당돌한 도전장을 던졌지.
전쟁에 정신팔려 지금 미국경제가 엉망인 걸 아시오?

그의 선거 공약은 국방예산의 과감한 감축
전쟁에 쓸 돈을 줄여 서민층의 복지를 향상시키겠습니다!
국방예산
복지

중산층에 대한 세금의 감면
세금 감면
소비 증가
경기 부상
SHOPPING MALL

그리고 구소련에 대한 대규모 경제지원이었어.
러시아와 구소련의 연방공화국들

경제문제는 끝내 부시의 발목을 잡아 클린턴이 대통령에 당선되었다.

많은 사람들의 염려와 정적들의 맹렬한 공격에도 불구하고
제대로 해낼 수 있을까?
바람둥이에 뺀질이 대통령…
색소폰은 잘 분다지만…

클린턴 집권 8년간 미국경제는 크게 활성화되었으며
미국경제

제2의 경제대국으로 성장한 일본에게 세계 정상을 빼앗길지도 모른다는 불안을 털고
US

일본을 여유 있게 따돌리고 미국이 세계 경제 최강국임을 다시 한번 확인한 시기였지.
US

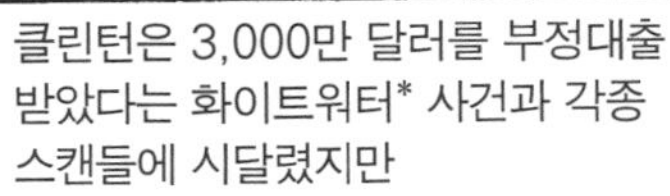
클린턴은 3,000만 달러를 부정대출 받았다는 화이트워터* 사건과 각종 스캔들에 시달렸지만

WHITEWATER
WHITEWATER INVESTIGATION
$30 MILLION
Question: WHY IS ONLY ONE OF THE ABOVE CALLED A SCANDAL?

빌 게이츠의 마이크로소프트사로 상징되는 새로운 IT산업의 융성과 함께
IT=Information Technology

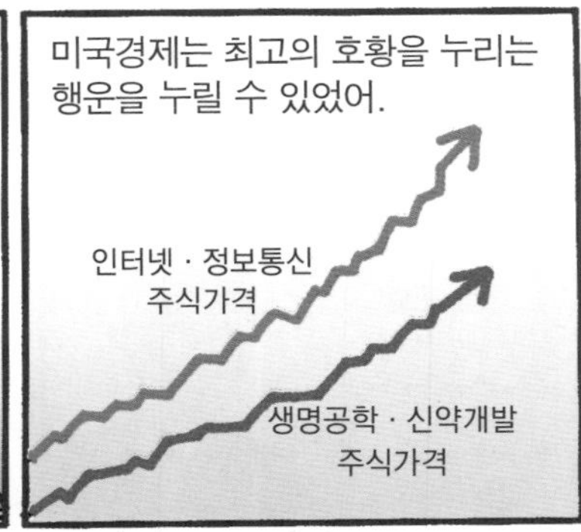
미국경제는 최고의 호황을 누리는 행운을 누릴 수 있었어.
인터넷 · 정보통신 주식가격
생명공학 · 신약개발 주식가격

* 화이트워터 사건을 풍자한 마이크 키프의 만화(1997년)

또 화이트워터 사건은 분명 부정에 연루된 사건이었지만
원래 빌려주면 안 되는 돈인데….
들통만 안 나면 되는 거지.

미국의 국가적 주요사안이 걸린 문제가 아니라서 국민들의 관심을 끌지 않았고
클린턴이 곤욕 치르는구먼.
정치란 게 다 그런 검은돈 왔다갔다 하는 거 아닌가?

여자관계 스캔들도 이미 케네디 시절에 겪어 미국민들에게 큰 문제가 되지 않는 등
어쨌든 '능력' 있다!
대통령의 도덕성에 큰 기대 안 건다!

여러모로 클린턴은 행운이 따랐던 대통령이었다고 할 수 있겠지.
LUCK

클린턴 시대의 가장 큰 외교적 문제는 발칸반도였어.
세계 2대 화약창고
치치칙
발칸반도
중동

1992년 구유고가 분열되면서
슬로베니아
세르비아
크로아티아
보스니아 -헤르체고비나
마케도니아

종교문제, 인종문제, 정치문제가 뒤엉켜
카톨릭
그리스 정교
이슬람
우당탕

인종청소라는 잔인한 내전이 터져 참혹한 희생이 거듭되자

클린턴은 미군을 파병하여 유엔과 더불어 세계의 경찰임을 확인하지.
고만 좀 해라!

클린턴 시대의 특징은 인터넷과
통신기술의 발달로 인하여

경제, 문화, 사회 등 모든 면에서
세계적으로 글로벌화가 급속도로
진행되었다는 것이야.
정보의 바다
국경
국경

아울러 세계 최강국인 미국에 의해
글로벌화가 추진되고
글로벌화
잉글리시!
USA
세계

이는 곧 미국식이 세계 표준이라는
인식이 널리 퍼지면서
여기에
맞추시오!
미
국
식

이에 대한 반발이 강해지고
왜 우리가
미국식을 따라야
하지?
미국이 전세계를
지배하고 있는
거야, 뭐야?

더욱 발전하여 세계적으로 반미감정이
번졌다는 것도 중요한 사실이지.
반미!
반세계화

더욱이 글로벌화의 확산과 함께
미국식 신자유주의 경제체제의
확산은

무한대의 세계 경쟁시대를 열었고
이건 불공평한
경쟁이야!

빈부격차는 날이 갈수록 커지는
역사적인 모순은

21세기의 개막과 함께 가장
시급한 해결과제로 떠올랐어.
빈부격차
해소

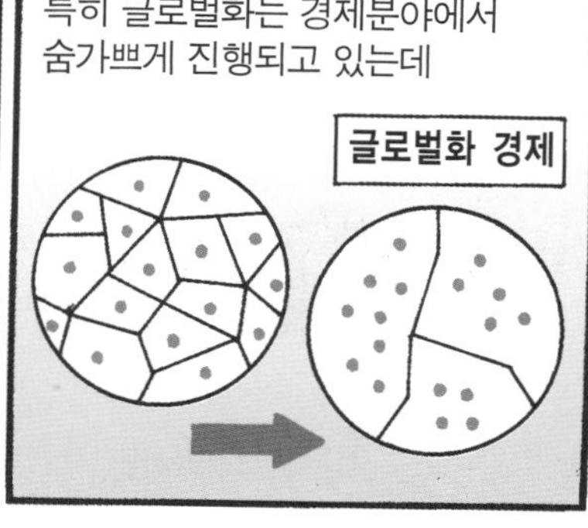
특히 글로벌화는 경제분야에서
숨가쁘게 진행되고 있는데
글로벌화 경제

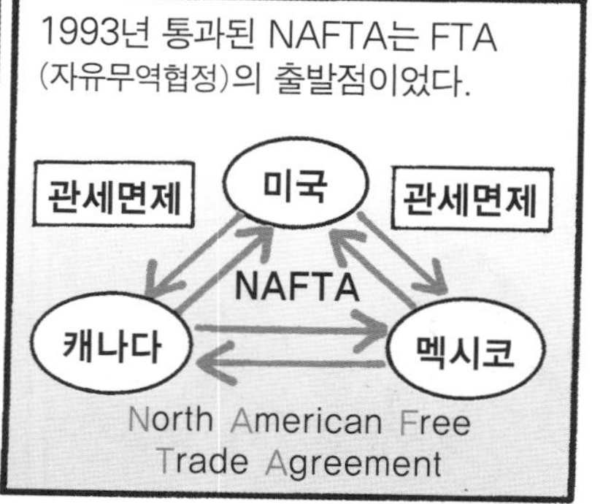
1993년 통과된 NAFTA는 FTA
(자유무역협정)의 출발점이었다.
관세면제
미국
관세면제
NAFTA
캐나다
멕시코
North American Free
Trade Agreement

20세기 후반 미국의 가장 큰 변화는 이민의 성격이 달라진 거였어.

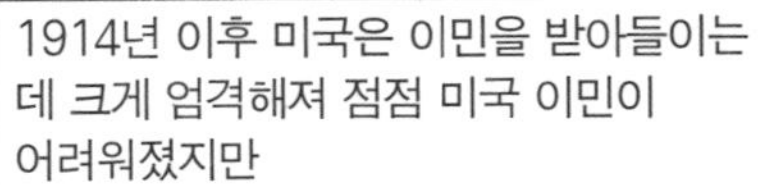
1914년 이후 미국은 이민을 받아들이는 데 크게 엄격해져 점점 미국 이민이 어려워졌지만

미국이민자 수*	
1911년–	878,587명
1912년–	838,172명
1913년–	1,197,892명
1914년–	1,218,480명
1915년–	326,700명
1916년–	298,826명

미국으로 이민가기 원하는 사람은 날로 늘어만 갔다.
풍요로운 나라
무한한 가능성의 나라
자유와 민주주의의 나라

* Britanica Almanac 2004

시간이 흐르면서 미국에 이민가는 사람들은 유럽인들보다는
아니꼽다…
내 나라가 좋지!
선진국
USA

가난과 정치탄압에서 탈출하려는 개발도상국 사람들이 대부분이어서
탄압
가난

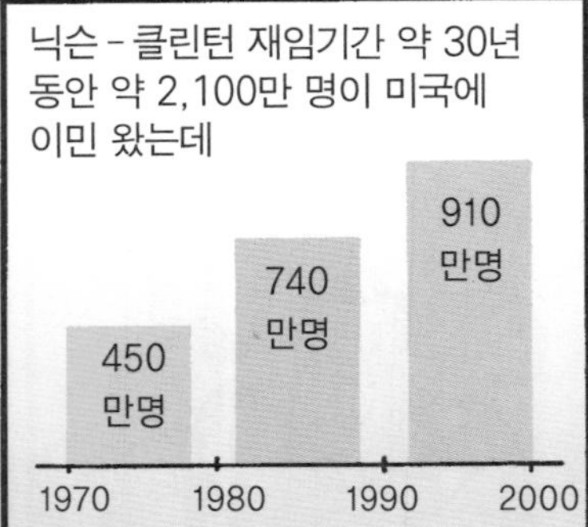
닉슨 – 클린턴 재임기간 약 30년 동안 약 2,100만 명이 미국에 이민 왔는데
450 만명
740 만명
910 만명
1970
1980
1990
2000

그 중 무려 85%가 개발도상국에서 온 사람들이고
개발도상국
선진국
15%
85%

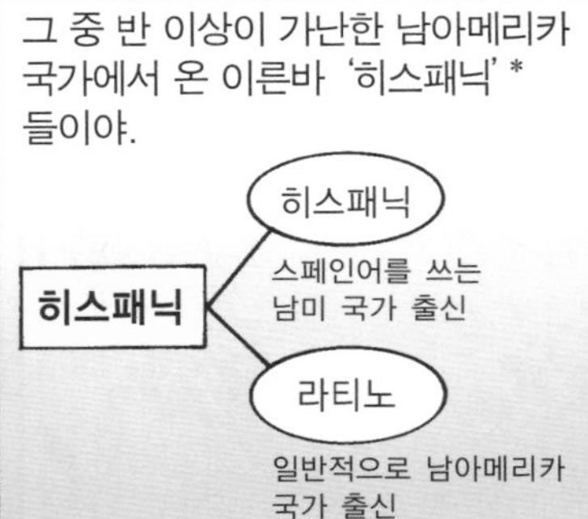
그 중 반 이상이 가난한 남아메리카 국가에서 온 이른바 '히스패닉'* 들이야.
히스패닉
히스패닉
스페인어를 쓰는 남미 국가 출신
라티노
일반적으로 남아메리카 국가 출신

이런 히스패닉계의 급격한 증가는 미국사회를 크게 바꾸고 있는데
백인
흑인
히스패닉
인종별 인구 증가 속도

* Hispanics

2003년 미국 인구의 12% 정도 되는 흑인을 젖히고
이 정도 낳아야…
거기에 초청 + 밀입국….

제1의 유색인종으로 자리잡음으로써
1
히스패닉 +라티노
2
흑인
3
아시안

머지않아 백인이 아닌 히스패닉계 대통령이 미국에 등장할지도 모른다니 이 얼마나 엄청난 변화야?
백인인구
유색인종 인구

21세기가 열리는 2000년에 치러진
대통령선거는 부시의 승리로 끝났어.

George Walker Bush
1946~

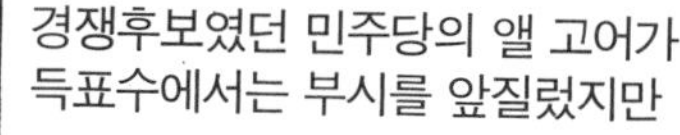
경쟁후보였던 민주당의 앨 고어가
득표수에서는 부시를 앞질렀지만

Al Gore
G. Bush
득표수
득표수

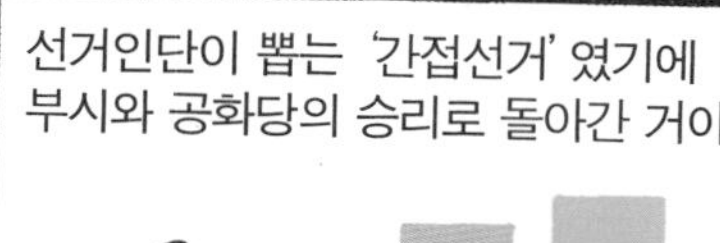
선거인단이 뽑는 '간접선거' 였기에
부시와 공화당의 승리로 돌아간 거야.

고어
부시
선거인단
대통령선거제도는 다른 책에서 자세히 설명할게요.

아버지와는 달리 부시 대통령은
극단적이고 강경한 보수정책으로
아메리카
아메리카

미국의 패권주의를 노골화했지.
강력한 아메리카!
위대한 아메리카!

부시의 극우적이고 초강경한 외교와
미국우월주의는

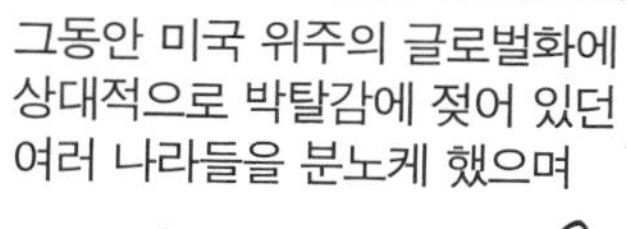
그동안 미국 위주의 글로벌화에
상대적으로 박탈감에 젖어 있던
여러 나라들을 분노케 했으며

자존심에 커다란 상처를 주었어.
햄버거, 콜라, 청바지, 할리우드
그것이 문화의 전부인 줄 아느냐?

다양한 세계문화에 대한 몰이해로
이슬람권과 심각한 충돌을 일으켰고
쟤들은 종교 땜에 안 돼…
알라

강압적인 외교정책은 적대세력을
강화시키는 결과를 낳았지.
북한, 리비아, 이라크는 악(惡)의 축이다!

특히 미국의 금융과 언론계를 장악한
유대인의 영향을 받은 미국은
우리편 안 들면 알지?

이스라엘에 대한 일방적인 편들기로
아랍권을 적으로 만들었던 거야.
미국 정부

2001년 9월 11일, 미국이 공격당했다.
테러리스트들이 여객기를 납치하여 미국 심장부인 뉴욕의 WTC(세계무역센터), 국방부 펜타곤을 자살공격한 거야.

수천 명의 무고한 시민이 생명을 잃은 이 사건은 미국의 적이 얼마나 많으며 미국의 전쟁이 이제부터는 보이지 않는 적, 테러와의 전쟁으로 바뀌고 있음을 예고한 거였지.

부시는 즉각 테러와의 전쟁을 선언하고

테러의 배후자 빈 라덴*을 잡기 위하여

* Osama bin Laden

그를 감추어주고 있다는 명목으로 아프가니스탄과 전쟁을 시작했어.
빈 라덴을 내놔라!
감춘 적 없다니까!
USA

세계에서 제일 부자이며 최대 군사대국이
덤벼!
USA

세계에서 가장 가난한 나라와 전쟁을 벌인 거지.

이 전쟁으로 아프가니스탄에서 반미정권은 쫓아냈지만
USA
탈레반정권
소수 반미 과격정권

빈 라덴은 잡지 못하고
도대체 어디 숨은 거야?

테러 지원국으로 지목된 이라크와 지도자 후세인에게로 총구를 돌렸다.
너희들 테러 돕고 전쟁하려고
대량살상무기 만들고 있지?

미국은 후세인 제거를 위해 이라크
전쟁을 시작했다.
쿠르르르르르

워낙 강력한 미군의 군사력에 결국
이라크는 항복하고
이번에는 안 질
자신 있었는데….

사담 후세인도 체포되어 이라크는
독재정권으로부터 '해방' 되었어.
대통령 꼴이
이게 뭐람….

그러나 미국이 전쟁을 일으킨 이유로
내건 대량살상무기는 끝내 발견되지
않고
그거 찾는다고 전쟁
했는데 아무리 찾아
도 없지 않소?
어… 거시기
머시기 해서…
우물쭈물…

세계 여러 나라에 파병을 요청하여
'모두의 전쟁' 으로 만들려고 하지만
군대 좀 보내줘!
우선 국회
동의부터 받고….

미국 내의 비난여론 등으로 부시
행정부는 곤경에 처했다.
명분 없는 전쟁
아니었나?
전쟁은 끝났다더니
도대체 끝이 안
보이지 않나?
귀한 미군만
죽게
만든다!
이러다가
제2의 베트남
되는 거 아냐?

여기에 정권의 민간 이양을 두고
미군
민간인

이라크인들 사이에 이미 심각한
갈등이 벌어져
시아파가
정권을!
안 돼, 수니파가
잡아야!
보수
개혁
와글
와글
이라크

끊임없는 자살 폭탄테러와
콰

미국인, 미국군에 대한 공격이
끊이지 않는 등
타타타타타

이라크 전쟁은 아직 끝나지 않았어.
쾅

아니 진짜 전쟁은 오히려 이제부터
일지도 몰라.

개척정신 하나로 무장한 채
고향을 떠나 이역만리 미지의
땅으로 건너와

새 나라를 건설하고 무수한 시련과
맞서 싸워온 미국인들

그들은 끝내 최후의 경쟁자였던
구소련까지 쓰러뜨리고 세계 유일의
초강대국이 되었어.
1

그러나 로마제국의 예에서 보았듯
건전한 경쟁자가 없으면 쇠락하는 법.

미국은 이미 미래의 주된 적으로 서서히
떠오르고 있는 중국을 지목하여 준비를
해나가고 있다.
다음은…

문화적 대국이자 인구의 대국인
중국

앞으로 경제적인 대국으로 떠오른다면
중국은 분명 미국의 무서운 경쟁자가
될 것임이 분명해.
13억 인구
2억 8,000만 인구
중국
미국

그러나 미국은 중국보다 먼저 싸워야
할 문제가 하나둘이 아니야.
안의 문제부터
USA

무엇보다 날로 심각해지는 빈부의
격차를 줄여야
하며
미국인구의 10분의
1이 절대빈곤자!
HELP

미국 내 인종들간의 갈등문제

그리고 세계와의 갈등을 진지하게
해결해나가지 않으면 안 돼.
미국은 싫다!

이를 위하여 무엇보다 문화적인
겸손을 배우지 않으면 결코 미국은
세계의 지도국가가 될 수 없어.

다양한 세계의 문화를 이해하고
알라~

이를 인정, 존중해주는 문화적 겸손을 배울 때 미국은 진정한 세계의 파수꾼이 될 수 있을 거야.
동양문화는 '신비하다'!
그건 '비합리적'이란 뜻. 그런 선입견부터 버려. 우린 모두 같아!

그러나 태어난 지 200여 년밖에 되지 않은 젊은 국가 미국은 그 문화의 뿌리가 깊지 않아서
너희가 문화를 아느냐?

인종의 박물관 같은 다원주의(多元主義) 국가임에도
이 지구상의 모든 재료가 다 들어 있음.
인종비빔밥

미국적인 것 이외의 문화를 이해하지 못하고
왜 바닥에 앉아 손으로 먹지?

또 이해하려고 들지도 않는다는 데 미국의 문제가 있지.
이상한 사람들이야….
얌냠
햄버거
콜라
청바지
쇼핑몰

미국은 글로벌화의 근원지이기도 하지만
미국식!
글로벌화!
USA

세계에서 가장 글로벌화되지 않은 나라가 또한 미국이기도 해.
미국은 넓다.
미국인에게 미국은 곧 우주니까!
USA

이는 미국인들이 유럽인들과 달리 공존(共存)의 개념을 제대로 이해하지 못한다는
Coexistence

공존이란 그저 함께 사는 것에 그치는 게 아니라

이웃을 존경하고 인정하며 차별하지 않는 우정을 지녀야 가능한 거야.
우리는 서로 다르다.
그러나 우리는 평등하다!

그러나 미국은 오로지 군림하고 지도하는 데 익숙해져 있다고.
Domi-nance
지배 · 군림
USA

왜냐하면 이웃나라 캐나다는 인구가
미국의 9분의 1에 지나지 않고
2억 8,000만
3,000만
캐나다

인구의 대부분이 미국과의 국경
100km 이내에 사는 등 미국에 종속
되다시피 해.
미국의 51번째 주?
캐나다
미국
100km
이 밖에는 춥고 일거리도 없다….

남쪽의 멕시코는 경제적 · 군사적으로
미국의 적수가 되지 못하니까
국민소득 40,000달러
인구 2억 8,000만 명
미국
USA
국민소득 5,000달러
인구 8,800만 명
멕시코

미국은 항상 큰형님으로 군림해왔고
강자의 겸손?
왜 그래야 하는데?
최강자가 겸손한 거 봤어?
겸손하려고 강자된 줄 아냐?

이런 의식은 아메리카뿐 아니라 세계의
지도국가가 되고도 변하지 않다보니
벼는 익을수록 고개를 숙이는데…
옥수수는 익어도 빳빳이 서 있기만 하더라!

온갖 도전과 시련 속에서도 세계제일,
세계 최강이어야 한다는 강박관념에
사로잡혀 있다고나 할까….
최강
최고…

세계 최강은 남에게 추월당해서는
안 된다.

그러기 위해서는 끊임없이 경쟁자,
적을 만들어야 하고
누가 내게 도전하냐?
중국이냐, 일본이냐, 아니면 테러냐…

싸워 이기기 위해 쉴 새 없이
움직여야 해.
도전자가 누구든
항상 최상의 컨디션을 유지해야 한다!

이 에너지는 미국 발전의 가장 큰
원동력인 만큼
음, 일단 성인병 걱정은 없군!

이를 생산하는 거대한 엔진을
꺼뜨리지 않기 위하여

미국은 끊임없이 문제를 만들고
전쟁을 하여 바쁘게, 빠르게 움직일
수밖에 없지.
가끔 전쟁을 통해
에너지를 최고로 발산하기도 하고…
간다

만약에 서부라고 하는 거대한 미개척지가 없었다면

미국은 끊임없는 내분과 반목, 갈등에 시달렸을지도 몰라.

쿵
콰
우
지
끈

그러나 미국의 에너지는 서부라는 미지의 땅으로 무난히 뻗어나갔고

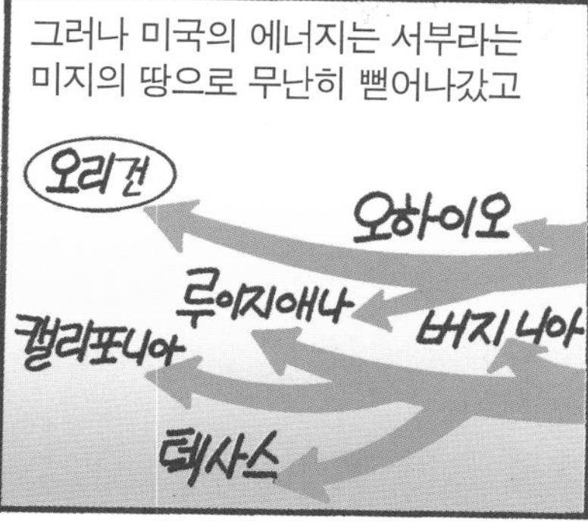

오리건
오하이오
루이지애나
버지니아
캘리포니아
텍사스

이제는 세계로 무한히 뻗어나가고 있어.

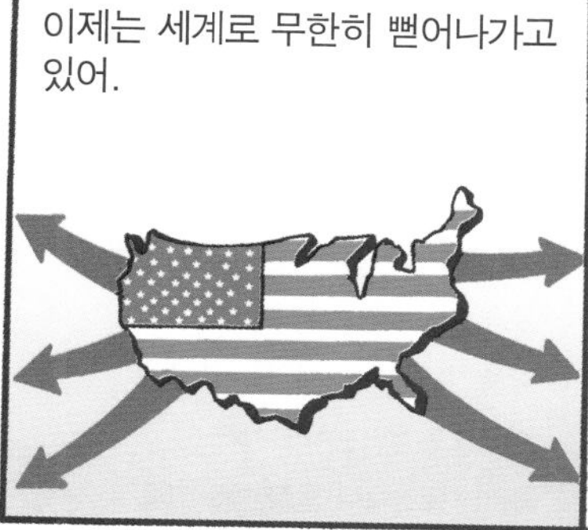

사방이 가로막혀 에너지가 뻗어나갈 곳이 없었던 다른 민족국가들이

너 죽고 나 살자!
이 나라는 내 것이다!

당파싸움과 권력투쟁으로 역사의 에너지를 소모했던 것과는 크게 대조적이지.

마마, 좌의정을 내치시옵소서!
대역죄를 모의하였나이다!

존 F, 케네디는 이렇게 말하였다.
"The United States has to move very fast to even stand still." – 미국은 가만히 서 있기 위해서라도 계속 빠르게 움직여야 한다.

미국은 그의 말대로 계속 빠르게 움직일 것이다. 그 거대한 체구가 가만히 서 있으면 비만과 성인병으로 쓰러지게 될 것이므로. 그 넘치는 에너지를 끊임없이 발산하기 위해 미국은 끊임없이 적을 만들어야 하는 것이다.

* 위대한 첫 발자국. 1969년 7월 20일 최초로 달에 착륙하다.

찾아보기

ㄱ

가마Gama, Vasco da 15
가쓰라-태프트 밀약 160
걸프전쟁Gulf War 240
게이지Gage, Thomas 57
게티즈버그 전투Battle of Gettysburg 131
겐트 조약Treaty of Gand 90
고르바초프Gorbachov, Mikhail Sergeyevich 236
곰퍼스Gompers, Samuel 153
과달루페이달고 조약Treaty of Guadalupe Hidalgo 100~101
9·11 테러 246
국제연맹League of Nations 173
권리장전Bill of Rights 69
그렌빌Grenville, Georg 46
금주법Prohibition Act 177

ㄴ

나세르Nasser, Gamal Abdel 218~219
나폴레옹 1세Napoleon I 80~83, 85
남북전쟁American Civil War 104, 128
냉전Cold War 210
4가지 자유Four Freedoms 201
노동기사단Noble Order of the Knights of Labor 152~153
노변담화Fireside Chat 184
노예제도 25~26
노예해방선언Emancipation Proclamation 130
녹스Knox, Henry 74
농업조정기구AAA 188, 192
뉴딜New Deal 182~194
뉴올리언스New Orleans 82~83
뉴프런티어New Frontier 157
닉슨Nixon, Richard Milhous 214, 224, 229~231
닉슨 독트린Nixon Doctrine 229

ㄷ

당밀조례Molasses Act 47
대공황Great Depression 178~181
대륙회의Continental Congress 56
더글러스Douglas, Stephen Arnold 114, 123~124
덜레스Dulles, John Foster 218
데이비스Davis, Jefferson 127
디아스Dias, Bartolomeu 15
디엔비엔푸Dien Bien Phu 217
디킨슨Dickinson, John 52

ㄹ

라이트 형제Wright Brothers 144
랜돌프Randolph, Edmund Jennings 74
레이거노믹스Reaganomics 234
레이건Reagan, Ronald Wilson 233~237
로크Locke, John 60
록펠러Rockefeller, John Davison 148
롬멜Rommel, Erwin 202
롱펠로Longfellow, Henry Wadsworth 57
루스벨트Roosevelt, Franklin Delano 182~191, 193, 200~207
루이스Lewis, Meriwether 108
루이지애나Louisiana 82~84
리Lee, Robert Edward 120, 128
리비어Revere, Paul 57
리빙스턴Livingston, Robert 43, 61
릴리우오칼라니Liliuokalani 159
링컨Lincoln, Abraham 123~132

ㅁ

마누엘 1세Manuel I 15
마셜 플랜Marshall Plan 211
매디슨Madison, James 87~88
매카시McCarthy, Joseph Raymond 214, 216
맥시코전쟁Mexican War 100
맥아더MacArthur, Douglas 206
맬컴 XMalcom X 222
먼로Monroe, James 91
먼로 독트린Monroe Doctrine 91~92
메이플라워호 서약Mayflower Compact 28
메인호 사건Destruction of the Maine 159
모건Morgan, John Pierpont 149
모루아Maurois, André 10
무솔리니Mussolini, Benito 197
미국노동총연맹AFL 153
미국-에스파냐 전쟁 159~160
미영전쟁British-American War 87~90
미주리협정Missouri Compromise 111~112

ㅂ

바르샤바 조약기구Warsaw Treaty Organization 213
반미국인 활동위원회HUAC 214
발보아Balboa, Vasco Nuúñez de 21
백악관White House 79
버지니아Virginia 22~23
베르사유 조약Treaty of Versailles 173
베스푸치Vespucci, Amerigo 18
베트남전쟁Vietnam War 227
벨Bell, Alexander Graham 144
보스턴 차 사건Boston Tea Party 55
보스턴학살Boston Massacre 53
부시Bush, George Herbert Walker 237
부시Bush, George Walker 245
북대서양 조약기구NATO 213

북미자유무역협정NAFTA 243
불런 전투Battle of Bull Run 128
브라운Brown, John 119~121
브룩스Brooks, Preston 117

ㅅ

사라예보Sarajevo 164
삼국동맹Dreibund 165
삼국협상Triple Entente 165
3R 182, 188, 194
설탕조례Sugar Act 49
섬너Sumner, Charles 117
센트럴퍼시픽Central Pacific 철도 140~141
셔먼Sherman, Roger 43, 61
셰이스의 반란Shays' Rebellion 75
숄스Sholes, Christopher Latham 144
수에즈운하Suez Canal 218~219
수정헌법 제13조 136
수정헌법 제14조 150
슈어드Seward, William Henry 157
스미스Smith, Adam 11
스미스Smith, John 36
스콧Scott, Dred 121~122
스태그플레이션Stagflation 231
스토Stowe, Harriet Beecher 119
시팅 불Sitting Bull 98, 142

ㅇ

아이젠하워Eisenhower, Dwight David 205, 216~217, 221
애덤스Adams, John 43, 58, 61, 74, 80~81, 84
애덤스Adams, Samuel 49, 55, 57
앤티텀 전투Battle of Antietam 129~130, 135
에디슨Edison, Thomas Alva 143
에스파냐 계승전쟁 39
엔리케Henrique 15
엘리자베스 1세Elizabeth I 22
연합규약Articles of Confederation 69
빈 라덴bin Laden, Osama 246
오스트리아 계승전쟁 39~40
오일 쇼크Oil Shock 231
오즈월드Oswald, Lee Harvey 227
와그너법Wagner Act 189, 193
워싱턴Washington, George 58, 62~67, 71~72, 74
워터게이트 사건Watergate Affair 231
원자폭탄 208~209
월리스Wallace, Henry Agard 212
위스키 반란 사건Whiskey Insurrection 76
윈스럽Winthrop, John 36
윌슨Wilson, Thomas Woodrow 162, 167~173
윌슨의 14개조 171
유니언퍼시픽Union Pacific 철도 140~141
이민 154~155
이사벨Isabel 17~18
이스트먼Eastman, George 144
인지조례Stamp Act 49

ㅈ

잭슨Jackson, Andrew 90, 94~95, 97
잭슨 민주주의 Jacksonian Democracy 95
전국산업부흥법NIRA 17, 189~190
정전협정Armistice Agreement 216
제1차 세계대전First World War 164~166
제2차 세계대전Second World War 191, 197, 201~208
제임스 1세James I 24
제임스타운Jamestown 24
제퍼슨Jefferson, Thomas 43, 60~61, 74, 77~79, 81, 84, 108
조지 3세George III 46, 56
존슨Johnson, Andrew 137
존슨Johnson, Lyndon Baines 227~228, 230
존슨법 Johnson Act 199
주앙 2세João II 15
중립법Neutrality Act 199
진주만Pearl Harbor 202~204

ㅊ

차조례Tea Act 55
1850년의 타협 114
추축국Axis-Powers 197
취업진흥국WPA 187
치머만Zimmermann, Arthur 170
7년전쟁Seven Years' War 44

ㅋ

카네기Carnegie, Andrew 146~147
카보베르데Cape Verde 18~19
카브랄Cabral, Pedro Alvares 21
카스트로Castro, Fidel 225
카터Carter, Jimmy 232
카포네Capone, Alphonso 177
캐벗Cabot, John 22
캔자스-네브래스카 법Kansas-Nebraska Act 115
케네디 Kennedy, John Fitzgerald 224~226
KKK단 138~139
콘월리스Cornwallis, Charles 66
콘키스타도레스Conquistadores 19, 21
콜럼버스Columbus, Christopher 9, 16~18, 21
쿠바 봉쇄Containment of Cuba 226~227

크롬웰Cromwell, Oliver 34
클라크Clark, William 108
클레이Clay, Henry 113
클린턴Clinton, Bill 240~243
키Key, Francis Scott 89
킹King, Martin Luther 221~222

ㅌ

타운센드Townshend , Charles 51
타운센드법Townshend Act 51
탈레랑Talleyrand, Charles-Maurice de 80
태프트Taft, Robert Alphonso 212
터너Turner, Nat 112
테네시계곡개발공사TVA 189, 193
토니Taney, Roger Brooke 122
톰 아저씨의 오두막집Uncle Tom's Cabin 119
통화조례Currency Act 48
트러스트Trust 148
트루먼Truman, Harry S. 207
트루먼 독트린Truman Doctrine 211~213

ㅍ

파나마운하Panama Canal 161
파리조약Treaty of Paris 41~42, 66
파리평화회의Paris Peace Conference 172
팔레비Pahlevi, Mohammad Reza Shah Pahlevi
233
페리Perry, Matthew Calbraith 156
페인Paine, Thomas 58~59
포드Ford, Gerald Rudolph 231
포카혼타스Pocahontas 24
풀턴Fulton, Robert 109
프랭클린Franklin, Benjamin 43, 61, 63
프렌치-인디언 전쟁French and Indian War 40~41
플리머스Plymouth 26
피트Pitt the Elder, William 41
피트Pitt the Younger, William 85
필그림Pilgrim 26~27

ㅎ

하딩Harding, Warren Gamaliel 174
한국전쟁Korean War 214~215
항해조례Navigation Act 35
해밀턴Hamilton, Alexander 74~75, 77~79
헌법회의The Constitutional Convention 70
헤이마켓 사건Haymarket Affair 152~153
헨리 7세Henry VII 22
헨리Henry, Patrick 50
후버Hoover, Herbert Clark 182
휘트니Whitney, Eli 105
히스패닉Hispanic 244
히틀러Hitler, Adolf 196~197, 202

미국 2 역사 편

끝